VINCENT KLIESCH
Die Reinheit des Todes

Buch

Die Reinheit des Todes begegnet den Ermittlern in Form eines akribisch gesäuberten Tatortes. Ist es dem mysteriösen Serienmörder wirklich zum dritten Mal gelungen, den perfekten Mord zu begehen? Das LKA Berlin steht vor einem Rätsel. Die letzte Hoffnung ruht auf Julius Kern, der bereits drei Jahre zuvor mit seinen unkonventionellen Ermittlungsmethoden den brutalen Massenmörder Tassilo aufgespürt hat. Doch Kern ist nicht mehr derselbe, nachdem Tassilo damals freigesprochen wurde. Immer noch mit sich selbst beschäftigt, stellt er sich der Herausforderung. Zunächst scheinen alle Spuren ins Leere zu führen. Während den Ermittlern die Zeit davonläuft, ist der Mörder schon auf der Suche nach seinem nächsten Opfer. Es kommt zu einem mörderischen Duell mit einem mehr als überraschenden Ende …

Autor

Vincent Kliesch wurde am 17.10.1974 in Berlin geboren. Als Moderator unterhält er täglich das Publikum im Filmpark Babelsberg in Potsdam. Außerdem hat er drei Jahre lang seine eigene Comedy-Show im Auftrag von Starbucks moderiert und dort einige der besten Comedians Deutschlands begrüßt.
Als Stand-up-Comedian ist Vincent Kliesch bereits im Quatsch Comedy Club oder im legendären Waschsalon von Night Wash aufgetreten. Außerdem hat er als Ensemblemitglied des Burgtheaters Ziesar verschiedene Hauptrollen gespielt.
Seine Leidenschaft ist jedoch das Schreiben. Als Fan von Spannungsliteratur war der Weg von der Comedy zum Thriller für ihn nicht weit: »Die Mittel, mit denen man ein Publikum zum Lachen bringt, sind dieselben, mit denen man Spannung erzeugt. Die Auflösung geht nur in die entgegengesetzte Richtung.«
Die Reinheit des Todes ist sein erster Roman. Derzeit schreibt Vincent Kliesch an einem neuen Fall für seinen Ermittler Julius Kern.

VINCENT KLIESCH

Die Reinheit des Todes

Thriller

blanvalet

FSC

Mix

Produktgruppe aus vorbildlich
bewirtschafteten Wäldern und
anderen kontrollierten Herkünften

Zert.-Nr. SGS-COC-001940
www.fsc.org
© 1996 Forest Stewardship Council

Verlagsgruppe Random House FSC-DEU-0100
Das für dieses Buch verwendete FSC-zertifizierte Papier *Holmen Book Cream*
liefert Holmen Paper Hallstavik, Schweden.

3. Auflage
Originalausgabe Juni 2010 bei Blanvalet,
einem Unternehmen der Verlagsgruppe Random House GmbH, München.
Copyright © der deutschsprachigen Ausgabe 2010 by
Blanvalet Verlag, München, in der Verlagsgruppe Random House GmbH
Dieses Werk wurde vermittelt durch die Literarische Agentur
Thomas Schlück, 30827 Garbsen
Umschlaggestaltung: © HildenDesign, München,
unter Verwendung von Motiven von Photoslash/iStockphoto
Redaktion: Rainer Schöttle
NB · Herstellung: RF
Satz: Uhl + Massopust, Aalen
Druck und Bindung: GGP Media GmbH, Pößneck
Printed in Germany
ISBN: 978-3-442-37492-2

www.blanvalet.de

Für alle, die im Service arbeiten.
Lasst euch nicht ärgern!

PROLOG

Mit dem lang ersehnten Gast war auch der Wahnsinn in ihr Haus gekommen. Doch während die wundervolle Musik den Raum mit ihrer bittersüßen Melancholie füllte, verdrängte Elisabeth Woelke die Warnungen, die ihr Unterbewusstsein ihr sandte.

Es war zu schön; es konnte gar nicht sein, wie es schien. Sie hätte weglaufen sollen, um Hilfe rufen. Doch obwohl sie spürte, dass sie diesen Abend vielleicht nicht überleben würde, lächelte sie.

»Möchtest du Wein?«, fragte sie ihren Gast, der in eleganter Pose auf dem Sofa saß.

»Gern«, gab er mit demselben Lächeln zur Antwort, mit dem er sie schon auf den ersten Blick in seinen Bann gezogen hatte.

Die einundsechzigjährige Apothekerin hatte wochenlang darauf gewartet, ihn endlich persönlich kennenzulernen, ihm leibhaftig gegenüberzustehen. Er hatte sie von der ersten Minute an verstanden. Wirklich verstanden. Doch die unheimliche Gefahr, die hinter seinem Lächeln lag, wurde mit jedem Satz, den sie miteinander sprachen, stärker. Er sah sich prüfend im Raum um, seine Augen hinter einer großen Sonnenbrille verborgen.

Sie hat sich gut auf meinen Besuch vorbereitet, aufgeräumt und sauber gemacht, dachte er. Trotzdem würde er viel zu tun haben, gleich wenn er sie begleitet hatte.

»Du bist so völlig anders, als ich es mir vorgestellt habe«, sagte Elisabeth Woelke, während sie den Wein einschenkte.

»Wie bin ich denn?«, entgegnete er sanft.

Allein der Klang seiner Stimme berührte sie.

»Ich weiß nicht, wie ich es beschreiben soll. Fast ein bisschen wie ein…«

Sie war sich unsicher, ob sie es aussprechen sollte. Was, wenn es wirklich so war?

»Wie ein Engel?«, half er ihr.

Dann stand er auf und lief zu ihr hinüber. Sie waren allein, und niemand würde sie stören; dafür hatte sie gesorgt.

»Lass uns tanzen«, sagte er und reichte ihr die Hand.

Eingehüllt in Chopins Nocturne, wiegten sie sich im Takt der Musik.

Es war ein beängstigendes Bild, das das ungleiche Paar im warmen Licht des Kerzenscheins abgab, auf eigentümliche Weise voller Frieden und Ruhe. Und das, obwohl der herannahende Tod immer größer werdende Schatten warf. Die Apothekerin ahnte das Unheil, das er in ihre Wohnung gebracht hatte, doch sie verschloss die Augen davor. Denn nie zuvor in ihrem Leben hatte sie sich so unbeschreiblich gefühlt wie jetzt in seinen Armen.

»Und, bist du einer?«, flüsterte sie leise in sein Ohr. »Ein Engel?«

Sie blieben stehen. Er nahm seine Sonnenbrille ab und blickte ihr tief in die Augen.

»Wünschst du es dir denn?«, fragte er.

Sie konnte den Blick nicht von seinen Augen wenden. Es war, als spiegelten sich alles Glück und alle Geborgenheit der Welt darin wider. Und obwohl sie die Konsequenzen ihrer Antwort ahnte, sagte sie:

»Mehr als alles andere.«

1

Der Tatort war noch bemerkenswerter, als Julius Kern ihn sich vorgestellt hatte.

In ein schneeweißes Hemd gekleidet, lag die gewaschene, frisierte und geschminkte Leiche von Elisabeth Woelke in der Mitte ihres Wohnzimmers auf dem Esstisch aufgebahrt. Und auch der Rest des Raums sah aus, als sei er für einen ganz besonderen Anlass hergerichtet worden. Jedes Möbelstück, jede Lampe, sogar die Glühbirnen waren penibel gereinigt worden. Die Fensterscheiben waren so blank poliert, dass man glauben konnte, es seien gar keine eingesetzt gewesen. Die Bilder und ihre Rahmen waren mit Glas- und Holzpolitur behandelt worden; sogar die Nägel, an denen sie aufgehängt waren, glänzten. Einfach alles in diesem Raum war mit unglaublicher Akribie geputzt und geordnet worden, die Fernbedienungen auf dem Couchtisch, die Bücher in den Regalen, die Fotos auf dem Schreibtisch – einfach alles glänzte und verströmte den Duft von Reinigern und Pflegemitteln.

Kern war tief beeindruckt. Der Raum strahlte in seiner makellosen Reinheit eine unheimliche Kälte aus, die sich schwer beschreiben ließ.

»Wie in einem OP«, sagte er leise zu sich selbst. Jetzt erst bemerkte Quirin Meisner, dass Kern eingetroffen war.

Meisner war der Leiter der Mordkommission, die mit der Aufklärung der Mordserie beschäftigt war, die nun das dritte Opfer innerhalb von kaum acht Monaten gefordert hatte. Knapp eine Stunde zuvor hatte er Kern aus Brandenburg kommen lassen, damit er sich den Tatort ansehen konnte.

»Julius, danke, dass du so schnell gekommen bist!«, begrüßte er Kern.

»Das ist diese verdammte Stadt«, entgegnete der, während er sich weiter in dem steril wirkenden Raum umsah. »Zieht die ganzen kranken Freaks an. Und keinen interessiert's.«

»Hat Brandenburg dich etwa weich gemacht?«, erwiderte Meisner spöttisch.

Julius Kern arbeitete seit mittlerweile fünf Jahren für das LKA Brandenburg. Seine Karriere hatte er aber in Berlin begonnen. Dort war er schon früh durch seine außergewöhnliche Art des Ermittelns aufgefallen. Immer wieder waren es allein seine Erkenntnisse gewesen, die den entscheidenden Ausschlag für die Ergreifung von Verbrechern gegeben hatten. Kern gab niemals auf. Auch dann nicht, wenn alle seine Kollegen bereits mit ihrer Weisheit am Ende waren.

»Das ist die Dritte. Ich habe schon nach dem zweiten Mord überlegt, dich ins Team zu holen, aber du weißt ja selber, wie das dann immer ist.«

»Warum musst du mich bloß in so einen kranken Fall reinziehen?«

Meisner brauchte nicht lange zu überlegen.

»Wäre es dir lieber, man würde dich nur noch für Falschparker einsetzen?«

»Dann erzähl mal.«

»Er geht immer gleich vor. Erst betäubt er sie mit Chloroform, dann ertränkt er sie.«

»Kampfspuren?«

»Nein, sie scheinen sich nicht zu wehren. Auch keine Einbruchspuren.«

»Sie kannten ihn?«

Kern blickte sich weiter um. Obwohl er in seiner Laufbahn schon einiges zu sehen bekommen hatte, war der Anblick, der sich ihm an diesem Ort bot, selbst in seinen Augen bemerkenswert. Die unglaubliche Mühe, die sich der Täter nach dem Mord damit gemacht hatte, Sauberkeit und Ordnung herzustellen, war geradezu unheimlich.

»Meinst du, es war eine Art Ritualmord?«, fragte Kern.

»Haben wir auch überlegt. Aber die Experten finden nichts, was darauf hinweist.«

»Aber ausschließen können sie es nicht?«

»Sie sagen, wenn er religiöse Motive hätte, würde er es uns wissen lassen. Tut er aber nicht.«

»Was will er dann? Es sieht nicht so aus, als ob der Tod des Opfers sein Ziel wäre. Das könnte er viel leichter haben. Ich meine, wie lange braucht man, um so zu putzen?«

»Die Kollegen sagen, vier bis sechs Stunden. Wenn er allein war.«

»War er«, sagte Kern.

»Warum so sicher?«, wollte Meisner wissen.

»Dieser Kerl will absolut nichts falsch machen. Und einen Mitwisser zu haben wäre verdammt falsch.«

»Wo wären wir mit unserer Arbeit, wenn Mörder keine Fehler machen würden?«, wandte Meisner ein.

»Dieser Kerl macht keine Fehler.«

»Wie kommst du darauf?«

»Weil du mich sonst nicht geholt hättest.«

Sie schmunzelten. Kern und Meisner kannten einander seit vielen Jahren. Sie hatten oft zusammengearbeitet, bevor Kern nach Brandenburg versetzt worden war. Meisner war um einiges älter als Kern, weswegen dieser ihn immer auch als väterlichen Freund gesehen hatte.

»Er ist verdammt kräftig«, stellte Kern fest. »Er muss sie das Chloroform eine ganze Weile lang einatmen lassen. Also, ich würde mich da wehren. Und dann hebt er auch noch die Leiche auf den Tisch. – Habt ihr schon einen Spitznamen für ihn?«

»Die Jungs nennen ihn *Putzteufel*.«

»Nicht schlecht.«

Je genauer Kern sich umsah, desto bewusster wurde ihm das Ausmaß der Sauberkeit, die der Täter hinterlassen hatte.

»Mann, der könnte mal zu mir kommen. Meine Bude sieht aus!«

»Ist Nathalie immer noch …?«, fragte Meisner vorsichtig.

»Was soll ich machen? Sie hat ihre Gründe.«

Kerns Frau Nathalie hatte ihn mit ihrer gemeinsamen Tochter Sophie vor einiger Zeit verlassen.

»Musst mir nichts erzählen. Ich weiß ja selber, wie das ist, wenn einem die Familie Sorgen macht.«

Der Leiter des Erkennungsdienstes trat an die beiden heran.

»Wir haben alles. Die Jungs von der Gerichtsmedizin würden sie gern mitnehmen«, sagte er.

»Ist denn was dabei?«, fragte Meisner, ohne ernsthaft auf eine positive Antwort zu hoffen.

»Na ja, wie bei den beiden anderen. Kein Blut, keine Haare, keine DNA. Kein einziger Fingerabdruck in Wohnzimmer, Bad oder Flur. Nicht mal vom Opfer. In den anderen Räumen scheint er nicht gewesen zu sein.«

»Was ist mit den Mitteln, die er benutzt hat?«

»Die Liste kriegst du so schnell wie möglich. Sonst kann ich dir leider nicht groß weiterhelfen. Er hat wieder mal alles sauber gemacht.«

»Warum macht er das denn?«, fragte Kern. »Wenn man einen Mord begangen hat, dann haut man doch so schnell wie möglich ab. Aber er bleibt noch stundenlang in der Wohnung.«

»Die Psychologen sagen, er hat dabei uns im Visier. Er will uns seine Stärke beweisen«, antwortete Meisner.

»Nach dem Motto *Ätschibätsch, ihr kriegt mich nicht*? Das ist diese verdammte Anonymität der Großstadt. Millionen Menschen, und keiner kennt den anderen. Und das kommt dann dabei raus: durchgeknallte Spinner mit einer Mission. Was ist das für ein Hemd, das sie anhat?«

Kern ging zu der Leiche hinüber, Meisner folgte ihm.

»Die Hemden bringt er mit. Immer der gleiche Hersteller, Massenware. Kann man überall kaufen.«

»Er uniformiert sie?«

»Wenn du so willst, ja.«

Kern überlegte.

»Er nimmt ihnen die Persönlichkeit. Alles, was ihre Individualität ausmacht. Ihre Kleidung, ihre Frisur. Sogar ihren Schmutz. Er macht sie alle gleich. Im Tod. Wer waren die anderen Opfer?«

»Ich gebe dir die Akte im LKA«, antwortete Meisner, bevor er sich dem Kollegen vom Erkennungsdienst zuwandte. »Kannst du uns kurz allein lassen, bitte?«

»Klar.«

Nachdem keiner mehr in Hörweite war, sagte Meisner leise:

»Dieser Kerl macht mit uns, was er will. Wir haben absolut nichts. Er lässt uns wie Idioten dastehen, und ich fürchte, er wird damit nicht aufhören. Kannst du mir helfen? Ich weiß langsam nicht mehr, was ich noch machen soll.«

»Was sagt denn Castella dazu?«

»Die lass meine Sorge sein.«

Kern sah sich weiter um. In diesem Zimmer hatte Leben stattgefunden. Lachen und Weinen. Wahrscheinlich hatte die alte Frau ihre Enkel hier empfangen, Gäste hierher eingeladen. Aber ihr letzter Gast hatte das alles ausgelöscht. Jetzt sah nichts in dem Raum mehr nach Leben aus. Es war einfach nur ein Zimmer. Sauber, ordentlich, kalt.

»Ich habe eine Bitte«, setzte Kern an. »Ich möchte mit ihr allein sein.«

»Wie, allein?«

»Bevor du sie wegbringen lässt. Fünf Minuten. Nur die Leiche und ich.«

Meisner wunderte sich zwar, andererseits kannte er seinen Freund Julius und dessen ungewöhnliche Ermittlungsmethoden. Gerade deshalb hatte er ihn ja auch angefordert.

»Was versprichst du dir davon?«, wollte er trotzdem wissen.

»Er will uns was sagen. Die Sauberkeit und die Ordnung sind eine Nachricht an uns. Wenn ich den Raum so erlebe wie er, dann verstehe ich sie vielleicht.«

Meisner hatte keine Einwände. Die Spuren waren gesichert und alle Fotos gemacht.

»Okay, zehn Minuten. Aber dann müssen wir sie wirklich wegbringen.«

Innerhalb weniger Minuten hatten alle die Wohnung verlassen. Das Team vom Erkennungsdienst, die Schutzpolizisten und die Mitglieder der Mordkommission hatten sich zurückgezogen.

Jetzt war es auf einmal ganz ruhig in der Wohnung. Die Stille, die von der perfekten Reinheit des Ortes noch verstärkt wurde, hing wie eine dunkle Wolke in der Luft. Julius Kern stand allein in dem perfekt gesäuberten Raum vor der makellos hergerichteten Leiche von Elisabeth Woelke. Sekundenlang sah er in das tote Gesicht der Frau, das sie, geschminkt, wie es war, so aussehen ließ, als sei sie einfach nur kurz eingeschlafen.

Kern ging ans Fenster. Die Wohnung lag im Berliner Stadtteil Charlottenburg, nicht weit vom Schloss Charlottenburg entfernt, das regelmäßig Horden von Touristen anzog.

»Muffiges Betriebsfeierflair«, flüsterte er leise in den Raum, als sein Blick auf die Eckkneipe fiel, die auf der anderen Seite der mit groben Steinen gepflasterten Straße lag. »Wahrscheinlich gibt's im Keller 'ne Kegelbahn.«

Es war ein ungewöhnlicher Ort für einen Serienmord. Hier, im alten, ehemals gutbürgerlichen Berlin, in einer der großen Altbauwohnungen mit ihren hohen Wänden und dem Stuck an der Decke.

Jetzt machen sich diese Irren schon über alte Leute her.

An diesem 11. Juni war Elisabeth Woelke nicht in ihrer Apotheke erschienen. Astrid Sokorsky, ihre langjährige Mitarbeiterin und Freundin, hatte zunächst über eine Stunde lang versucht, sie telefonisch zu erreichen. Nachdem dies ohne Erfolg geblieben war, hatte sie von dem Ersatzschlüssel Gebrauch gemacht, den ihr die Chefin vor einer Weile anvertraut hatte.

»Wenn mal was ist, kommst du damit immer in meine Wohnung«, hatte Woelke ihr damals gesagt.

An diesem Tag war etwas gewesen.

Elisabeth Woelke war alleinstehend, seit ihr Ehemann vor einigen Jahren an Krebs gestorben war. Ihre beiden gemeinsamen Kinder lebten nicht mehr in Berlin. Woelke hatte zwar gelegentlich Kontakt zu ihnen gehabt, doch dieser hatte sich in den vergangenen Jahren immer mehr auf Geburtstage und Weihnachten beschränkt.

Jetzt lag sie tot und aufgebahrt vor Kern.

Warum hat er dir das angetan? Du hast ihn gekannt, oder?

Kern wandte sich von der Toten ab und ging langsam und bedächtig durch den stillen Raum. Nur der Klang seiner Schritte hallte ihm nach. So, wie der Täter die Leiche und die Wohnung hinterlassen hatte, war es unmöglich, Rückschlüsse auf den Tathergang zu ziehen. Wo hatte er sie ermordet? Welche Kleidung hatte sie angehabt? Wie hatte die Wohnung ausgesehen? Er hatte das *Vorher* gegen die vollkommene Leere der Sauberkeit ausgetauscht.

Kern holte tief Luft. Sie roch frisch und hygienisch.

Hast du den Duft genossen?

Er schloss die Augen und versuchte sich in die Denkweise des Mörders hineinzuversetzen. Aber konnte er wirklich einen Zugang zu ihm bekommen?

Du bist schlau. Du verwendest sehr viel Zeit für die Planung. Du willst nicht einfach nur deine Spuren verwischen; das könntest du einfacher haben. Du hast ein anderes Ziel. Welches? Hast du es auf uns abgesehen? Du weißt, dass wir dich mit allen Mitteln jagen werden. Du denkst, wir kriegen dich nicht, oder? Wie suchst du deine Opfer aus? Was müssen sie haben, um für dich interessant zu sein?

Kern atmete noch einmal tief durch. Dann trat er wieder an den Tisch in der Mitte des Raums. Er sah in das Gesicht der Toten. Sein Entschluss stand fest: Er würde sich Meisners Team anschließen. Endlich wieder eine echte Aufgabe.

Als er so nah bei der Toten stand, wie es der Mörder getan haben musste, bemerkte er einen kleinen Fleck auf dem schneeweißen Hemd. Er sah genauer hin. Es schien Asche zu sein. Nicht viel, nur ein paar Spuren, kaum zu sehen. Aber sie war da.

Hast du etwa deinen ersten Fehler gemacht?

Kern versuchte Kontakt zu dem Mann aufzunehmen, den er von jetzt an erbarmungslos jagen würde. Dann sagte er:

»Wenn ja, zieh dich warm an.«

2

Kern hatte eine furchtbare Nacht gehabt, bevor der Anruf aus Berlin gekommen war. Seit drei Jahren quälten ihn Albträume. Dieser war wieder besonders schlimm gewesen.

»Sieh uns ruhig an. Sieh dir an, was er mit uns gemacht hat.«

Julius Kern hatte es nicht gewagt, seinen Blick zu heben. Er hatte die zerschlagenen, von Glassplittern zerfetzten Schädel schon zu oft gesehen. Das Paar, das sich mit verzweifelt aufgerissenen Augen anstarrte. Den aufgebrochenen Schädel des Dicken. Er wollte nicht hinsehen, aber irgendetwas zwang ihn dazu.

»Es tut mir so leid«, rief Kern verzweifelt in die Runde, die nicht aufhören wollte, ihn mit toten Augen anzustarren.

Plötzlich trat hinter den fünf Körpern jemand langsam aus dem Dunkel. Mit bedächtigem Schritt näherte er sich der Tafel. Jetzt erschien eine Silhouette im fahlen Licht des Kerzenscheins. Kern erkannte sie sofort: Tassilo.

»Geh weg!«, rief er ihm entgegen.

Er versuchte so laut, wie es ihm möglich war, zu schreien, doch sosehr er sich auch anstrengte, seine Stimme blieb brüchig und heiser.

»Sie können mich ja erschießen«, erwiderte Tassilo und war

dabei so freundlich, dass es Kern auf eine beklemmende Weise unheimlich war.

Kern blickte an sich hinab und stellte fest, dass die Fesseln, die ihn eben noch an seinen Stuhl gebunden hatten, mit einem Mal verschwunden waren.

Meine Pistole. Er steht direkt vor mir. Er kann ihnen nichts mehr tun, wenn ich nur schnell genug bin.

»Ich habe nicht bis morgen Zeit«, setzte Tassilo nach.

Mit einem furchtbaren Weinen sanken die Gäste der blutigen Runde auf die Tischplatte nieder.

»Oder können Sie es etwa nicht?«

Kerns Waffe war viel schwerer als sonst. Er konnte sie mit einer Hand nicht heben. Doch selbst mit beiden Händen war das Abdrücken nicht so einfach, wie es immer auf dem Schießstand gewesen war.

Der Sicherungshebel funktionierte nicht richtig. Er sprang immer wieder in seine Grundposition zurück. Außerdem klemmte der Abzug. Unerträglich steigerte sich der Chor aus Weinen, Schreien und Flehen. Plötzlich ein Knall.

Mit seiner ganzen Kraft war es Kern endlich gelungen, einen Schuss abzufeuern. Aber ein genaues Zielen war ihm nicht möglich gewesen. Die Kugel traf Tassilo in die Schulter.

Lachend strich er sich so lange über die Wunde, bis sie verschwunden war.

Die Kugel hatte Tassilo noch nie getötet. Nicht auch nur in einer einzigen Nacht.

Kern erwachte, wie fast immer an dieser Stelle. Es dauerte einige Minuten, bis er in der Lage war, das Erlebte als das einzuordnen, was es war: ein Albtraum.

Noch immer verstört, rollte er sich auf Nathalies Seite des

Doppelbetts. Er wollte sich an sie schmiegen, wie er es immer getan hatte, wenn seine Arbeit ihn bis in seine Träume verfolgt hatte. Erst als seine Arme auf der Suche nach Nathalies warmem Körper mehrmals ins Leere gegriffen hatten, erinnerte er sich schmerzhaft, dass sie ihn bereits vor Monaten verlassen hatte.

Kurz darauf klingelte das Telefon. Als er, noch immer verschlafen, die Aufforderung entgegennahm, sich einen Tatort in Berlin anzusehen, konnte er noch nichts von dem Wahnsinn ahnen, der ihm bevorstand.

3

»Diese Geschichte ist eine tickende Zeitbombe. Und wenn die hochgeht, dann haben wir ein echtes Problem.«

Daniela Castella, Dezernatsleiterin im LKA Berlin und Quirin Meisners Vorgesetzte, hatte ihn sofort sprechen wollen, nachdem er Kern aus Brandenburg hatte kommen lassen. »Wie lange können wir unseren Putzteufel noch vor der Presse geheim halten? Was meinen Sie?«, fragte die kleine, zierliche Frau, die eher an eine Ballettlehrerin als an eine Kriminalbeamtin erinnerte.

»Wir sind mit Hochdruck an der Sache dran«, antwortete Meisner.

»Und hat Ihr Hochdruck verhindert, dass wir eine neue Leiche haben? Was ist mit der Frau, die das Opfer gefunden hat?«

Meisner winkte ab.

»Da sickert nichts durch.«

Castella war sichtlich beunruhigt. Nervös tippte sie mit ihrem Kugelschreiber auf die Glasplatte ihres Schreibtisches.

»Irgendwann bekommen die Pressefritzen es mit. Und wenn der Rummel losgeht, dann steckt wer mittendrin? Kern.«

Meisner hatte verstanden, was Castella ihm sagen wollte.

»Sie würden ihn lieber aus der Sache raushalten?«

»Er ist über diese Scheunengeschichte immer noch nicht weg. Und Tassilos Buch kommt auch bald raus. Erzählen Sie mir nicht, dass ihn das kaltlässt. Und diese ewigen Interviewanfragen. Die nerven ja sogar mich schon.«

»Klar, er leidet. Er war ja auch damals einer der Ersten am Tatort. Das steckt keiner einfach so weg.«

»Und ausgerechnet ihn wollen Sie jetzt im Team haben? Na, danke schön. Normalerweise fordern die Brandenburger Kollegen Leute von *uns* an, nicht umgekehrt. Warum bringen Sie einen Mann ins Spiel, der sich bis heute nicht von einem tief sitzenden Schock erholt hat? Und der weiß Gott keinen neuen Misserfolg brauchen kann? Was soll das?«

Meisner hatte Zweifel an der Echtheit von Castellas Sorge.

»Geht es Ihnen wirklich um Julius? Oder haben Sie Angst um das Image der Polizei? Ich meine, der Name Kern in Verbindung mit ungeklärten Morden…«

»Das ist das Letzte, was ich brauche. Also, wenn Sie wirklich möchten, dass ich ihn anfordere, dann mache ich das. Aber ich hoffe, dass sich das nicht als Fehler herausstellen wird. Haben wir uns verstanden?«

Meisner kannte seine Chefin gut genug, um zu wissen, was sie ihm sagen wollte.

»Ich verspreche Ihnen, ich habe ein Auge auf ihn. Wenn ich merke, dass der Fall noch zu groß für ihn ist, ziehe ich ihn wieder ab.«

»Wenn's dann nicht schon zu spät ist. Sie haben mal gesagt, dass Kern messerscharfe Reißzähne hat, mit denen er sich in seine Fälle verbeißt. Erinnern Sie sich?«

»Das ist auch so. Als er damals Tassilo gejagt hat, hat er nächtelang nicht geschlafen.«

»Und jetzt verdient der sich eine goldene Nase an seinen Verbrechen, und Kern sieht täglich seine Fanklubs feiern. Und was ist mit Kerns Frau? Hat sie sich nicht wegen der Sache sogar von ihm getrennt?«

»Schon«, gab Meisner zu.

»Soll ich Ihnen jetzt wirklich erklären, wie wichtig das soziale Umfeld ist? Kann es nicht sein, dass Kerns Reißzähne stumpf geworden sind?«

»Genau deswegen halte ich ihn ja für den Richtigen. Er will wieder zurück. Wieder der Alte sein. Und dafür wird er kämpfen.«

Castella rückte ihre Brille zurecht. Dann lehnte sie sich in ihrem Sessel zurück und musterte Meisner.

»Wenn ich nicht wüsste, dass er ein alter Freund von Ihnen ist, würde ich fast vermuten, Sie suchen einen Sündenbock. Der herhalten muss, falls Sie diesen Fall nicht lösen.«

4

»Willkommen im Team! Gleich ist Meeting. Willst du vorher noch in die Akte gucken?«, begrüßte Meisner Kern in seinem Büro.

»Kurz, ja. Was ist mit der Asche?«

»Die Kollegen sind dran. Meinst du, er hat geraucht?«

»Eine Belohnungszigarette nach dem Putzen, wer weiß? Passt aber eigentlich nicht zu ihm, oder?«

»Ich würde was drum geben, dir sagen zu können, was zu ihm passt und was nicht.«

»Wie sehen ihn denn die Psychologen?«

»So gut wie gar nicht. Mitte zwanzig, männlich, intelligent. Nicht sexuell motiviert.«

»Riesennummer. Weil die Opfer älter waren?«

»Auch. Außerdem – erst zwei Männer, dann eine Frau? Und keine Spuren von sexueller Einwirkung? Nein, der hat was anderes vor. Der will sich einen Spaß mit uns machen.«

»Klappt ja auch ganz gut.«

Meisner schob Kern die Fallakte zu.

»Der Mord ist für ihn nur Mittel zum Zweck«, sagte er dann. »Wenn wir ihn kriegen wollen, müssen wir sein eigentliches Ziel rausfinden. Hast du eine Idee?«

Kern versuchte sich zu erinnern, was er gefühlt hatte, als er mit der Leiche allein gewesen war.

»Er stellt seine Opfer regelrecht aus, wie in einem Museum. Vielleicht sieht er sie als Trophäen«, überlegte er.

»Die er uns ganz stolz zeigen will?«

»Entweder stolz oder überheblich. Vielleicht ist er einer von diesen Freaks, die den perfekten Mord begehen wollen.«

»Du weißt doch, ein perfekter Mord ist es nur, wenn wir ihn für einen Unfall halten. Oder für Selbstmord«, antwortete Meisner.

»Was ihn aber um den Spaß bringen würde, von uns gejagt zu werden. Außerdem, was nützt es ihm, ein perfektes Verbrechen zu begehen, wenn er niemanden hat, der ihn dafür bewundert?«

»Also will er genau das. Ein Duell mit uns«, sagte Meisner.

»Sicher steht er drauf, in der Zeitung zu verfolgen, wie blöd wir uns anstellen. Was gebt ihr denn an die Presse raus?«

»Das kleine Paket. Leiche gefunden, Ermittlungen aufgenommen, die näheren Umstände werden noch ermittelt. Wir gönnen ihm keine große Medienresonanz.«

Kaum dass er von *großer Medienresonanz* gesprochen hatte, zuckte Meisner leicht. Kern bemerkte es.

»Schon okay«, beruhigte er seinen Freund. »Ich weiß doch, dass ihr das alle verfolgt.«

Meisner nickte.

»Sprich es im Meeting am besten sofort an«, sagte er dann. »Dann hast du's hinter dir. Die freuen sich alle drauf, mit dir zu arbeiten; also wisch die Tassilo-Nummer einfach schnell vom Tisch.«

Meisner hatte versehentlich den falschen Ton getroffen.

»Tassilo schnell vom Tisch wischen?«, reagierte Kern. »Du bist gut. Kannst du die Sache mit deinem Sohn einfach schnell vom Tisch wischen?«

Meisner senkte seinen Blick. Jetzt tat Kern seine Bemerkung leid.

»So war's nicht gemeint«, entschuldigte er sich.

Meisner hatte mit seinem Sohn kaum weniger Sorgen als er mit Nathalie.

»Wie lange hat er denn noch?«, fragte Kern.

»Zwei Jahre. Bei guter Führung.«

»Schöne Scheiße.«

»Als er ein Kind war, hat er mal im Supermarkt eine Tafel Schokolade geklaut. Die haben ihn erwischt und ihn im Streifenwagen nach Hause fahren lassen. Das war ihm so peinlich; er hat den ganzen Tag geheult«, erinnerte sich Meisner. »Julius, du musst aufhören, dir Vorwürfe zu machen. Glaub mir, ich habe das alles selber durch. Wir können die Dinge um uns herum nicht kontrollieren. Ohne dich wäre Tassilo nie erwischt worden. Und wie es dann gelaufen ist, war nicht deine Schuld.«

»Er hat mich reingelegt.«

»Er hat alle reingelegt. Aber es ist vorbei. Jetzt läuft ein Serienmörder durch die Stadt, der Menschen umbringt, weil er uns zeigen will, dass er es kann. Ich brauche dich. Aber nicht mit halber Kraft.«

Kern sah zur Tür, um sich zu vergewissern, dass niemand zuhörte. Dann fragte er leise: »Hältst du es für möglich, dass der Putzteufel einer von uns ist?«

Auch Meisner sah kurz zur Tür.

»Weil er weiß, welche Spuren er verwischen muss?«, entgegnete er dann leise. »Die Idee hatte ich am Anfang auch, aber ich bin weg davon.«

»Wegen der Art, wie er putzt?«

»Genau. Einer von uns würde es sich leichter machen. Der Putzteufel weiß offenbar nicht, wie wir arbeiten. Deswegen macht er einfach alles sauber. Sogar Stellen, an denen gar keine Spuren sein können. Und er benutzt Spezialreiniger für jedes Material.«

Kern schmunzelte.

»Dann ist er wirklich nicht von uns. Unsere Jungs wären dafür viel zu faul.«

Meisner freute sich über die Auflockerung. Dann sagte er: »Also, guck noch kurz in die Akte, alles andere gleich im Meeting. Okay?«

»Kommt Castella auch?«

»Ja. Binde dir lieber eine Krawatte um.«

Kern hatte vor dem Meeting nur eine knappe Stunde Zeit, sich in die Akte einzuarbeiten. Am 17. Oktober vergangenen Jahres hatte der Putzteufel zum ersten Mal zugeschlagen. Der Unternehmensberater August Danner war einen Tag nach seiner Ermordung von seiner Haushaltshilfe aufgefunden worden. Auch er war in der Mitte seines Wohnzimmers aufgebahrt worden, auch er gewaschen, frisiert und mit einem weißen Hemd bekleidet. Und auch sein Flur, sein Bad und sein Wohnzimmer hatte der Mörder mit größter Sorgfalt gereinigt.

Bei dem Dachdeckermeister Kurt Mankwitz, der knapp vier Monate später das zweite Opfer wurde, war es nicht anders. Die bisherigen Ermittlungsergebnisse waren alles andere als üppig. Die Hemden gab es fast an jeder Ecke zu kaufen. Die Auflistung der Putzmittel, die der Täter verwendet hatte, war ebenfalls wenig nützlich. Es handelte sich zwar um eine breite Palette der verschiedensten Spezialreiniger, aber man konnte sie alle in Kaufhäusern und Baumärkten bekommen. Auch die Anwohnerbefragungen hatten keine verwertbaren Ergebnisse gebracht. Eine Nachbarin von Mankwitz hatte zwar angegeben, den Täter gesehen zu haben. Sie verwickelte sich aber bei ihren Beschreibungen immer weiter in Widersprüche. Bis sich zuletzt sogar herausstellte, dass die alte Frau eine Sehschwäche hatte, die ihr die Beobachtungen, die sie gemacht haben wollte, gar nicht ermöglicht hätte. Am Ende gab sie zu, dass es ihr nur um ein bisschen Aufmerksamkeit gegangen war.

Sie lebt in einer Millionenstadt. Aber sie ist so einsam wie auf einer Insel. Bist du auch einsam? Geht es dir auch nur um Aufmerksamkeit?

Kern befürchtete, dass er aus den bisherigen Ermittlungen keine neuen Erkenntnisse würde gewinnen können. Quirin und sein Team hatten gute Arbeit geleistet, aber vielleicht gab es doch noch irgendeine Kleinigkeit, die alle bisher übersehen hatten. So wie damals bei Tassilo. Vielleicht würde ja auch die Analyse der Asche etwas Neues ergeben.

In wenigen Minuten würde das Meeting beginnen. Sollte Kern Meisners Rat befolgen und das Thema, das ohnehin im Raum stand, gleich zu Beginn ansprechen? Es wäre wohl wirklich das Beste.

»Jetzt haben wir also das dritte Opfer«, eröffnete Meisner die Teamsitzung seiner Mordkommission. »Wir haben alle hart daran gearbeitet, das zu verhindern. Aber leider sind wir dabei an unsere Grenzen gestoßen. Jetzt müssen wir alles daransetzen, dass er zum letzten Mal zugeschlagen hat. Deswegen habe ich unser Team verstärkt. Die meisten von euch kennen ihn ja schon. Für die anderen: Hauptkommissar Julius Kern vom LKA Brandenburg. Er steht uns seit heute Morgen zur Verfügung.«

Das achtköpfige Ermittlerteam klopfte beifällig auf die Tische. Dann richtete Kern das Wort in die Runde.

»Ich bin im Grunde so was wie eine Leihgabe«, begann er. »Quirin hat mich heute Morgen aus dem Bett klingeln lassen, sodass ich den Tatort sehen konnte. Und in die Akte habe ich auch schon reingeguckt. Schwierige Sache. Ich hoffe, ich kann mich nützlich machen. Schnappen wir uns den Kerl!«

Aus der hinteren Ecke des Raumes meldete sich Dennis Baum zu Wort: »Wir schnappen den schon. Wäre halt nur schön, wenn er dann auch in den Knast käme. Und nicht ins Fernsehen.«

Die Anwesenden konnten sich ein Schmunzeln nicht verkneifen. Dennis war ein sportlicher junger Mann, durchtrainiert, zu jeder Jahreszeit gut gebräunt und bevorzugt in Turnschuhen unterwegs.

»Natürlich, unser Spaßvogel«, sagte Meisner. »Das ist Dennis. Ein guter Polizist, aber ein lausiger Komiker.«

»Schon okay, ich wollte sowieso drauf zu sprechen kommen«, antwortete Kern. »Also, dass Tassilo gerade groß durch die Medien geht, bekommt ja jeder mit. Ich kriege pausenlos Interviewanfragen, aber ich lehne alle ab. Bringt ja nichts. Er ist frei und bleibt es auch, also was soll's? Wir hätten es alle lieber anders gesehen, aber wir können halt nicht immer gewinnen. Leider.«

»Nach diesem kleinen Exkurs sollten wir uns vielleicht wieder unserem Serienmörder zuwenden«, mischte sich Castella ein. »Sie haben gewissenhaft gearbeitet, aber weiter sind wir trotzdem nicht. Hauptkommissar Kern hinzuzuziehen war Quirins Idee. Ich hoffe, er bringt ein bisschen frischen Wind in die Ermittlungen. Also, lassen wir Tassilo mal Tassilo sein und richten wir den Blick nach vorn. Danke schön.«

Meisner griff den willkommenen Impuls auf.

»Also, was haben die Anwohnerbefragungen ergeben? Judith?«

Oberkommissarin Judith Beer war die einzige Frau im Team.

»Wenig. Nur einer hat was gehört. Leise Musik aus der Wohnung des Opfers. Kann sein, dass er seine Putzgeräusche mit dem Radio überdecken wollte – keine Ahnung«, erklärte sie.

»Wonach sucht er die Opfer aus?«, fragte Kern in die Runde.

»Viel gemeinsam haben sie jedenfalls nicht«, antwortete Dennis Baum. »Unterschiedliche Geschlechter, unterschiedlich alt, unterschiedliche Gesellschaftsschichten. Aber alle haben allein gewohnt.«

»Ihr nehmt an, dass sie ihn gekannt haben?«, fragte Kern weiter.

»Er wusste, dass er mit ihnen ungestört ist. Und, dass er genug Zeit hat, stundenlang zu putzen«, antwortete Meisner.

»Er muss wirklich sehr schwer gestört sein. Wie könnte er das sonst so eiskalt durchziehen?«, überlegte Kern.

Wieder meldete sich Dennis Baum zu Wort.

»Das ist Berlin. Da kommen locker dreihunderttausend Typen infrage, die schwer gestört sind.«

»Dann können Sie ja schon mal anfangen, deren Alibis zu überprüfen«, antwortete Castella.

Sie stand auf, um den Besprechungsraum zu verlassen. Kurz vor der Tür drehte sie sich noch einmal zu Meisner um.

»Kommen Sie bitte gleich noch mal zu mir.«

Meisner hatte bemerkt, dass ihr Blick dabei auf Kern gefallen war. Er konnte sich gut vorstellen, worüber sie mit ihm sprechen wollte.

5

Drei Jahre zuvor.

Dieter Wagner hatte als Erster das Bewusstsein wiedererlangt. Noch immer benommen von der fatalen Wirkung des Schlafmittels, das ihn und die vier anderen Gäste außer Gefecht gesetzt hatte, rang er verzweifelt um Orientierung. Fieberhaft kämpfte er darum, seine Erinnerung zurückzugewinnen. Klebeband fesselte ihn an einen massiven Holzstuhl, zudem war er geknebelt. Ein dichter Nebel umhüllte ihn und ließ ihn zwischen Schlafen und Wachen hin und her gleiten. Einige Minuten sollte dieser Zustand noch andauern. Wenige gnadenvolle Minuten, die ihn noch davon trennten, sich seiner tatsächlichen Lage bewusst zu werden. Viel zu schnell sollten sie verstreichen.

Es war schon einige Stunden her, dass er vor der abgelegenen Scheune eingetroffen war.

Früher hatte sie als Fütterungsaußenstelle zu einem Bauernhof gehört, auf dem Schweine-, Hühner- und Pferdezucht betrieben wurde. Das wirtschaftliche Potenzial der Anlage war schon damals überschaubar gewesen. Neben dem typischen Vierseitenhof gehörten noch verschiedene Geräte und Maschinen zum Anwesen. Nach der Wende und der in den Jahren darauf immer stärker zunehmenden Abwanderung aus diesem Teil des Landes war das Gut dann immer weiter heruntergekommen. Der ehemalige Besitzer Paul Reinhardt war ein freundlicher, dicker Mann mit der wundervoll schrulligen Mentalität eines Landwirts aus Leidenschaft gewesen. Er hatte seinen Hof trotz einsetzender Wirtschaftsprobleme noch eine ganze Weile weitergeführt. Letztlich musste er sich aber der Realität beugen. Tapfer nutzte der alt gewordene Mann noch die wenigen Möglichkeiten, die der Hof ihm für seine Eigenversorgung bot. Irgendwann war ihm aber auch das nicht mehr möglich.

Es dauerte fast vierzehn Tage, bis der Wirt des kleinen Dorfgasthauses, in dem Reinhardt gern eingekehrt war, sich Sorgen machte. Paul Reinhardt, dessen ständig schlechter werdende Finanzlage ihn immer öfter zum Anschreibenlassen gezwungen hatte, war schon länger nicht mehr erschienen.

Man fand ihn schließlich auf seinem Sofa. Die Fliegen, die sonst die wenigen verbliebenen Tiere des Hofes umschwirrt hatten, waren sein letztes Geleit gewesen und tagelang um ihn gekreist, als wollten sie einem alten Freund treu die Totenwache halten.

Bald darauf waren die Kinder herbeigeeilt, um den Hof zu verkaufen. Doch er stand viel zu abgelegen irgendwo in der Mitte von Wäldern und ungenutzten Äckern, als dass irgendjemand sich dafür interessiert hätte. Letzten Endes gaben die Erben ihre Bemühungen auf und entschieden, das Gelände sich selbst zu überlassen. Viele Jahre waren seitdem vergangen, in denen der Tod sich von diesem Ort ferngehalten hatte.

Bis zu diesem 13. August vor drei Jahren, dem Tag, an dem sich der Bau der Berliner Mauer zum x-ten Mal jährte und Paul Reinhardts Hof zum Schauplatz eines bizarren Sterbens wurde.

Jemand hatte Fackeln in den Boden vor dem Scheunentor gestochen, die mit ihrem knisternden Flammenspiel ein einladendes Ambiente schufen. Ein kleiner Stehtisch war vor der Scheune aufgestellt, an dem die Gäste den Begrüßungscocktail trinken sollten. Der Ort war außergewöhnlich für eine Dinnerparty. Fast eine Stunde hatten Wagner und die anderen benötigt, um hier hinaus ins Umland zu kommen, obwohl der Einladung eine präzise Wegbeschreibung beigelegen hatte. Letztlich waren aber alle an ihrem Ziel angekommen.

An ihrem letzten Ziel.

Vanessa Christensen war als Erste eingetroffen. Eine schlanke Frau, die die fünfzig bereits hinter sich gelassen hatte. Ihre für ihr Alter erstaunlich gute Figur verdankte Vanessa ihrer strengen Selbstdisziplin. Sie ernährte sich bewusst und ausgewogen, zudem trieb sie regelmäßig Sport. Sie liebte es, zu kleinen Partys und Empfängen eingeladen zu werden. Es schmeichelte ihrer Eitelkeit, wenn man ihr das Gefühl gab, interessanter zu sein als andere. Vor allem, weil sie es nicht war.

Bald nach Christensen trafen die Dosanders ein. Michael,

der als Geschäftsführer einer Druckerei tätig war, und Annabelle, seine Ehefrau. Das Paar hatte keine Kinder. Innerhalb der Familie tuschelte man schon lange, dass Zeugungsprobleme bei Michael der Grund dafür waren. Angesprochen hatte das aber selbstverständlich nie jemand.

Wagners Mercedes SLK fuhr kurz nach dem Eintreffen der Dosanders vor. Wagner liebte das silberne Cabrio. Er war mit seinen einundsechzig Jahren nicht mehr der Jüngste, und der Wagen war für ihn wie eine Art Jugendersatz. Wagners Geschäfte waren früher, besonders nach der Maueröffnung, gut gelaufen. Zunächst hatte er mit Gebrauchtfahrzeugen gehandelt und dank der Unerfahrenheit der ehemaligen DDR-Bürger in der Wendezeit hohe Profite erzielt. Später hatte er dann Immobiliengeschäfte getätigt, die seine Altersversorgung bereits frühzeitig sichergestellt hatten. Nur eine Frau fehlte ihm. Später würde er vielleicht von einer ausgedehnten Asienreise in weiblicher Begleitung zurückkehren. Doch das hatte noch Zeit; ganz so alt war er schließlich auch noch nicht.

Olaf Steinbrecher war der letzte Gast, der an diesem warmen Sommerabend eintraf. Er war mit seinen sechsundzwanzig Jahren auch der jüngste Teilnehmer des exklusiven Empfangs. Steinbrecher betrieb eine Solarienkette, der fünf Filialen angehörten. Er hatte sie mit dem Geld aus einer Erbschaft aufgebaut, die ihm sein Großvater hinterlassen hatte. Zusätzlich eröffnete er einige Zeit später eine Cocktailbar, die allerdings nur mäßig lief.

Spätestens seit dem Moment, als Dieter Wagner wieder klare Gedanken fassen konnte, war nichts von alledem mehr von Belang.

Er war mit stabilem Gafferband an Armen und Beinen festgebunden, außerdem mit mehreren Bahnen davon geknebelt. Wagner versuchte verzweifelt, sich zu befreien, gab aber kurz darauf völlig entkräftet wieder auf. Er hatte eine ganze Weile geschlafen, wie lange genau, wusste er nicht. Aber in der Scheune war es inzwischen stockfinster geworden. Da, ein Zischen. Jemand hatte ein Streichholz angezündet. Für einen Augenblick erhellte die Stichflamme einen Winkel hinten in der Scheune. Wagner konnte unscharf erkennen, wie Kerzen angezündet wurden.

Eine dunkle Gestalt stand, Wagner den Rücken zuwendend, vor einem schweren Kerzenständer. Ohne jede Hektik führte sie mit gekonnten Griffen ihre eleganten Bewegungen aus, um dann, kurz nachdem das fahle Kerzenlicht den Raum ein wenig erhellt hatte, lautlos ins Dunkel zurückzutreten. Wagners Augen benötigten einige Sekunden, um sich auf die veränderten Lichtverhältnisse einzustellen. Als sein Verstand endlich wieder klar war, bemerkte er die anderen.

Auch Steinbrecher, Christensen und die Dosanders waren an ihren Stühlen festgebunden und geknebelt. Wie verdammt noch mal waren er und diese Menschen hierhergekommen? Was war das für ein muffig riechender Raum, in dem es bis auf den Schein der Kerzen überhaupt kein Licht gab?

Erinnere dich, verdammt, erinnere dich!, ging es Wagner durch den Kopf.

Die Bilder kamen langsam zurück; jetzt erinnerte er sich wieder, wie er diese merkwürdige Scheune draußen hinter dem Dorf endlich gefunden hatte. Stimmen, belanglose Gespräche. Erinnerungsbruchstücke, wie sie gemeinsam hineingegangen waren und an der festlich gedeckten Tafel Platz genommen hatten. Plötzlich bekam er eine düstere Vorstellung von dem, was mit ihm und den anderen geschehen war.

»Üüüüülffööööö!«, schallte es dumpf durch den Raum.

Der Knebel war zu eng gewickelt, als dass Wagner imstande gewesen wäre, das »H« oder das »I« auszusprechen.

»Üüüüülfffööööö!«

Ein leises Rascheln, Schritte, die sich von hinten bedächtig auf Wagner zubewegten.

»Psssst! Wir wollen doch die anderen ausschlafen lassen«, flüsterte der Unbekannte ihm mit beängstigender Ruhe ins Ohr.

Ein Gefühl, das Dieter Wagner lange nicht mehr verspürt hatte, ergriff ihn mit grausamer Macht: Angst.

»Er sün Sü?«, keuchte Wagner.

»Was für eine unoriginelle Frage. Sie enttäuschen mich. Seien Sie jetzt bitte leise. Ich sähe mich höchst ungern genötigt, deutlicher zu werden.«

Die unheimliche Gestalt klopfte ihm auf die Schulter, bevor sie sich wieder von ihm entfernte. Wer verdammt konnte das nur sein, der es geschafft hatte, sie an diesen abgelegenen Ort zu locken? Und was hatte er vor?

Einige Zeit später waren auch die vier anderen erwacht. Sie alle hatten in ihrer Angst zunächst die gleichen Befreiungsversuche unternommen wie Wagner. Früher oder später hatten aber alle verzweifelt aufgegeben. Weinend und ächzend wanden sie sich in ihren Fesseln und warteten darauf, dass irgendetwas passieren würde.

»Wundervoll, wir sind komplett«, klang es aus dem dunklen Teil der Scheune. »Ich freue mich, Sie begrüßen zu dürfen. Denn, wie Nietzsche einst sehr treffend bemerkte: *Der Sinn in den Gebräuchen der Gastfreundschaft ist: das Feindliche im Fremden zu lähmen.*«

Keiner der fünf wagte es, auch nur einen Laut von sich zu geben. Denn zum ersten Mal, nachdem sie alle wieder zur Besinnung gekommen waren, gab es Informationen. Jetzt würden sie endlich erfahren, was geschehen war.

»Ich muss Sie um Entschuldigung bitten, dass meine Bekleidung nicht der Etikette entspricht. Aber der Umstände halber sah ich mich leider genötigt, mein Gewand den Zweckmäßigkeiten anzupassen.«

Der Unbekannte ergriff den Kerzenständer im hinteren Teil des Raums und lief damit zur Tafel. Als er nah genug herangekommen war, konnten die fünf Gefangenen erkennen, dass er einen Ganzkörperschutzanzug trug. Darüber hinaus einen Mundschutz und eine Schweißer-Schutzbrille. Nachdem der Mann den Kerzenständer abgestellt hatte, setzte er seine Ansprache fort.

»Wie Sie möglicherweise bereits bemerkt haben, sind Sie unter Vortäuschung falscher Tatsachen hierher gebeten worden. Das war vermutlich nicht sehr nett von mir. Und doch kann ich einfach keine Reue empfinden, wenn ich in diese wundervolle Runde blicke. Sie alle beisammen. Was für eine exzeptionelle Gesellschaft!«

Mit einer katzenartigen Bewegung neigte sich der verhüllte Mann zu Vanessa Christensen hinunter. Er streichelte sanft mit seinem Gummihandschuh über ihre Wange. Als sie zu weinen begann, wandte er sich wieder ab.

»Der Abend, der vor uns liegt, wird amüsant werden. Der guten Form halber sollte ich Sie aber darauf hinweisen, dass nicht zu erwarten steht, dass Sie ihn überleben werden. Also, nicht dass mir Beschwerden kommen.«

Nach einer genussvoll inszenierten Pause fügte er hinzu: »Aber überstürzen wir nichts. Wir haben ja schließlich Zeit.«

»Sei Dennis nicht böse. Er hat 'ne große Klappe, aber er ist schon in Ordnung.«

Kern war gemeinsam mit Judith Beer auf dem Weg zu Woelkes Apotheke. Sie wollten noch einmal mit Astrid Sokorsky sprechen, die die Leiche gefunden hatte.

»Wenn mal alle so wären«, antwortete Kern. »Die meisten haben mich wie Porzellan behandelt. Zumindest am Anfang. Da ist mir so ein Spruch schon lieber.«

»War schlimm für dich, oder? Du hattest ihn schon, und dann…«

Es war unangenehm für Kern. Als wäre der Misserfolg im Prozess gegen Tassilo nicht schon schlimm genug gewesen, musste er sich seitdem auch noch wieder und wieder die Tröstungsversuche seiner Kollegen anhören. Alle hatten ihm auf die Schulter geklopft und ihn mit *Mach dir nichts draus!* oder *Es war nicht deine Schuld!* gequält. Natürlich wollten sie ihm nur beweisen, dass sie hinter ihm standen. Aber ihr Trost war im Ergebnis auch nicht mehr als eine subtile Form der Stichelei.

»Lass mal«, wiegelte er darum ab. »Jetzt machen alle großen Wind um die Geschichte. Und in einem Jahr redet dann kein Schwein mehr drüber. Da müssen wir jetzt durch.«

Kurz darauf erreichten sie ihr Ziel.

Die Tür der Apotheke war verriegelt. Ein Schild hing daran: *Wegen Trauerfall geschlossen.* Schlicht, wie es war, konnte es nicht im Ansatz das Leid des Menschen ausdrücken, der es tapfer angefertigt und aufgehängt hatte. Es dauerte eine Weile, bis

Astrid Sokorsky den Beamten öffnete. Sie trug noch immer ihren Apothekerkittel.

»Geht es Ihnen gut?«, fragte Judith die Frau, die mit abwesendem Blick vor ihnen stand.

»Gut?«, erwiderte sie entgeistert.

»Wir haben noch ein paar Fragen. Dürfen wir reinkommen?«

Frau Sokorsky führte die beiden in die Kaffeeküche.

»Was für ein Mensch war Ihre Chefin?«, fragte Kern, nachdem sie sich gesetzt hatten.

»Freundin«, korrigierte Sokorsky, die sich nun daran würde gewöhnen müssen, dass die Menschen ab diesem Tag in der Vergangenheitsform über die Apothekerin sprachen. »Fast zehn Jahre haben wir zusammengearbeitet.«

Dann sah sie Kern mit verständnislosem Blick an.

»Wer tut so was?«

»Deswegen sind wir hier. Hatte Ihre Freundin irgendwelche Feinde?«

Die Antwort bestand aus einem unverwandten Blick.

»Wir müssen das fragen«, erklärte Judith Beer. »Ist Ihnen irgendwas an ihr aufgefallen? Vielleicht erst in der letzten Zeit?«

»Was hätte mir denn auffallen sollen? Nachdem ihr Mann gestorben ist, war sie nicht mehr die Alte. Sie hat oft geweint. In den letzten Wochen war sie endlich wieder ein bisschen aufgeblüht.«

Sokorsky kämpfte mit den Tränen.

»Gab es dafür einen bestimmten Grund?«, hakte Kern nach.

»Ich glaube nicht. Nichts Bestimmtes.«

»Was war sie denn für ein Mensch?«, wollte Beer wissen.

»Der Beste, den ich je kennengelernt habe. Alle mochten sie; ich habe nie gehört, dass sie schlecht über wen geredet hätte. Und jetzt ist sie tot.«

Astrid Sokorsky begann zu erzählen. Von den gemeinsamen Jahren, den Problemen, die sie am Anfang gehabt hatten, die Apotheke aufzubauen. Wie sie gemeinsam durchgehalten hatten, bis es endlich gut lief. Dann konnte sie ihre Tränen nicht mehr zurückhalten. Judith Beer streichelte ihre Hände. Sie war genauso wie Kern daran gewöhnt, das Leid von Menschen zu erleben, deren Angehörige einem Verbrechen zum Opfer gefallen waren. Dagegen abgestumpft waren beide nie.

»Sie muss ihn reingelassen haben. Hat sie was erzählt? Dass sie Besuch erwartet?«

»Nein. Und sie hat mir immer alles erzählt.«

Kern sah einige Fotos, die Elisabeth Woelke in ihrer Freizeit zeigten. Sie schien gern gewandert zu sein.

»Sie war so interessiert an allem. Sie ist immer jung geblieben, hat mit über fünfzig noch den Führerschein gemacht. Sogar einen Computerkurs, da war sie fast sechzig. Was wird denn jetzt bloß aus der Apotheke?«

»Wer erbt denn?«, fragte Judith Beer. »Die Kinder?«

»Ja. Mein Gott, wissen die denn überhaupt schon Bescheid?«, fragte Sokorsky aufgeregt.

»Sie sind schon auf dem Weg nach Berlin. Morgen können Sie in aller Ruhe mit ihnen besprechen, wie es weitergehen soll«, schlug Kern vor. »Sollen wir Sie nach Hause fahren?«

Sokorsky lehnte ab. Sie wollte noch eine Weile allein bleiben. Mit den Erinnerungen an gemeinsame Jahre, die jetzt niemand mehr mit ihr teilen konnte.

Julius Kern und Judith Beer waren noch eine Weile nach dem Gespräch äußerst wortkarg.

Sie erreichten das LKA, das am Tempelhofer Damm unmittelbar gegenüber dem Flughafen Tempelhof lag. Ein trostloser Bau in einer trostlosen Gegend, mit einer großen Glasfront und öden, endlosen Fluren, die auf jeder Etage gleich aussahen. Im Eingangsbereich stand eine große Tafel. Mit Aushängen rief die Kripo zur Mithilfe auf. Sie waren zum Großteil alt und vergilbt, ungelöste Fälle, die an dieser jämmerlichen Pinnwand vermutlich noch Jahrzehnte auf ihre Aufklärung warten konnten.

Judith Beer setzte sich sofort an das Vernehmungsprotokoll, während sich Kern noch einmal mit den *Putzteufel*-Akten in sein Büro zurückzog.

Es war Abend geworden. Kern saß noch immer in dem kleinen Büro, das Meisner ihm hatte herrichten lassen, und studierte die Akten der Morde. Um diese abendliche Zeit war es angenehm ruhig in der Abteilung für *Delikte am Menschen*. Nur das Plätschern der Kaffeemaschine und die gelegentlich an seiner Tür vorbeihuschenden Schritte waren zu hören, als Kern sich im kalten Licht der Neonleuchten mit den Verbrechen des Putzteufels auseinandersetzte.

Alles deutete darauf hin, dass es dem Täter allein darum gegangen war, die Polizei zu einem Duell herauszufordern. Dieses Phänomen war den Ermittlern nicht neu. Trotzdem hatte der Putzteufel seine Opfer ganz sicher nicht zufällig ausgewählt.

Was hat sie für dich interessant gemacht?

In der Ausbildung hatte man Kern einmal gefragt, worin die Gemeinsamkeit zwischen einer Mücke und einem Elefanten liege. Am Ende hatte er eine mehrseitige Liste vorgelegt. – Was verband die Opfer des Putzteufels miteinander?

Sie wohnen allein in Berlin. Sie sind älter als du. Sie sind berufstätig.

Kern war klar, was die zurzeit bedeutendste Spur war: Sie hatten sich nicht gewehrt. Keiner. Er hatte sie mit Chloroform betäubt, aber das wirkte nur im Film nach wenigen Sekunden.

Tatsächlich musste der Putzteufel es seine Opfer schon eine Weile lang einatmen lassen. Trotzdem gab es keine Kampfspuren.

August Danner, das erste Opfer, war ein kräftiger Mann von achtundfünfzig Jahren. Es musste eine Weile gedauert haben, bis er bewusstlos geworden war. Genauso wie bei Kurt Mankwitz, dem zweiten Opfer. Mit zweiundfünfzig war auch der Dachdeckermeister ein starker Mann gewesen.

Wo hast du das Chloroform überhaupt her? Das kannst du nicht einfach in der erstbesten Apotheke kaufen.

Auch Meisners Team war der Frage schon nachgegangen. Aber trotz sorgfältiger Arbeit war es nicht gelungen, einen Chloroformkauf in der näheren Vergangenheit mit den Morden in Verbindung zu bringen. Im Gegenteil, nicht einmal die Bestände in der Apotheke von Elisabeth Woelke hatten den Mörder interessiert. Auch die Medikamente und Drogen hatte er nicht angerührt.

Kern gestand es sich nicht gern ein, aber der Putzteufel war ein verdammt starker Gegner. Er musste Nerven wie Drahtseile haben, vermutlich ein Soziopath. Die Jagd nach ihm würde vielleicht Jahre dauern. Wenn sie ihn überhaupt jemals fassen würden.

Mach dir keine falschen Hoffnungen, Schlaumeier.

Die Vorgehensweise des Putzteufels lieferte Kern alle Hinweise, die er brauchte. Davon war er zumindest überzeugt.

Indem du reinigst, drückst du dich aus. Deine Ordnung ist dein Fingerabdruck.

Kern sah sich in seinem Büro um. Es wurde regelmäßig sauber gehalten, aber von der Reinheit der Tatorte war es trotzdem meilenweit entfernt. *Wie ist es eigentlich mit meiner eigenen Wohnung?*, überlegte er. Seit Nathalie ausgezogen war, hielt er sie bei Weitem nicht mehr so sauber, wie er es eigentlich hätte tun sollen. Wie lange würde der Putzteufel wohl brauchen, um seine Wohnung in denselben Zustand zu versetzen wie die seiner Opfer? Und was würde während der Stunden in ihm vorgehen, in denen er den Schmutz beseitigte?

Es gibt nur eine Möglichkeit, das herauszufinden, überlegte Kern. Er notierte sich die Reinigungsmittel, die der Putzteufel verwendet hatte, schaltete seine Schreibtischlampe aus und machte sich auf den Weg nach Hause. Er hatte in dieser Nacht einiges zu tun und wollte keine Zeit verlieren.

7

Martha betrachtete ihren Sohn schon eine ganze Weile.

Von der Terrasse der Anfang des zwanzigsten Jahrhunderts erbauten Villa, die sie seit einigen Jahren mit ihm bewohnte, hatte sie einen guten Blick auf die großzügige Gartenanlage. In der Mitte des bunten, liebevoll gestalteten Blumenbeetes, das sie angelegt hatte, war ein kleiner Springbrunnen platziert. Zudem war die Grünanlage mit Koniferen und Rhododendren malerisch und mit viel Liebe ausgestaltet. Martha liebte Pflanzen und verbrachte viel Zeit im Garten. Hier draußen, im Stadtteil Wannsee, lebte es sich sehr angenehm. Der Bezirk lag weit ab vom Großstadttrubel. Voll Wälder und Seen, war er nicht nur der grünste der Stadt, sondern auch der nobelste. Hier draußen, nur einen Katzensprung von Potsdam entfernt, lebten viele altreiche Industrielle; das Durchschnittsalter war hoch. In den teuersten Wohnlagen, den Villenvierteln am Wasser, waren die Erfolgreichen unter sich.

»Willst du noch lange draußen sitzen, Raphael?«, rief Martha ihrem Sohn zu.

Er saß seit Stunden an seiner Staffelei und arbeitete an einem neuen Gemälde.

Raphael von Bergen liebte es, allein hier draußen zu sitzen und zu malen. Insbesondere an warmen Sommerabenden wie diesem. Um diese Zeit war die Luft nicht mehr so drückend, und auch das Singen der Vögel beruhigte den sensiblen jungen Mann. Zudem ergänzte es auf friedvolle Weise die Musik Chopins, die leise auf seinem CD-Spieler lief.

Zehn Jahre nach dem Tod seines Vaters war Raphael mit seiner Mutter von Hamburg nach Berlin gezogen. Raphaels Vater hatte eine Reederei samt angeschlossenem Kreuzfahrtunternehmen hinterlassen, zu deren Flotte nicht weniger als vier Passagierschiffe gehörten. Raphael war damals neun Jahre alt gewesen. Aber nach dem Tod seines Vaters war nichts mehr wie vorher. So entschied sich Raphael später, die Villa in Hamburg zu verkaufen und im jüngeren, moderneren Berlin neu anzufangen.

Raphaels neues Domizil war im Landhausstil errichtet und in eine über viele Jahrzehnte gewachsene Villenlandschaft integriert. Im Erdgeschoss befanden sich das Speisezimmer, in dem Raphael meist allein aß, sowie die großzügige, mit modernsten Geräten ausgestattete Küche. Gelegentlich kochte Martha dort wunderbare mehrgängige Menüs, vor allem, wenn Vertreter der Organisationen erschienen, die Raphael finanziell unterstützte. Besonders großzügig war er gegenüber Vereinen, die sich mit der Rettung von Menschen in Seenot beschäftigten, aber auch Krankenhäuser und Vertriebenenverbände durften regelmäßige Spenden von ihm entgegennehmen. Raphael, der nicht viel sprach und auch sonst von schüchternem Wesen war, blühte förmlich auf, wann immer er Gelegenheit erhielt, mit den meist etwas steifen Repräsentanten über deren Arbeit und Erfolge sprechen zu können. Martha pflegte sich an solchen Runden nicht zu beteiligen. Sie wusste, dass sie nicht erwünscht war.

Eine repräsentative Treppe führte in die Beletage des Gebäudes. Dort befanden sich die Schlafräume sowie das liebevoll eingerichtete Gästezimmer, das noch nie benutzt worden war. Außerdem zwei Badezimmer, von denen eines Martha, das andere Raphael nutzte. Raphael pflegte alle seine Privaträume ausschließlich allein zu betreten. Von außen waren sie mit Sicherheitsschlössern versperrt, von innen konnte er sie zusätzlich mit schweren Eisenschienen vor unerwünschtem Betreten sichern. So hatte Martha weder Zutritt zu seinem Schlafzimmer noch zu seinem Bad. Darüber hinaus war es ihr weder erlaubt, das Fitnessstudio zu betreten, das er sich im Keller hatte einrichten lassen, noch durfte sie seine Bildergalerie sehen. Diese hatte er in einem Raum des Kellers, den der Vorbesitzer als Schießstand genutzt hatte, eingerichtet. Oft verbrachte er Stunden mit dem Betrachten seiner Gemälde. Doch wann immer er sich an den Darstellungen, die er mit ständig wachsendem Geschick auf die Leinwände gebracht hatte, erbauen wollte, fiel ihm auf, dass die Reihe noch immer nicht komplett war.

Raphael hatte viel Zeit für seine Malerei. Zwar hatte seine Mutter dafür Sorge getragen, dass der Junge von exquisiten Privatlehrern ausgebildet worden war und mit seinem tadellosen Abiturschnitt von 1,0 praktisch jeden Karriereweg hätte einschlagen können. Trotzdem zog es der scheue, kontaktarme Raphael vor, die Reederei, die ihm sein Vater vermacht hatte, von Geschäftsführern leiten zu lassen, um sich allein seinen Hobbys hingeben zu können. Die meiste Zeit verbrachte er neben der Malerei damit, seinen Körper zu trainieren. Mit seinen einsdreiundneunzig Körpergröße und dem Gewicht von fünfundachtzig Kilo besaß der athletisch gebaute junge Mann optimale körperliche Voraussetzungen, um seine Proportionen von Monat zu Monat zu perfektionieren.

Martha lief hinunter zu ihrem Sohn. Mit gekonnten Bewegungen strich er den Pinsel über die Leinwand. Um seinen Hals wehte ein leichter Sommerschal. Als habe er das Rufen seiner Mutter nicht gehört, fuhr er fort, an seinem Gemälde zu arbeiten, und versank dabei immer tiefer in die Bilder, die zum Klang der Musik Chopins vor seinem geistigen Auge entstanden.

Die Musik ist mächtiger als die Zeit. Wenn Raphael sie hört, verschwimmen Gegenwart und Vergangenheit.

»Kommst du wenigstens zum Essen ins Haus?«, fragte Martha, nachdem sie dicht hinter Raphael stehen geblieben war.

»Isst du heute mit?«, fragte dieser mit seiner zarten Stimme zurück, ohne ihr auch nur einen Blick zu widmen.

»Hab schon einen Salat gegessen. Im *KaDeWe*«, erhielt er zur Antwort.

Martha verbrachte ihre Zeit gern im *KaDeWe*, Berlins bekanntestem Luxuskaufhaus. Am besten gefiel ihr die Lebensmittelabteilung, die mit den köstlichsten Spezialitäten aus der ganzen Welt aufwartete. Meist war es aber Raphael, der diese auf seinem Teller wiederfand, um ihr davon berichten zu können, wie sie schmeckten. Auch heute war sie wieder mehrere Stunden lang dort gewesen. Einen Salat hatte sie allerdings nicht gegessen. Und Raphael wusste das genau.

»Was gibt es denn?«, wollte er wissen.

»Quiche Lorraine, in einer halben Stunde. Kommst du dann ins Haus?«

»Hol was Gutes aus dem Weinkeller. Und trink ein Glas mit.«

»Mal sehen«, antwortete Martha, bevor sie wieder ins Haus zurückging.

Seine Augen, die Raphael hinter einer riesigen Sonnenbrille verborgen hatte, leuchteten, als er dem Jungen auf seinem Gemälde ein Lächeln ins Gesicht malte. Dann erhob er sich in seinem maßgeschneiderten grünen Freizeitoutfit, um sich mit seinem Gehstab, der bisher an seinen Beistelltisch gelehnt gewesen war, zum Esszimmer zu begeben.

Nur die Vögel in den Bäumen waren Zeugen des gespenstischen Bildes, das Raphael abgab, wie er, von einem leichten Luftzug umweht, die Treppe ins Haus hinaufging. Langsam und bedächtig, fast schwebend. Sie hatten nicht die geringste Ahnung von dem Wahnsinn, der hinter diesen alten Mauern wohnte.

8

Nathalie Kern fand ihren Mann auf dem Sofa vor, auf dem er eingeschlafen war.

»Erwartest du Besuch?«, fragte sie überrascht.

Sie war ebenso verwundert wie beeindruckt. Sie hatte das Wohnzimmer, in dem die beiden mit ihrer Tochter Sophie jahrelang zusammengelebt hatten, noch nie so ordentlich gesehen. Auch füllte ein angenehmer, frischer Duft den Raum.

»Ich hab nur kurz die Augen zugemacht«, begrüßte Kern seine Frau. »Wie spät ist es denn?«

Nathalie besaß immer noch einen Wohnungsschlüssel. Sie hatte sich nicht im Streit von ihrem Mann getrennt, und nach wie vor pflegten sie einen freundschaftlichen Umgang. Sie bemerkte die Putzmittel im Flur.

»Ist was passiert? Was hast du denn gemacht?«, wunderte sie sich.

»Willst du Kaffee? Ich könnte einen brauchen«, erwiderte Kern.

Er rappelte sich von seinem Sofa hoch. Kern war völlig übermüdet, hatte höchstens eine Stunde geschlafen. In der Küche, die im Gegensatz zu seinem Wohnzimmer und dem Bad noch immer unaufgeräumt war, setzte er Kaffee auf.

»Was führt dich her?«, fragte er Nathalie.

»Ich wollte dich noch vor der Arbeit antreffen. Ich hab Sophies Kindersitz und ein paar Sachen für die Nacht dabei. Hier, das Buch lese ich ihr gerade vor. Und ihr Lieblingsteddy Pitzel. Weißt ja, ohne den macht sie kein Auge zu.«

Nathalie bemerkte den fragenden Blick ihres Mannes.

»Hast du es etwa vergessen? Sie freut sich schon seit Tagen auf dich.«

»Oh Mann«, seufzte Kern. »Ich kann's nicht garantieren. Quirin hat mich gestern nach Berlin geholt. Ziemlich schwieriger Fall.«

Nathalie wunderte sich.

»Quirin? Worum geht's denn?«

»Was Größeres. Weißt doch, ist geheim.«

Das hatte Nathalie schon oft zu hören bekommen.

»Quirin hat dich doch seit Ewigkeiten nicht mehr angefordert. Und du putzt deswegen deine Wohnung? Wen sucht ihr denn? Heidi Klum? Julius, deine Tochter hat dich seit über zwei Wochen nicht gesehen. Und sie rechnet fest damit, dass du sie heute Abend abholst.«

Nathalie hatte gewusst, worauf sie sich einließ, als sie einen Polizisten geheiratet hatte. Kern hatte ihr nie vorgemacht, dass sie sich auf feste Arbeitszeiten oder frühe Feierabende würde einstellen können. Sie hatte es in Kauf genommen und auch Sophie von Anfang an dazu erzogen. Trotzdem litt die Neunjährige jedes Mal, wenn ihr Vater eine Verabredung nicht einhalten konnte. Insbesondere jetzt, da die kleine Familie nicht mehr zusammenlebte und sie ihren Vater noch seltener sah als früher.

»Ich richte es ein. Und das mit der Wohnung... na ja, es geht um den Fall«, erklärte Kern.

Selbstverständlich war es ihm nicht erlaubt, mit Außenstehenden über seine Arbeit zu sprechen. Trotzdem hatte er seiner Frau gegenüber oft Ausnahmen gemacht. Er wusste, dass er ihr vertrauen konnte. Sie war stets eine verlässliche Partnerin an seiner Seite gewesen, und die Trennung von ihr belastete ihn noch immer sehr.

»Nun sag schon, worum geht's?«

»Ein Mord. Eigentlich drei. Er putzt die Wohnungen seiner Opfer. Hinterher. Wie verrückt.«

»Und du hast es ihm nachgemacht?«, kombinierte Nathalie.

»Ich wollte rausfinden, was dabei in ihm vorgeht.«

Nathalie schmunzelte.

»Hätte ich dir auch sagen können. Warum hast du nicht einfach angerufen?«

Als sie noch zusammengelebt hatten, war es meistens Nathalie gewesen, an der das Putzen hängen geblieben war. Und das, obwohl sie als Inhaberin eines kleinen Friseursalons selber beruflich eingespannt war.

46

»Der putzt nicht einfach nur. Er reinigt. Ich wäre heut Nacht ein paar Mal fast ausgerastet. Wie oft ich alles hinschmeißen wollte, tausendmal. Und wenn du damit anfängst, dann hört es gar nicht mehr auf. Du machst ein Teil sauber und siehst dabei zehn andere. Ein Fass ohne Boden.«

»Wie putzt er denn genau?«

Kern beschrieb ihr die Tatorte. Er hatte ohnehin entschieden, seine Frau ins Vertrauen zu ziehen; darum legte er auf die Geheimhaltung jetzt keinen großen Wert mehr. Sie hatte sein Vertrauen noch nie missbraucht.

Nathalie war beeindruckt. Sie begann, die Wohnung genauer unter die Lupe zu nehmen. Sie hatte schon beim Betreten des Wohnzimmers bemerkt, dass es ordentlich war, und der Duft der Reiniger hatte sie auf die Sauberkeit aufmerksam gemacht. Aber erst jetzt wurde ihr das ganze Ausmaß der Reinheit bewusst, die ihr Mann in stundenlanger Arbeit geschaffen hatte.

»Du hast ja sogar die Rückseiten der Bilderrahmen geputzt«, stellte sie beeindruckt fest.

»Ich habe einfach gottverdammt alles geputzt. Und das kann ich dir sagen: Dieser Typ hat ein ganz gewaltiges Ding an der Klatsche!«

Kern trank einen großen Schluck aus seinem Kaffeebecher.

»Hast du denn sonst noch was über ihn gelernt aus der Aktion?«, wollte Nathalie wissen.

Kern ging tief in sich. So, wie er es immer machte, wenn er versuchte, Zugang zu seinen Gegnern zu bekommen. Dann begann er, seine Gedanken zu formulieren.

»Am Anfang war Motivation. Ich wollte wissen, ob ich es kann. Und ich war heiß drauf. Nach einer halben Stunde kam Ernüchterung. Ich habe gemerkt, was ich mir vorgenommen hatte. Nach einer Stunde wollte ich anfangen zu schludern. Aber der

Mörder hat das auch nicht getan, also bin ich präzise geblieben. Disziplin.«

Jetzt war Kerns Erschöpfung gewichen. Er war hoch konzentriert.

»Ich wusste, dass ich nicht umkehren konnte. Die Frau war tot, ich musste es durchziehen. Alle Spuren vernichten. Nicht nur meine, auch ihre. Ich konnte der Polizei ja keine Schwäche zeigen. Ehrgeiz.«

Kern war jetzt nicht mehr Hauptkommissar. Er war ein heimtückischer Verbrecher, der Mann, den er suchte. Nathalie bekam eine Gänsehaut, als ihr bewusst wurde, dass er es wahrscheinlich die ganze Nacht lang gewesen war.

»Nach drei Stunden wollte ich meinen Putzeimer nehmen und über das gesamte Scheißzimmer ausschütten. Verzweiflung. Ich wollte das ganze verdammte Haus zusammenbrüllen. Wut. Aber ich habe es nicht getan. Meine Disziplin ist stärker als meine Wut. Und das macht mich gefährlich.«

Nathalie war ganz ruhig geworden. Sie saß still auf ihrem Küchenstuhl und folgte den Gedanken ihres Mannes.

»Es war wie ein Spiel. Ich wollte einfach nur das Ziel erreichen. Und als ich dann endlich fertig war ...«

Kern stockte.

»Was?«, hakte Nathalie gespannt nach.

»Erlösung. Ich war seine Geisel. Aber am Ende war ich frei.«

»Wessen Geisel?«

»Des Raums. Ich hätte ihn nicht verlassen können, bevor ich fertig war. Nicht mal, wenn ich's gewollt hätte.«

Kern lehnte sich zurück. Er war dem Putzteufel in dieser Nacht ein großes Stück näher gekommen, das wusste er.

»Du musst ihn finden«, sagte Nathalie. »Bevor seine Wut stärker wird als seine Disziplin.«

Die beiden hatten schon lange nicht mehr so vertraut miteinander gesprochen. Einen Moment lang fühlte es sich für Kern so an, als habe Nathalie ihn nie verlassen.

»Wann soll ich die Kleine holen?«, fragte er.

»Um fünf.«

Kern benötigte fast eine Stunde, um durch den Berufsverkehr von Potsdam nach Tempelhof zu kommen.

Seine Gedanken kreisten während der Fahrt noch immer um den Putzteufel. Er hatte Nathalie nicht alles über die vergangene Nacht erzählt. Er hatte nämlich nicht nur versucht, sich aus der Umklammerung seines eigenen Wohnzimmers zu befreien, indem er es von Spuren und Schmutz reinigte. Es gab für ihn auch noch einen anderen Kampf zu bestehen.

Er war bei seiner Arbeit immer wieder auf persönliche Erinnerungsstücke gestoßen. Es hatte ihn Kraft gekostet, das Hochzeitsfoto abzustauben, das ihn glücklich Arm in Arm mit Nathalie zeigte. Genauso war es mit den Babyfotos von Sophie gewesen und den kleinen Andenken an gemeinsame Urlaubsreisen, die die Kerns überall im Wohnzimmer verteilt hatten. Viele der Gegenstände waren mehr als ein lästiges Stück Arbeit gewesen. Seine Wohnung war nicht einfach nur ein Raum, sie war ein Zuhause. Die Geister der Vergangenheit lauerten überall, auf jedem Regal, hinter jeder Ecke. Und erst in dieser Nacht, in der er vollkommen allein mit der Stille und seinen Gedanken war, wurde ihm wirklich bewusst, wie sehr er seine Familie vermisste.

»Mach dir doch nichts vor. Tassilo wird immer zwischen uns stehen«, hatte Nathalie gesagt.

Bald darauf war sie mit Sophie in eine kleine Wohnung gezogen, die sie sich bereits einige Zeit zuvor gesucht haben musste.

Kern hatte Tassilo mit aller Kraft zur Strecke bringen wollen. Jetzt schien es, als habe der den Spieß umgedreht. Welche Ironie. Kerns Ehe war zerrüttet, und seine Tochter sah er nur noch selten. Seine Karriere war aus dem Tritt geraten, und immer wieder quälten ihn diese furchtbaren Albträume.

»Er hat es definitiv gewusst«, begann Kern beim Morgenmeeting der Mordkommission. »Er wusste, dass ihn niemand stören würde. Wenn jemand in die Wohnung gekommen wäre, hätte das alles kaputtgemacht, das Risiko wäre er nie eingegangen. Und er wusste, dass ihn niemand sehen würde. Auch nicht vor dem Haus oder beim Verlassen der Wohnung. Warum war er so sicher?«

»Du meinst, er hat die Häuser beobachtet?«, fragte Judith Beer.

»Warum nicht? Die Leute in Charlottenburg leben ziemlich geregelt. Die kommen und gehen nicht, wie sie Lust haben. Die folgen einem festen Tagesablauf. Vielleicht hat er beobachtet, wann sie das Haus verlassen haben und wann sie zurückgekommen sind.«

»Dann hätte er tagelang vor dem Haus warten müssen. Aber den Anwohnern ist nichts aufgefallen«, wandte Meisner ein.

»Es ist kein Zufall, dass ihn dreimal niemand gesehen hat«, fuhr Kern fort. »Und noch was. Ist euch was an der Liste der Putzmittel aufgefallen?«

»Ja, die ist lang«, antwortete Dennis Baum.

»Und sie verrät uns, dass er die Wohnungen vorher ziemlich genau gekannt haben muss«, nahm Kern den Faden wieder auf. »Danner hatte einen Fernseher mit Plasmabildschirm, der Putzteufel hatte passende Reinigungstücher dabei. Die Woelke hatte silberne Bilderrahmen, der Putzteufel hatte Silberpolitur.«

Quirin Meisner beobachtete mit großem Interesse, wie sein Freund Julius schon nach dem ersten Tag Feuer und Flamme für den Fall geworden war.

»Was, wenn er einfach für alles Putzmittel dabeihat?«, warf er ein.

»Das wäre auch möglich. Aber wie transportiert er die? Im Bus?«

»Er hat ein Auto. Riesenerkenntnis«, entgegnete Dennis.

»Weißt du, was diese ganzen Putzmittel kosten? Wenn er wirklich für jedes Material eins dabeihat, dann geht das richtig ins Geld. Außerdem mordet er unter der Woche. Und er hat weder das Bargeld aus den Wohnungen noch die Medikamente aus der Apotheke angerührt.«

Judith fasste zusammen.

»Er hat ein Auto, teure Putzmittel, geht unter der Woche nicht arbeiten und interessiert sich nicht für Geld und Wertsachen. Du meinst...?«

»Er hat Kohle. Genau.«

Dennis war unbeeindruckt.

»Alles Vermutungen. Außerdem geht mir die Nummer mit den *bösen Reichen* langsam auf die Nerven. Kennst du die Statistiken?«

»Das bringt uns alles nicht weiter«, unterbrach Meisner die Debatte. »Ich habe hier eine Zwischenmeldung vom Labor wegen der Asche an der Leiche.«

Alle hörten aufmerksam zu.

»Es ist keine Zigarettenasche. Nichts Pflanzliches. Sie stammt von einem Tier.«

»Asche von einem Tier? Was soll denn das bitte heißen?«, wunderte sich Judith Beer.

»Tja. Keine Ahnung. Die wissen noch nicht, was für ein Tier«, antwortete Meisner. »Aber vielleicht erfahren wir dadurch endlich was darüber, was sie vor dem Mord gemacht haben.«

»Glaube ich nicht«, warf Kern ein. »Die Asche war an dem Hemd. Das hat er ihr aber erst hinterher angezogen.«

»Wie auch immer, lasst uns jetzt mal loslegen. Woelkes Kinder sind in Berlin, die müssen befragt werden. Kriegt raus, ob es eine Querverbindung zu den beiden anderen Opfern gibt. Und geht noch mal Julius' Idee nach. Befragt alle Anwohner, Kioskbesitzer oder Obdachlose, ob sie was bemerkt haben. Jemand, der lange im Auto gesessen oder Fotos gemacht hat.«

Nachdem Meisner sein Team mit Aufgaben versehen hatte, nahm er Kern noch einmal zur Seite.

»Du hast wirklich die ganze Nacht geputzt?«

»Ich war so nah an ihm dran. Es war, als ob er mir die Antwort zugeflüstert hätte.«

Meisner dachte unwillkürlich an seine Verabredung mit Castella. Würde der Fall beginnen, Kern zu schaden, würde er ihn wieder davon abziehen. Er wollte nicht riskieren, dass seine Vorgesetzte darauf zurückkommen würde.

»Geh erst mal ins Bett. Ich brauche dich fit«, sagte er deshalb.

Meisner wusste natürlich genau, dass sein Angebot auf taube Ohren stoßen würde. Deswegen überraschte ihn Kerns Antwort auch nicht.

»Schlafen kann ich, wenn er hinter Gittern sitzt.«

Kern sagte das nicht zum ersten Mal. Das letzte Mal lag drei Jahre zurück. Damals, als er Tassilos Fährte aufgenommen hatte.

9

Drei Jahre zuvor.

Das Liebespaar war auf der Suche nach einem aufregenden Platz für ein heißes Abenteuer gewesen. Der Junge war gerade neunzehn Jahre alt, seine Freundin ein paar Monate jünger. Beide wohnten noch bei ihren Eltern, weswegen sie kreativ sein mussten, was die Orte für ihre Liebesspiele betraf. Sie durchforsteten immer wieder die Gegend nach neuen Verstecken. Den Hochsitz im nahe gelegenen Waldstück hatten sie schon erkundet, im Sommer war es auch am Badesee sehr angenehm gewesen, und sogar das Wrack eines alten Autos hatte ihnen bereits hervorragend gedient.

An diesem Tag waren sie auf etwas Neues gestoßen. In der Nähe eines verlassenen Bauernhofs stand eine alte Scheune. Die Dämmerung hatte bereits eingesetzt; es war der 16. August. Der Junge hatte einige Mühe, das Tor zu öffnen.

»Shit, stinkt das hier«, fluchte das Mädchen.

»Ist ewig keiner mehr drin gewesen«, vermutete ihr Freund.

Kaum dass die beiden ein paar Schritte in den dunklen Raum gemacht hatten, griff das Mädchen nach der Hand des Jungen.

»Hier ist auch lange keiner mehr drin gewesen«, hauchte sie und führte seine Hand unter ihren sehr kurzen Rock.

Sie trug keine Unterwäsche. Das warme, feuchte Gefühl, das der Junge zu spüren bekam, ließ ihn den unangenehmen Geruch schlagartig vergessen. Während seine Finger an ihr herunterglitten, küssten die beiden sich leidenschaftlich. Er zerrte an ihrem T-Shirt, sie öffnete seinen Hosenschlitz. Sie sank auf die Knie, um ihrem Freund Lust zu verschaffen. Sein Blick wanderte dabei ziellos durch den Raum.

»Da, ein Tisch«, keuchte er mit schwerem Atem.

Das Mädchen stand auf. Ihr Freund nahm sie an die Hand und führte sie hinüber. Er drehte sie herum, sodass sie sich mit den Händen auf die massive Holztafel aufstützen konnte, während sie ihr Kreuz durchdrückte und ihm ihren runden, wohlgeformten Hintern entgegenstreckte. Mit einem beherzten Griff fasste er in ihre langen Haare und klammerte sich darin fest, dann drang er mit einem genussvollen Stöhnen in sie ein. In ihrer Lust bemerkten sie nicht, dass der unangenehme Geruch intensiver geworden war. Jetzt drehte sie sich ein weiteres Mal herum, damit sie sich mit dem Rücken auf die Tischplatte legen konnte. Er griff in ihre Kniekehlen, um ihre Oberschenkel anzuheben. Erst jetzt bemerkte das Mädchen, dass der Tisch schmutzig war.

»Irgendwas klebt hier total«, stöhnte sie, als er erneut in sie eindrang.

Die immer schneller werdenden Stoßbewegungen seiner Hüfte ließen sie das unangenehme Gefühl verdrängen, und als er seinem Höhepunkt nah war, verkrallte sich das Mädchen in etwas, das auf dem Tisch hinter ihr lag. Es fühlte sich merkwürdig an. Mit einem letzten kräftigen Stoß und einem lauten Schrei erreichte der Junge seinen Höhepunkt.

»Wow...«, stöhnte er erleichtert und sank auf sie herab.

Auch das Mädchen kam langsam wieder zu klarem Verstand.

»Was stinkt denn hier so?«, fragte der Junge jetzt.

»Hier liegt was auf dem Tisch«, sagte sie.

Es fühlte sich wie ein Stück Stoff an, eine Jacke oder ein Hemd.

»Warte mal.«

Der Junge zog ein Feuerzeug aus seiner Tasche und hielt es dicht über den Gegenstand auf der Tischplatte. Er benötigte drei Versuche, bis es endlich anging. Das Mädchen erkannte zuerst, woran sie sich festgehalten hatte.

»Die beiden haben sie gefunden.«

Der Schutzpolizist, der auf das Eintreffen der Kriminalpolizei gewartet hatte, zeigte Kern das Pärchen, das bleich und zitternd im Krankenwagen saß.

»Ist sie verletzt?«, fragte Kern besorgt, als er ihren blutigen Rücken gesehen hatte.

»Die Arme hat auf dem Tisch da drinnen gelegen«, erhielt er zur Antwort.

Kern sah im Gesicht des Beamten, dass es kein gewöhnlicher Tatort war, an den man ihn gerufen hatte. Er wollte ihn sich erst einmal ansehen, bevor er sich mit den Zeugen unterhalten würde. Das Einsatzkommando, das Scheinwerfer installieren würde, war noch nicht eingetroffen. Kern musste sich zunächst mit einer Taschenlampe behelfen. Vorsichtig betrat er die Scheune. Der Gestank von Verwesung und geronnenem Blut schlug ihm brutal entgegen. Einen Augenblick lang suchte er mit dem Lichtkegel seiner Taschenlampe nach den Opfern. Nach wenigen Sekunden fand er sie. Er sollte den Anblick niemals mehr vergessen.

Es war gerade einmal zwei Jahre her, dass Kern nach Brandenburg versetzt worden war. Nathalie hatte sich darüber gefreut, dass es dort draußen so viel ruhiger war als im hektischen Berlin. Vor allem glaubte sie, dass ihre gemeinsame Tochter in Potsdam behüteter würde aufwachsen können.

Wochenlang hatte die Mordkommission um Kern fieberhaft gearbeitet. Aber das *Scheunenmassaker*, wie die Regenbogenpresse es bald genannt hatte, war ebenso undurchschaubar wie grausam gewesen. Der Tisch und die Stühle hatten zum Hauptgebäude von Paul Reinhardts Hof gehört. Der Mörder hatte sie wohl gefunden und in die Scheune gebracht. Der Tisch war zwar schwer, aber Schleifspuren wiesen darauf hin, dass der Täter ihn in die Scheune gezerrt hatte. Die Schleifspuren waren es auch, die Kern davon überzeugten, dass es ein Einzeltäter gewesen sein musste. Die DNA-Spuren, die am Tatort gefunden worden waren, gehörten zu den Opfern und dem jungen Paar. Die Analyse der Reifenspuren ergab, dass sie bis auf eine Ausnahme zu den Fahrzeugen der Opfer gehörten. Diese wurden nicht weit vom Tatort abgestellt gefunden. Der Täter musste sie nach den Morden dorthin gefahren haben, damit die Leichen so lange wie möglich unbemerkt in der Scheune bleiben konnten. Verwesung war ein guter Komplize.

Die unbekannten Reifenspuren konnten erst nach langem Datenabgleich einem Lieferwagen zugeordnet werden, der seinem Besitzer kurz vor den Morden gestohlen worden war. Die diesbezüglichen Ermittlungen liefen ins Leere. Eine Reihe von Fußspuren am Tatort deuteten darauf hin, dass der Täter Schutzüberzüge an seinen Schuhen getragen hatte, sodass kein Sohlenprofil zu erkennen war. Aufschluss erhoffte sich Kern von den Scherben eines Weinglases. Sie hatten das Gesicht eines der Opfer zerschnitten, als es mit dem Kopf auf den Tisch geschlagen worden war. Es handelte sich um ein Glas, das in großer Stückzahl für den Einsatz in Restaurants hergestellt wurde. Vollkommen schleierhaft war die Zusammensetzung der Gruppe, die dem Mörder zum Opfer gefallen war. Keiner hatte mit dem anderen jemals etwas zu tun gehabt. Sämtlichen

Angehörigen der Ermordeten wurden Fotos der anderen Opfer vorgelegt, doch keiner hatte auch nur einen davon jemals zuvor gesehen. Selbst aufwändigste Recherchen führten nicht zu einer Verbindung. Ihre einzige erkennbare Gemeinsamkeit bestand darin, dass sie aus Berlin stammten.

Der Druck auf die Mordkommission wurde stärker, nachdem ein Foto des Tatortes im Internet veröffentlicht worden war. Reporter von Presse und Fernsehen hatten blitzschnell von der schrecklichen Tat in der Scheune erfahren, und sofort waren Fotografen und Kamerateams aus allen Teilen des Landes herbeigeeilt. Einen Massenmord dieser Art hatte es in dem bisher so ruhigen Teil des Landes noch nie gegeben. Den findigen Fotografen war es gelungen, noch vor dem Abtransport der Leichen Aufnahmen von der grausam zugerichteten Partygesellschaft zu machen, die aussah, als entstamme sie der Schreckenskammer eines Wachsfigurenkabinetts. Nur in stark verfremdeter Form waren die Fotos bis dahin um die Welt gegangen. Nachdem nun aber das erste Foto mit deutlich erkennbaren Details aufgetaucht war, gerieten Kern und sein Team noch stärker unter Druck.

Jetzt wurden fast rund um die Uhr Vernehmungen durchgeführt. Die Opfer waren gezielt ausgesucht worden, sie standen alle in einer besonderen Beziehung zu ihrem Mörder. Die Präzision, die ganz offensichtlich langwierige Vorbereitung der Tat, die Genauigkeit ihrer Durchführung und vor allem die schreckliche Gewalt, mit der der Täter vorgegangen war, ließen keinen anderen Rückschluss zu. Wie es der Täter angestellt hatte, seine Opfer in die Scheune zu locken, war aber nach wie vor völlig unklar.

Parallel zu den Ermittlungen stellte die Presse allerlei abenteuerliche Vermutungen an. Vom *Charles Manson von Brandenburg* war ebenso zu lesen wie vom *Scheunenschlächter*. Eine fanatische Sektengemeinschaft sollte geopfert worden sein; sogar von Rivalitäten zwischen internationalen Verbrecherorganisationen war zu lesen.

Hinzu kamen Hunderte Geständnisse aus allen Teilen des Landes, mit denen Kern sich auseinandersetzen musste. Wie es in heiklen Fällen üblich war, hatte die Polizei wichtige Details über das Verbrechen geheim gehalten. Keiner derjenigen, die sich zu der Tat bekannten, hatte von dem zerschlagenen Weinglas oder den Wachsflecken auf dem Tisch gewusst. Und vor allem wusste keiner, wo man das Gehirn von Dieter Wagner gefunden hatte.

Als in der Mordkommission kaum noch jemand damit gerechnet hatte, war es letztlich eine Streichholzschachtel gewesen, die die entscheidende Wende herbeigeführt hatte.

Kern war immer wieder die Fotos der Opferwohnungen durchgegangen. Und plötzlich hatte er sie gesehen. Die Streichholzschachtel lag neben Vanessa Christensens Aschenbecher. *Lohengrin* stand darauf – Werbung für ein Restaurant in Berlin. Der Name kam Kern bekannt vor. Er war schon einmal auf ihn gestoßen, aber wo? Es dauerte fast zwei Stunden, bevor er in den viele hundert Seiten dicken Akten des Falles endlich fündig wurde. Einige Wochen vor den Morden war von Olaf Steinbrechers Kreditkarte ein nicht unbeträchtlicher Betrag abgebucht worden. Und zwar zugunsten des *Lohengrin*.

Das Restaurant genoss in Berlin einen sehr guten Ruf, sodass es sich hier mit großer Wahrscheinlichkeit um einen Zufall handelte. Trotzdem wollte Kern es unter keinen Umständen versäumen, der Spur nachzugehen.

Der Geschäftsführer des *Lohengrin*, Hans Breuer, war ein hilfsbereiter Mann. Gern sah er sich die Fotos der Opfer an.

Tatsächlich war ihm Olaf Steinbrecher in Erinnerung geblieben. Obwohl es Breuer ausgesprochen höflich umschrieb, war seinen Worten doch deutlich zu entnehmen, dass Steinbrecher wiederholt durch unangemessenes Verhalten aufgefallen war. Geld habe er wohl gehabt; um seine Umgangsformen sei es dagegen aber eher schlecht bestellt gewesen. Und plötzlich stellte sich heraus, was Kern kaum zu hoffen gewagt hatte: Auch Dieter Wagner war Breuer bekannt. Ein Stammgast sei er gewesen. An Vanessa Christensen und das Ehepaar Dosander konnte er sich zwar nicht erinnern; gern wollte er die Fotos aber seinem Oberkellner zeigen. Der arbeitete seit über zehn Jahren an sechs Tagen in der Woche im Restaurant. In einer Stunde würde er zu seiner Schicht erscheinen, Kern könne gern so lange auf ihn warten. Dankend nahm er das Angebot an.

Die folgende Begegnung sollte das Leben beider verändern.

10

Das Erste, was Tassilo von seinem Ausbilder gelernt hatte, war, Haltung zu bewahren. Er war ein gelehriger Schüler gewesen, sechzehn Jahre alt und fasziniert von der Welt der gehobenen Gastronomie. Viele Missgeschicke würden ihm auf seinem Weg zum perfekten Kellner passieren, hatte sein Ausbilder ihm erklärt. Doch keines davon würde auch nur halb so schlimm sein, wenn er dabei Haltung bewahrte.

Tassilo zuckte nicht einmal mit der Wimper, als Kern ihm seine Marke zeigte.

»Herr Kern, von der Kripo«, stellte der Geschäftsführer des *Lohengrin* den Gast vor. »Und das ist Herr Michaelis. Er kann Ihnen sicher weiterhelfen.«

Tassilo schmunzelte geistreich.

»Unser Chateaubriand mag ja nicht so gut sein wie das im *Ritz*, aber deswegen gleich die Polizei?«

Tassilo war ein unauffälliger Mensch. Tadellos gekleidet und akkurat frisiert, aber viel zu unscheinbar, um einen besonderen Eindruck zu hinterlassen. Trotzdem war Kern auf merkwürdige Weise von seiner Ausstrahlung fasziniert. Es war, als gäbe es eine Art Vertrautheit zwischen ihnen.

»Ich habe nur ein paar Fragen zu Ihren Gästen«, antwortete er mit einem Lächeln.

»Bedaure«, erwiderte Tassilo. »Diesbezüglich wahre ich Diskretion.«

»Es geht um einen Mordfall. Eigentlich sogar um mehrere.«

Tassilo bot Kern eine dezente, aber glaubhafte Note der Überraschung.

»Sie sehen mich beunruhigt.«

»Kennen Sie jemanden davon?«

Kern breitete die Fotos der Opfer aus.

Tassilo war beeindruckt. Wie hatte Kern das nur angestellt? Tassilo hatte wochenlang in aller Ruhe verfolgt, wie die Polizei sich vergeblich gewunden hatte, um das Rätsel, das er ihr aufgegeben hatte, zu lösen. Aber jetzt lagen die Fotos dieser fünf widerlichen Schweine direkt vor ihm.

Olaf Steinbrecher. Der unerträgliche Idiot. Mit ihm war es am leichtesten gewesen. Der Name seiner Cocktailbar war auf sein Fahrzeug geschrieben, das er meist direkt vor dem *Lohengrin* abgestellt hatte. So musste Tassilo sich nur ein paar Stunden dort an einen Tisch setzen und warten, bis Steinbrecher kam, um die Abrechnungen zu überprüfen. Danach folgte er ihm. Tatsächlich fuhr Steinbrecher über einen kurzen Zwischenhalt an einer Tankstelle zu seiner Privatwohnung. Tassilo hatte sein erstes Ziel erreicht: Er kannte Steinbrechers Privatadresse.

Neben dessen Foto lag das von Dieter Wagner. Der widerliche Drecksack. Auch an seine Adresse zu gelangen war einfach gewesen. Er selbst hatte sie Tassilo mitgeteilt. In seiner irrigen Annahme, im *Lohengrin* beliebt zu sein, hatte er Tassilo wieder und wieder mit seinen selbstgefälligen Erzählungen gelangweilt. Irgendwann einmal, als er besonders betrunken gewesen war, hatte er ihm dann seine Visitenkarte zugesteckt.

Dann die Bilder des Ehepaars Dosander. Am liebsten hätte er sie schon bei ihrem Besuch damals an Ort und Stelle ermordet. Sie gehörten aber nicht zu den Stammgästen des Restaurants und hatten auch keinen Tisch auf ihren Namen reserviert. Wie sollte Tassilo nur herausfinden, wie sie hießen? Er wollte sich schon damit abfinden, dass er sie wohl würde laufen lassen müssen, als Annabelles Handy klingelte.

»Dosander?«, meldete sie sich lautstark.

Der Name *Dosander* war ausgesprochen selten. So bedurfte es nur einiger Anrufe und geschickt gestellter Fragen, um herauszufinden, dass Michael Dosander Geschäftsführer einer Druckerei war. Auch ihm war Tassilo daraufhin eines Abends zu seinem Privathaus gefolgt.

Den Abschluss des Quintetts bildete das Foto von Vanessa Christensen. Die dumme Schlampe. Sie hatte weder einen Tisch auf ihren Namen reserviert noch mit Kreditkarte gezahlt. Trotzdem konnte Tassilo sie unter keinen Umständen davonkommen lassen. Also musste er herausfinden, wie sie hieß und wo sie wohnte. Im letzten Moment hatte er eine Idee.

»Ich möchte Sie gern zu einer unserer Weinverkostungen einladen. Darf ich Sie auf unsere Adressenliste setzen?«

Tassilo würde sich unter keinen Umständen durch Lügen in Gefahr bringen. Dadurch konnte er schnell vom Zeugen zum Verdächtigen werden.

»Dieser Herr ist ein Stammgast unseres Hauses«, erklärte er und deutete auf Dieter Wagner. »Oder vielmehr: war«, fügte er mit ernster Mine hinzu.

Tassilo war ein brillanter Schauspieler. Erst wenn er imstande sei, jedem Gast genau den Kellner vorzuspielen, den er sich wünschte, sei er über ihn erhaben, hatte man ihn gelehrt. Die gehobene Gastronomie war nun bereits seit Jahrzehnten seine Bühne und er der Star darauf.

»Das ist Herr Steinbrecher«, fuhr er fort. »Ist er etwa auch…?«

»Alle fünf, leider. Was ist mit den anderen?«

Tassilo sah sich die Bilder lange an.

»Stammgäste sind es jedenfalls nicht«, antwortete er, bevor er die Bilder in die Hand nahm und sie noch einmal ganz genau betrachtete.

Er hätte einen Preis für seine Darstellung verdient gehabt.

»Nein?«, hakte Kern nach.

»Ich weiß nicht. Möglich, dass diese Herrschaften hier gewesen sind, aber mit Sicherheit kann ich es nicht sagen.«

»Ich lasse Ihnen die Bilder da. Könnten Sie sie bitte noch Ihren Kollegen zeigen?«

»Gern. Aber ehrlich gesagt, ich verstehe nicht, in welchem Zusammenhang unser Haus mit einer Mordermittlung stehen soll.«

»Es ist nur eine Idee. Wahrscheinlich irre ich mich«, antwortete Kern.

»Lassen Sie nur«, erwiderte Tassilo. »Mark Twain hat einmal gesagt: *Menschen mit einer Idee gelten nur so lange als Spinner, bis sie sich durchgesetzt hat.* Also, nur Mut.«

»Ich will Sie nicht länger aufhalten. Hier ist meine Karte. Bitte rufen Sie an, wenn Ihnen noch was einfällt. Auch wenn es Ihnen unwichtig erscheint.«

Kern gab Tassilo die Hand und wollte sich abwenden, als dieser fragte:

»Wie sind die Armen denn zu Tode gekommen?«

»Sie werden davon gelesen haben. Die Presse nennt es das *Scheunenmassaker.*«

Tassilo sank auf einen Stuhl. Seine Darstellung von Fassungslosigkeit war überragend.

»Aber ich verstehe nicht… unser Haus? Mit diesen abscheulichen Morden? Wie…?«

»Ich kann Ihnen nichts Näheres sagen. Aber machen Sie sich keine Sorgen. Wiedersehen.«

An diesem Abend war Tassilo bei der Arbeit ein bisschen weniger aufmerksam als normalerweise. Kerns Besuch ging ihm nicht aus dem Kopf. Immer wieder sah er sich die Visitenkarte an.

»Julius Kern…«, hauchte er dabei immer wieder vor sich hin.

Warum waren seine Fragen so oberflächlich gewesen? War er vielleicht nur ins *Lohengrin* gekommen, um eine anscheinend belanglose Spur in seinem Bericht abhaken zu können?

Oder hatte das Duell mit ihm gerade erst begonnen?

11

Kern musste sich beeilen, um es rechtzeitig zu seiner Tochter zu schaffen. Sie spielte jeden Mittwoch auf dem kleinen Platz hinter ihrer Schule Fußball mit ihren Freunden. Sophie war auf einer Ganztagsschule untergebracht, denn Nathalies Arbeit im Friseursalon erlaubte es ihr nicht, ihre Tochter den ganzen Tag bei sich zu haben.

Sophie war kein gewöhnliches Kind. Die Tatsache, dass ihre Eltern beide berufstätig waren, hatte sie schon früh sehr selbstständig gemacht. Trotzdem hatten sowohl Kern als auch seine Frau immer darauf geachtet, dass Sophie so wenig wie möglich unter der beruflichen Situation ihrer Eltern leiden musste. Erst nach der Trennung hatte Kern viel von seinem Einfluss auf ihre Erziehung verloren. Umso glücklicher war er, dass er sie jetzt endlich wieder einmal sehen konnte.

Als Kern an dem kleinen Sportgelände eintraf, war das Spiel noch in vollem Gange. Die Kinder, alle zwischen acht und zehn Jahre alt, wuselten wild durcheinander über das Spielfeld. Der Sportlehrer, der sie beaufsichtigte, hielt sich zurück. Die Kinder sollten lernen, ihr Spiel selber zu organisieren. Sie hatten keine festen Positionen auf dem Platz verteilt. Wer den Ball hatte, war Stürmer, wer seinem Tor am nächsten stand, Torwart. Die alten Bolzplatzregeln hatten ihre Gültigkeit über Generationen behalten und erfüllten ihren Zweck hervorragend.

Sophie strahlte über das ganze Gesicht, als sie ihren Vater am Spielfeldrand bemerkte.

»Hallo, Papa!«, rief sie begeistert und verließ ohne Ankündigung den Platz, um Kern in die Arme zu laufen.

»Hallo, kleine Prinzessin!«, antwortete er, während er seine Tochter hochhob, um sie im Kreis herumzuwirbeln.

»Du wirst ja immer schwerer.«

»Wenn du mich öfter besuchen würdest, wüsstest du, wie schwer ich bin.«

Kern versuchte sich seine Gefühle nicht anmerken zu lassen. Wie gern würde er sie jeden Tag sehen. So wie früher, als noch alles in Ordnung gewesen war. Selbst wenn er wieder einen besonders langen Arbeitstag gehabt hatte, war er immer noch in Sophies Kinderzimmer gegangen, um ihr eine Geschichte vorzulesen oder ihr zuzuhören, wie sie von ihren Erlebnissen berichtete. Auch wenn sie schon schlief, hatte er eine Weile neben ihrem Bett gesessen und ihr zugesehen, wie sie friedlich mit ihrem Teddy im Arm dalag.

»Du weißt doch…«, begann er, aber Sophie war viel zu begeistert, um auf eine Entschuldigung zu warten, die sie ohnehin schon kannte.

»Wir führen fünf zu null«, fiel sie ihm ins Wort und lief wieder auf das Spielfeld zurück.

Kern setzte sich auf eine Bank, um den Kindern bei ihrem Spiel zuzusehen. Er wusste, dass sich Sophie jetzt, weil er da war, besondere Mühe geben würde. Sie war schon immer sehr stolz auf ihren Vater gewesen; immerhin war er ein Polizist. Einer, der die Bösen fing, um sie ins Gefängnis zu sperren. So hatte Sophie immer vor ihren Freundinnen mit ihm angegeben. Für Kinder hatte der Beruf des Polizisten eine besondere Bedeutung. Er stand für das personifizierte Gute, für den Sieg der Gerechtigkeit. Es war beruhigend für Sophie, einen so starken und gerechten Papa zu haben. Für sie war die Welt unkompliziert. Die Bösen wurden gefangen und bestraft. Für Sophie gab es keine Ungerechtigkeit, keinen Sieg des Bösen, keinen Tassilo.

Sophies Mannschaft war der gegnerischen haushoch überlegen. Immer wieder schoss eines der Kinder aus ihrem Team ein Tor, sogar Sophie selber gelang ein Treffer. Sie hatte sich sofort jubelnd zu ihrem Vater umgedreht und strahlend vor Freude festgestellt, dass er es genau gesehen hatte.

»Gebt uns doch auch mal einen von den Guten ab«, forderte eines der Kinder aus der unterlegenen Mannschaft, nachdem das 10:0 gefallen war.

Die Mannschaftskapitäne berieten sich. Kurz darauf gab einer von ihnen die Entscheidung bekannt:

»Pascal und Marvin gehen rüber zu den anderen, dafür kriegen wir Sandra und Stefan.«

Eilig wurden die Armbinden gewechselt, und das Spiel ging mit neu gemischten Karten weiter.

Kern schmunzelte. Er hatte sich zwei Tage lang mit den tiefsten Abgründen der menschlichen Seele auseinandergesetzt. Er hatte über nichts anderes nachgedacht als darüber, was einen Mörder wohl zu seinen furchtbaren Taten angetrieben hatte. Jetzt war die Welt plötzlich wieder ganz einfach. War ein Team zu stark, wurde eben so lange ausgetauscht, bis alle einander ebenbürtig waren. *Was, wenn das bei der Verbrecherjagd genauso zuginge?*, dachte sich Kern. Schnell verwarf er den Gedanken wieder; er war kindisch.

Trotz des Spielertausches gewann Sophies Mannschaft mit 13:5, immerhin, ein wenig hatte das gegnerische Team noch aufholen können.

»Das hast du wirklich toll gemacht, meine Kleine«, lobte Kern seine Tochter, als die beiden auf dem Weg zu Kerns Wohnung waren.

»Warum kommst du mich nicht öfter abholen? Musst du wieder böse Männer fangen?«, wollte Sophie wissen.

»Das muss ich doch immer.«

»Und suchst du gerade einen besonders Bösen?«

Wieder musste Kern schmunzeln.

»Ja, Schatz. Der ist besonders böse.«

Für Sophie war Kerns Arbeit wie ein Spiel. Räuber und Gendarm. Er hatte ihr oft Geschichten aus seinem Beruf erzählt, wenn auch in möglichst kindgerechter Form. Aus Mördern wurden Diebe, aus Leichen Bestohlene. Es reichte schon, wenn er selbst die furchtbaren Seiten des Lebens kennenlernen musste.

»Was gibt's denn zu essen?«, wollte Sophie wissen.

»Was hältst du davon, wenn wir uns eine Pizza machen?«

Sophie war begeistert.

Die beiden verbrachten einen ihrer schönsten gemeinsamen Abende seit Langem. Obwohl Kern nun schon seit über sechsunddreißig Stunden so gut wie gar nicht geschlafen hatte, war seine Müdigkeit in Sophies Gegenwart wie verflogen. Für ein paar Stunden waren wieder Freude und Lachen in seine Wohnung zurückgekehrt. Es war fast wie früher.

Aber die Dinge hatten sich verändert seit damals, als Kern zu der Scheune gerufen wurde, in der Tassilos Opfer gefunden worden waren. Das unbeschreiblich Böse, das in diesem Raum gewütet hatte, war so mächtig gewesen, dass es einen Teil von sich auf Kern übertragen hatte. Es hatte ihn infiziert und verfolgte ihn wie ein Fluch. Bis in seine Träume.

Kern litt sehr darunter, dass Nathalie ihn verlassen hatte. Aber wenn er ehrlich war, konnte er es ihr nicht verübeln. Er wusste, dass er unerträglich geworden war. Die ständigen Belastungen, der Schlafmangel, die Rückschläge und die ihn immer häufiger heimsuchenden Albträume hatten seine Nerven zu stark belastet. Nathalie hatte lange zu ihm gehalten, aber irgendwann war sie dazu nicht mehr in der Lage gewesen. Sie musste eine Entscheidung treffen und hatte es getan.

»Wann ziehen wir denn wieder her?«, fragte Sophie ihren Vater, als er sie ins Bett gebracht hatte.

»Was sagt denn Mama?«

»Die sagt immer nur: *Ich weiß es nicht.*«

»Du weißt doch, dass das alles nichts mit dir zu tun hat?«

»Ja. Mama sagt, sie wollte sich nicht immer mit dir streiten.«

»Streiten?«

»Über den bösen Mann, den du nicht gefangen hast.«

»Das stimmt, ich musste ihn wieder laufen lassen.«

»Warum denn?«

»Weil keiner gesehen hat, dass er es war. Ich konnte es ihm nicht beweisen.«

»Was hat er denn gemacht?«

Wie er jetzt seine kleine Tochter mit ihrem Teddybären im Arm unter ihrer Kinderbettdecke liegen sah, verschlug es Kern für einen Augenblick die Sprache. Wie sollte er ihr das, was Tassilo getan hatte, in kindgerechter Form erzählen?

»Er hat ein paar Menschen sehr wehgetan«, war das Beste, was ihm einfiel.

»Dir auch?«

Kern rang um Fassung. Unter keinen Umständen wollte er vor seiner Tochter eine Träne vergießen.

»Irgendwie hat er uns allen wehgetan. So, jetzt musst du aber schlafen.«

Kern zupfte noch einmal Sophies Bettdecke zurecht, bevor er ihr einen Gutenachtkuss gab und die kleine Nachttischlampe einschaltete, die er immer so lange brennen ließ, bis das Mädchen eingeschlafen war. Als Kern an der Zimmertür stand und das Oberlicht ausschaltete, fiel ihm noch etwas ein, das er Sophie vorhin schon hatte fragen wollen.

»Sag mal, Schatz, warum habt ihr den anderen vorhin eigentlich freiwillig zwei gute Spieler abgegeben? Dadurch seid ihr doch selber schwächer geworden.«

»Wenn die anderen so schlecht sind, macht das Spiel keinen Spaß«, antwortete Sophie.

»Das war ganz toll von euch. Schlaf schön, meine Kleine.«

Kern ließ die Tür zu Sophies Kinderzimmer einen Spalt weit offen. Es beruhigte sie, das Licht aus dem Flur zu sehen und in der Ferne die Geräusche des Fernsehers zu hören, vor dem Kern immer eine Weile entspannte.

Das Wohnzimmer roch immer noch angenehm frisch. Kern setzte sich auf die Couch, um einen Cognac zu trinken, den er sich gelegentlich gönnte, wenn er wieder einmal besonders lange gearbeitet hatte.

Wenn die anderen so schlecht sind, macht das Spiel keinen Spaß.

Er sah sich um. Es fühlte sich an, als habe ein Fremder seine Wohnung gereinigt. Wer war er in dieser Nacht gewesen?

Wenn die anderen so schlecht sind, macht das Spiel keinen Spaß.

»Verdammt…«, hauchte er leise, um seine Tochter nicht zu wecken.

Er stand auf, lief zur Mitte des noch immer blitzsauberen Raums und konzentrierte sich.

»Wir sind dir doch vollkommen egal«, zischte er dann. »Was verdammt noch mal planst du wirklich?«

12

Das Wasser rann an Raphaels Körper hinab und floss in einer kreisenden Bewegung in den Abfluss. Die Spiegel in seinem Badezimmer waren noch vom Dampf des heißen Wassers beschlagen, als er auf den Duschvorleger trat. Er hatte keine Eile. Sorgfältig trocknete er sich ab und föhnte sein schulterlanges goldblondes Haar, bevor er sich daran machte, seinen perfekt trainierten Körper einzureiben. Langsam kühlte sich die Luft ab, sodass die Spiegel nach und nach Raphaels Anblick freigaben. Er liebte diesen Moment. Hier, ganz allein, begleitet von den wundervollen Klängen der Musik Chopins, hinter den schweren Eisenriegeln und Sicherheitsschlössern, konnte er sich in aller Ruhe seinen Gedanken hingeben.

Sein Vater sitzt in der ersten Reihe, als er auf dem Empfang für die Freunde der Familie Klavier spielt. Raphael ist sieben Jahre alt. Er gibt sich besonders viel Mühe, damit ihm kein Fehler unterläuft. Aber nicht wegen Sigrid, sondern um seinen Vater stolz zu machen.

Nachdem er sich vollständig eingeölt und seine Haare frisiert hatte, trat er vor den größten Spiegel seines Badezimmers. Als die Klänge der Musik für ihn mit seinem eigenen Anblick verschmolzen, empfand Raphael das wärmende Gefühl von Frieden und Geborgenheit. Heute Abend würde er wieder einmal ausgehen. Das *White*, einer der angesagtesten Klubs Berlins, gefiel ihm.

Unterdessen war Martha im Wohnzimmer damit beschäftigt, in dem Buch zu lesen, das sie sich erst einen Tag zuvor im *KaDeWe* gekauft hatte. Sie hatte sich schon lange daran gewöhnt, dass ihr Sohn es vorzog, den längsten Teil des Tages allein zu verbringen. Früher hatte sie mehr Einfluss auf ihn gehabt. Raphaels Vater war die meiste Zeit des Jahres auf See gewesen, sodass sie für die Erziehung des Jungen allein verantwortlich war. Immerhin war sie es ja auch, die Raphael in die Welt gesetzt hatte. Ihr Lebensgefährte hatte sie unter keinen Umständen heiraten wollen. Einige der Geschäfte, die er machte, waren viel zu riskant gewesen. Eines Tages hätte er durch unglückliche Fügungen alles verlieren können. Deswegen war er nicht bereit, mit Martha offiziell die Ehe einzugehen. Indem er einige seiner Immobilien auf ihren Namen laufen ließ, versuchte Richard von Bergen sich abzusichern. So war es Martha sehr recht gewesen, als sie durch ihre Schwangerschaft enger an Richard gebunden wurde. Sogar den Namen *von Bergen* gab sie ihrem Sohn Raphael, während sie selbst weiterhin Martha Kunze hieß.

Kunze. Martha hasste diesen Namen. Er erinnerte sie an ihren idiotischen Vater, Christoph Kunze. Ein ungebildeter, kulturloser Spinner, der als Abteilungsleiter in einem Modehaus gearbeitet hatte. Alle seine Mitarbeiter hatten ihn wegen seiner Dummheit verachtet, nur er selbst hielt sich stets für ebenso gerissen wie beliebt. Tatsächlich war er von seinem Vorgesetzten nur aus einem einzigen Grund befördert worden. Er wollte sichergehen, dass derjenige, dem er die Stelle anvertraute, ihm nicht eines Tages seinen eigenen Posten streitig machen konnte. Kein Wunder, dass Marthas Mutter sich von diesem Versager hatte scheiden lassen. So hatten die beiden Frauen zwar allein zurechtkommen müssen, doch wann immer Marthas Mutter von ihrem Mann erzählte, wusste das Mädchen, dass es besser war, ohne ihn aufzuwachsen.

Auch wenn die kleine Martha in eher ärmlichen Verhältnissen groß wurde, war sie doch mit etwas Besonderem gesegnet. Das Mädchen war wunderschön. Bereits mit vierzehn Jahren schickte sie Fotos an Modellagenturen. Tatsächlich musste sie nicht lange warten, bis die ersten Angebote kamen. So konnte Martha schon in jungen Jahren dazu beitragen, die Haushaltskasse aufzustocken und den Lebensstandard im Hause Kunze zu verbessern. Schon mit siebzehn war sie beliebter Gast auf Partys und Empfängen, und die Männer standen Schlange nach der jungen Frau.

Als Martha zweiundzwanzig Jahre alt war, begegnete sie Richard von Bergen. Damals war sie auf einem seiner Kreuzfahrtschiffe in der Karibik unterwegs, wo sie mit einem namhaften Fotografen eine Fotostrecke für eine Plakatreihe aufnehmen sollte. Von Bergen war ein stattlicher Mann. Erfolgreich, intelligent und ganze einundzwanzig Jahre älter als Martha. Sein Charme und seine Ausstrahlung zogen die junge Frau von Anfang an in ihren Bann. Er kam dem Bild eines Ehemannes, den sie für sich als angemessen erachtete, am nächsten. Bereits wenige Monate später zog Martha auf Richards Anwesen in Hamburg; ihre Mutter nahm sie mit. Das war Richard sogar lieb, wusste er doch, dass er Martha oft würde allein lassen müssen. Unaufhörlich hatte Marthas Mutter ihrer Tochter in der folgenden Zeit in den Ohren gelegen.

»Du musst ihn heiraten, sonst stehst du im Ernstfall mit leeren Händen da.«

Martha wurde nicht jünger, das war ihr selber bewusst. Und in dem Geschäft, in dem sie tätig war, zählte jedes Jahr dreifach. Der jungen Frau war klar, dass Richard ihren Lebensstandard auf ein Niveau gehoben hatte, das sie niemals wieder würde verlassen wollen. Was konnte ihr also Besseres passieren als Raphael? Immerhin war ein Kind fast so gut wie ein Trauschein.

»Warte nicht auf mich«, riss Raphael Martha aus ihrer Lektüre.

Sie hatte nicht bemerkt, dass ihr Sohn den Raum betreten hatte. Schon als Kind hatte er einen leichten, fast schon schwebenden Gang gehabt. Selbst jetzt, da er kaum noch einen Schritt ohne seinen Gehstab lief, war er kaum zu hören. Raphael war ausgehfertig hergerichtet. Er duftete nach dem Eau de Toilette, das er sich von einem Wiener Parfumeur hatte kreieren lassen. Sein Gesicht war wie immer, wenn er das Haus verlassen wollte, durch eine große Sonnenbrille und einen grünen Seidenschal verhüllt.

»Wir waren lange nicht mehr in der Oper. Willst du nicht was mit mir machen?«, schlug Martha vor.

»Vielleicht morgen. Was macht deine Nase?«, entgegnete Raphael.

Martha senkte ihren Blick.

»Ich brauche was«, gab sie mit brüchiger Stimme zu.

»Gut, ich schicke dir Ron.«

Die Verhältnisse in der Familie hatten sich nach dem plötzlichen Tod Richard von Bergens Schritt für Schritt geändert. Bereits kurze Zeit nach Raphaels Geburt hatte der Reedereibesitzer ein Testament aufgesetzt, das seinen Sohn zum Alleinerben bestimmte. Da Richard und Martha nie geheiratet hatten, ging sie beim Erbe leer aus. Es war kaum anzunehmen, dass es sich dabei um ein Versehen gehandelt hätte, aber Martha wollte sich darüber keine näheren Gedanken machen. Immerhin waren ihr einige Schwarzgelder und die Immobilien, die ihr Richard zu Lebzeiten übertragen hatte, geblieben. Zudem war sie als Verwalterin der enormen Hinterlassenschaft eingesetzt, bis Raphael achtzehn Jahre alt sein würde. So besaß Martha zunächst sowohl die Kontrolle über den Jungen als auch über den Besitz, die ihr aber mehr und mehr durch die Finger rann, bis sich die Machtverhältnisse letztlich vollkommen umgekehrt hatten. Der Tod von Bergens hatte zu ihrem Bedauern nicht die Vorteile gebracht, die sich Martha seinerzeit erhofft hatte.

Nicht nur Richard war an diesem Tag in dem kleinen Landhaus der Familie gestorben. Auch in Raphael war etwas ausgelöscht worden, das alle Therapeuten in den folgenden Jahren nicht mehr wiederherstellen konnten. Raphael hatte seinen Vater über alles geliebt. Sogar ein Schiff hatte Richard von Bergen nach seinem Sohn benannt, die MS *Raphael*. Auch wenn die beiden nicht sehr viel Zeit miteinander verbringen konnten, waren es doch immer die wenigen Stunden an der Seite seines Vaters gewesen, die Raphaels Augen zum Leuchten gebracht hatten. Martha war das nie gelungen.

»Wann kommst du wieder?«, wollte sie jetzt wissen.

»Das merkst du doch dann sowieso nicht mehr.«

Martha sah, dass Raphael seinen Laptop mitnehmen wollte.

»Willst du wieder chatten gehen?«, fragte sie besorgt.

»Alles, was für dich wichtig ist, bringt dir Ron.«

Mit einer eleganten Bewegung wandte sich Raphael von seiner Mutter ab und wollte den Raum verlassen, als sie ihm nachrief: »Ist dein neues Bild schon fertig?«

Noch einmal drehte er sich um und erwiderte: »Wir sehen uns morgen!«

Wenige Minuten später hörte Martha das Brummen von Raphaels grünem Wiesmann GT, den er gern aus der Garage holte, wenn er auszugehen gedachte.

Jetzt kehrte im Haus endlich Stille ein. Die Klavierklänge, die Raphael auf jedem seiner Schritte begleiteten, waren verstummt. Martha betrachtete den Steinway-Flügel, der sauber poliert im Raum stand. Schon seit Jahren hatte Raphael nicht mehr darauf gespielt. Sie hatte den Jungen damals jahrelang Klavierstunden nehmen lassen. Martha dachte gern an die Zeit zurück, als Sigrid Reissmann, Raphaels Klavierlehrerin, ständiger Gast in ihrem Haus gewesen war. Sie war streng und selbstbewusst gewesen, mutig und stark. Ein Jammer, dass Raphael ihrem Leben so grausam und brutal ein Ende gesetzt hatte.

Noch einen Moment lang hielt Martha ihre Erinnerungen an damals wach, bevor sie sich wieder ihrer Lektüre zuwandte. Hoffentlich würde Ron bald kommen.

13

Drei Jahre zuvor.

»Wollen wir mit unserem Jüngsten beginnen? Ich bin sicher, er muss morgen früh raus«, sagte Tassilo und lief zu Olaf Steinbrecher. »Es ist beeindruckend, wie es Ihnen immer wieder gelungen ist, meinen Bildungsschatz zu erweitern. Nach über zwanzig Jahren in der Welt der Genüsse. Ihre Melange von Maine-Hummer mit Tomatenketchup, Ihr Dialog von Champagner und Eiswürfeln. Erstaunlich, dass Ihre kleine Cocktailbar noch nicht mit einem Michelin-Stern ausgezeichnet wurde.«

Steinbrecher zitterte am ganzen Körper. Wie den anderen an der Tafel war ihm noch vollkommen unklar, was sich hier eigentlich abspielte.

»Aber verzeihen Sie, ich spreche in Rätseln. Entschuldigen Sie mich bitte einen Moment.«

Tassilo wandte sich ab und verschwand im hinteren Teil der

Scheune. Aus dem Dunkel klang leises Klirren. Wenige Sekunden später kehrte er mit einer Weinflasche und einem Glas zurück, in das er einen Strohhalm gestellt hatte. Er baute alles mit geübten Griffen vor Steinbrecher auf dem Tisch auf.

»Die Welt der großen Weine ist Ihr zweites Zuhause, nicht wahr?«, setzte Tassilo in demselben zuvorkommenden Ton an, mit dem er seinen Gästen schon seit Minuten Angst einflößte.

»As ollen Sie von mir?«, versuchte Steinbrecher zu fragen.

»Oh, wie komme ich denn plötzlich zu der Ehre, mit *Sie* angeredet zu werden?«

Tassilo genoss es, Steinbrecher in der Hand zu haben. Doch seine perfekte Selbstbeherrschung zwang ihn wie ein Korsett in die Grenzen seiner Höflichkeit.

»Erinnern Sie sich an den Wein, den Sie seinerzeit im *Lohengrin* bestellt haben? Ein *Cheval Blanc*, Jahrgang 1990. – Exquisit.«

Steinbrecher versuchte sich zu erinnern. Ja, in diesem Restaurant war er ein paar Mal gewesen, obwohl es eigentlich gar nicht seinem Geschmack entsprach. Er war in Berlin-Wedding aufgewachsen, einer Gegend, in der nicht viele Luxusrestaurants zu finden waren. Vor seinem dreiundzwanzigsten Geburtstag hatte er noch nicht einmal ein einziges Glas Wein getrunken. Aber im *Lohengrin* bestellte er fast immer einen besonders teuren Tropfen. In seiner naiven Vorstellung machte ihn das zu einem angesehenen Mitglied einer Gesellschaft, der er nie angehört hatte. Um sich aber souverän auf deren Parkett bewegen zu können, hätte es jahrelanger Erfahrung bedurft. Steinbrecher hatte keine Erfahrung. Er hatte nur Geld.

»Der Wein sei korkig, haben Sie mich belehrt. Diese ordinäre Dame saß neben ihnen. Sie wissen schon, die mit der Tätowierung.«

Jetzt erinnerte Steinbrecher sich. Jenny war ein Aufriss aus seiner Cocktailbar gewesen. Er hatte ein bisschen vor ihr angeben wollen.

»Erinnern Sie sich an den Skandal, für den Sie gesorgt haben?«, fragte Tassilo. »Wie Sie mich belehrt haben, dass es eine Unverschämtheit sei, einen korkigen Wein zu servieren, und was mir überhaupt einfiele?«

Die anderen vier starrten stumm vor Angst auf die Szene, die sich vor ihren aufgerissenen Augen abspielte.

Jetzt schenkte Tassilo einen guten Schluck aus der Weinflasche ein, die er geholt hatte.

»Kennen Sie die Usancen eines Sternerestaurants? Kein Sommelier wird jemals riskieren, dass sein Gast verdorbenen Wein in den Mund nimmt. Ich pflege sämtliche Weine vor dem Servieren persönlich zu verkosten.«

Fassungslos mussten die wehrlosen Gefangenen mit ansehen, wie das absurde Spektakel um eine Flasche Wein seinen Lauf nahm.

»Nachdem Sie meine Einschätzung über die Qualität des guten Tropfens in einer, nun ja, etwas unüblichen Form korrigiert hatten, habe ich Ihnen selbstverständlich eine neue Flasche serviert. War die denn zu Ihrer Zufriedenheit?«

Steinbrecher hatte längst verstanden, dass er nicht wirklich antworten sollte.

»Ich meine, Ihre Worten waren: Na bitte, geht doch. Warum nicht gleich so, Kollege?«

Tassilo griff in seine Tasche.

»Halten Sie jetzt bitte kurz still.«

Der blanke Stahl einer kurzen, geschliffenen Klinge blitzte auf. Mit einer ruhig ausgeführten Bewegung packte Tassilo Steinbrechers Schopf, zog ihn nach hinten und stach einen kleinen

Schlitz in dessen Knebel. Dann steckte er den Strohhalm durch den Schlitz. Danach hob er das Weinglas so an, dass der Strohhalm in den Kelch ragte.

»Trinken Sie ruhig. Sie sind schließlich mein Gast.«

Steinbrecher sog einen Schluck von dem Wein aus dem Glas.

»Und, ist er korkig?«

Steinbrecher schüttelte hastig den Kopf.

»Nun, dann bin ich ja zufrieden. Nicht auszudenken, wenn ich Sie erneut durch meine Inkompetenz genötigt haben sollte, verdorbenen Wein zu trinken.«

Tassilo atmete einmal tief durch, bevor er Olaf Steinbrecher mit der Hand durch die schulterlangen blonden Haare fuhr. Eher beiläufig sagte er:

»Es hätte mich auch gewundert: Der Wein hatte einen Schraubverschluss.«

Wumm!

Mit einem dumpfen Knall schlug Tassilo Steinbrechers Schädel hart und ungebremst auf die massive Tischplatte. Sein Nasenbein brach mit einem hellen Knacken, das allerdings in den entsetzten Schreien der erschrockenen Runde unterging. Tassilo riss Steinbrechers Kopf wieder hoch. Blut schoss aus seiner Nase, die deutlich zur linken Seite abgeknickt war.

»Ich bedaure, Sie aus unserer Runde verabschieden zu müssen. Aber sehen Sie es mal so: Wenn es am schönsten ist, soll man gehen.«

Wumm!

Steinbrechers Schädel schlug ungleich härter auf als beim ersten Mal. Tassilo flüsterte ihm noch etwas ins Ohr, das allein für ihn bestimmt war: »Ich hab schon Wein degustiert, da hast du noch gewartet, dass dein degenerierter Vater mit dem Bier nach Hause kommt, du Penner.«

Wumm! Wumm!

Der dritte Aufschlag hatte die bislang schwerste Wirkung. Steinbrechers Kopf war dabei auf das Weinglas getroffen. Es zersplitterte und schnitt tiefe Wunden in sein Gesicht. Der vierte Aufprall brach ihm den Unterkiefer.

Panik ließ die vier anderen wild durcheinanderschreien und vergeblich versuchen, sich nun endlich aus ihren Fesseln zu befreien. Keine Chance.

»Noch was.«

Tassilo war so nah an Steinbrechers blutverschmiertes Gesicht gekommen, dass er dessen immer schwächer werdenden Atem spüren konnte.

»Ich habe dir damals genau dieselbe Flasche beim zweiten Mal wieder gebracht!«

Wumm! Wumm! – Wumm!

Regungslos lag Olaf Steinbrecher auf der Tischplatte. Zwei- oder dreimal hatte er noch gezuckt. Dann bewegte er sich nicht mehr.

Und während die Luft in der Scheune langsam den kupfernen Geruch von Blut annahm, hatten die anderen endlich verstanden, weswegen sie hier waren. Als ihre Schreie nach einigen Minuten leiser geworden waren, erhob sich Tassilo wieder und wandte sich Vanessa Christensen zu.

»Verzeihung. Ich war mit einem anderen Gast beschäftigt. Aber jetzt bin ich ganz und gar für Sie da.«

14

Im *White* fühlte sich Raphael wohl. Es lag in unmittelbarer Nähe der geschichtsträchtigen Hackeschen Höfe im Stadtteil Mitte, nicht weit von der Friedrichstraße entfernt, die sich nach dem Fall der Berliner Mauer zur Vorzeigemeile entwickelt hatte. Auf dem von Touristen gesäumten Platz vor dem Klub herrschte reges Treiben. Eine bunt zusammengemischte Musikergruppe belebte die Szene mit Trommelrhythmen, ein Straßenkünstler malte mit Seifenblasen abstrakte Gebilde in die Luft, und die Biergärten der zahlreichen Restaurants waren mit Fackeln und großen Regenschirmen dekoriert. Hier, im Herzen Berlins, standen moderne und historische Bauwerke Seite an Seite, Döner- und Sushilokale lagen direkt nebeneinander. Das multikulturelle Flair der Weltstadt versprühte seinen Geist und ließ jeden Menschen an diesem Ort zu einem Teil Berlins werden, während der Fernsehturm stolz über die Kinder der Hauptstadt wachte.

Das *White* erstreckte sich über mehrere Etagen. Die Eingangshalle war stimmungsvoll dekoriert und führte zu einer kleinen Brücke. Über sie erreichte man den Hauptsaal, in dem sich neben einer großen Cocktailbar auch die Tanzfläche befand, auf der wechselnde Szene-DJs für die richtigen Klänge sorgten. Und nicht nur die Musik heizte den zahlreichen Gästen ein; auch das raffinierte Lichtkonzept verfehlte seine Wirkung nicht. Auf der Dachterrasse des Klubs befanden sich eine weitere Bar sowie ein Sitzbereich, in dem man neben Getränken auch Sushi oder Tapas essen konnte. Das Publikum war überwiegend jung. Auf einen gewissen Stil legte man allerdings wert; nicht jeder wurde von den Türstehern hereingelassen.

Raphael hatte sich auf die Dachterrasse zurückgezogen. Sie verfügte über einen Hotspot, sodass er mit seinem Laptop ins Internet gehen konnte. Er mochte die angenehme Atmosphäre, die ihm dieser Ort bot. Ein Internetcafé wäre mit seinem Geschmack unvereinbar gewesen. Außerdem waren sie oft mit Überwachungskameras ausgestattet. Im *White* genoss er dagegen Anonymität. Bei einem Glas Champagner rief er die Seite einer Chatcommunity auf. Er war dort mit einer Userin verabredet, die sich Mayflower nannte. Die beiden hatten einander schon einige Male geschrieben. Mayflower hatte Raphaels Interesse geweckt.

Es war schon dunkel geworden, sodass er seine Augenpartie jetzt mit einer Sonnenbrille verhüllte, die nur schwach getönt war.

Raphael war enttäuscht. Mayflower war nicht im Chat. Sicher würde sie aber bald kommen. Er könnte die Wartezeit überbrücken, indem er Ron anrief.

»Ich bin's«, begrüßte er ihn. »Martha fühlt sich einsam. Kannst du ihr Gesellschaft leisten? Ich denke, zwei Stunden sollten reichen.«

Ron kannte die Geheimcodes, die Raphael ihm durchgab. Bereits wenige Minuten später war er mit der gewünschten Menge der bestellten Ware auf dem Weg zu Martha. Raphael konnte sich fest auf Ron verlassen, er war sehr zuverlässig. Es war auch Ron gewesen, der Raphaels Laptop organisiert hatte, irgendwo in einem Elektronikmarkt in Santo Thomas. Für das Internet angemeldet war er mit einer Adresse, die sich bestenfalls zu einem hochbetagten Mann in den Regionen des tropischen Regenwaldes Guatemalas würde zurückverfolgen lassen, der in seinem Leben noch nie an einem Computer gesessen hatte. Raphael war äußerst vorsichtig und alles andere als dumm.

Bald darauf hatte er Ron, der bereits für seinen Vater gearbeitet hatte, nach Berlin geholt. Einen loyalen, zuverlässigen Mann wie ihn konnte er vor Ort besser gebrauchen als in Südamerika.

Plötzlich ertönte ein Signal von seinem Laptop, das ihm zu verstehen gab, dass jemand den Chatraum betreten hatte. Es war Mayflower.

»Ich habe schon gewartet«, begann er den Chat.

Er musste keine Minute auf Antwort warten. Auch Mayflower hatte sich auf Raphael gefreut, den sie unter seinem Chatnamen Angel kannte.

»Die meisten hier sind nicht so zuverlässig wie Du«, antwortete sie.

»Ich bin nicht wie die meisten.«

»Das sagen alle. Aber was steckt dahinter?«

»Das erfährst Du schon noch. Wie war Dein Tag? Musstest Du arbeiten?«, fragte Raphael.

»In der Wäscherei. Bin total fertig.«

Raphael wusste nach den wenigen Gesprächen mit ihr noch nicht sehr viel über Mayflower. Begonnen hatte die Chatbekanntschaft damit, dass er sich erkundigt hatte, weshalb sie sich nach einem Pilgerschiff benannt hatte. Der Name, so erklärte sie ihm, beziehe sich sinnbildlich auf den Neuanfang in einer anderen Welt. Ihre Eltern waren vor langer Zeit mit ihr aus Thailand nach Europa ausgewandert, wo sie auf ein besseres Leben gehofft hatten. Über ihr Aussehen oder ihre Lebensumstände hatten die beiden sich noch nicht ausgetauscht. Dafür war es noch zu früh. Bisher schien sie aber genau diejenige zu sein, die Raphael gesucht hatte.

»Was ist mit dem Mantel? Umhüllt er Dich immer noch?«, fragte Raphael jetzt.

»Schwer wie Blei. Kennst Du das Gefühl?«

Mayflower hatte Raphael in ihrem vierten Chat anvertraut, dass sie seit Langem von anhaltender Niedergeschlagenheit befallen war. Ein Mantel der Mutlosigkeit umhülle sie. Raphael war begeistert von Mayflowers bildhafter Ausdrucksweise. Sie schien wirklich ein ganz besonderer Mensch zu sein.

»Jetzt bin ich ja da«, antwortete er. »Und wenn die Trauer wie ein Stein auf Deinen Schultern lastet, dann helfe ich Dir beim Tragen.«

Zufrieden mit seinem Versprechen, lehnte sich Raphael in seinem Korbstuhl zurück und nahm einen Schluck aus seinem Glas.

»Ich kann gar nicht glauben, dass Du Single bist. So gut, wie Du mit Worten umgehen kannst«, hakte Mayflower nach.

»Ich hatte mal eine Freundin, aber nicht lange«, antwortete Raphael.

»Was war denn?«

Raphael überlegte, was er antworten sollte. Er würde einfach die Wahrheit sagen, warum auch nicht?

»Hallo, Hübscher. So allein?«

Völlig überraschend rissen ihn die Worte der jungen Frau, die an Raphaels Tisch getreten war, aus seinen Gedanken.

»Was schreibst du denn da?«, fragte sie weiter und nahm einen tiefen Zug von ihrer Zigarette.

»Ich bin beschäftigt«, versuchte Raphael abzuwiegeln.

Doch so einfach war das nicht.

»Jetzt tu mal nicht so. Das ist ein Klub, kein Büro. Also, was ist? Wollen wir tanzen? Ich bin Suzi. Und du?«

»Suzi, ich habe keine Zeit für dich. Tut mir leid.«

»Was trinkst du denn da?«

Mit einer schnellen Bewegung ergriff Suzi Raphaels Glas und nahm einen kräftigen Schluck.

»War die Frage zu persönlich?«, schrieb Mayflower, die vergeblich auf Antwort wartete.

»Moment«, tippte Raphael hastig, noch immer in der Hoffnung, Suzi schnell wieder los zu sein.

»Sag mal, scheint die Sonne hier drinnen so grell, oder warum hast du die Brille auf?«, fragte Suzi, bevor sie in beschwipstes Gelächter ausbrach.

Raphael war gereizt, auch wenn er es sich nicht anmerken ließ. Es geschah nicht jeden Tag, dass er einen Menschen fand, der so interessant wie Mayflower war. Nach Kurt Mankwitz hatte es fast drei Monate gedauert, bis er auf Elisabeth Woelke gestoßen war. Mayflower war ein Glücksfall. Wenn sie seine Hilfe bräuchte, sollte sie diese auch bekommen. Was für eine furchtbare Verschwendung wäre es, wenn irgendeine dahergelaufene Suzi ihm einen Strich durch die Rechnung machte.

»Ich will dich nicht beleidigen, aber ich habe kein Interesse.«

Raphael hoffte, dass Suzi ihn nun endlich in Ruhe lassen würde. Langsam müsste er Mayflower eine Antwort senden.

»Ach, Quatsch. Lass uns tanzen.«

Wieder erhielt Raphael eine Nachricht von Mayflower:

»Ich wollte Dir nicht zu nahe treten. Es geht mich ja auch nichts an, weswegen Ihr Euch getrennt habt.«

Mayflower hatte ganz offenbar den Eindruck gewonnen, Raphael verärgert zu haben. Bei ihrer seelischen Verfassung war es nicht auszuschließen, dass sie sich aus dem Chatraum zurückziehen und wochenlang nicht mehr melden würde. Vielleicht sogar nie wieder. Raphael musste sofort antworten.

»So, jetzt ist aber Schluss, Goethe!«

Suzi schlug kurzerhand den Laptop zu, die Verbindung zum Internet wurde automatisch beendet. Raphael blickte sie fassungslos durch seine Sonnenbrille an.

»Was soll das denn? Bist du verrückt?«, fragte er.

Suzi nahm den Laptop, schob ihn beiseite und setzte sich auf Raphaels Schoß.

»Ist das verrückt genug für dich?«, fragte sie. Dann hauchte sie ihm ins Ohr: »Du hast tolle Lippen.«

Sie versuchte, ihn zu küssen. Mit einer blitzschnellen Reaktion griff Raphael an Suzis Kinn und hielt sie zurück. Er war wütend und musste sie unverzüglich loswerden. Mayflower hatte längst gesehen, dass er den Chatraum verlassen hatte. Und wahrscheinlich würde sie keine fünf Minuten darauf warten, dass er zurückkäme. Nicht unter diesen Umständen.

»Zum letzten Mal: Ich habe zu tun. Hast du das verstanden?«

Wortlos blickte Suzi Raphael an. Sie gehörte nicht zu den Frauen, die an Zurückweisungen gewöhnt waren. Nach einigen Sekunden stand sie auf und drehte sich den anderen Besuchern des *White* zu.

»Jetzt guckt euch das mal an! Der Typ hier will nicht mit mir knutschen. Bin ich so abstoßend?«, rief sie in die Menge.

Ganz offenbar war es ihre Absicht, Raphael eine Szene zu machen. Noch wanderten nur vereinzelte Blicke zu den beiden. Es gehörte schon mehr als betrunkenes Krakeelen dazu, in einem Klub in Berlin-Mitte Aufmerksamkeit auf sich zu ziehen. Doch Suzi hatte anscheinend ohnehin nur einen Warnschuss abgegeben. Sie wandte sich erneut Raphael zu.

»Na, Goethe, immer noch zu tun?«

Wenn Raphael irgendetwas nicht gebrauchen konnte, dann war es, Aufsehen zu erregen. Suzi würde nicht zögern, ihre Show fortzusetzen. Um eine Eskalation zu verhindern, ging er auf sie ein.

»Also gut, ein Glas.«

»Siehst du, geht doch«, strahlte Suzi und zündete sich noch eine Zigarette an. »Weißt du was? Ich wohne hier um die Ecke. Trinken wir doch bei mir.«

Raphael blickte sich um. Kaum jemand hatte bisher von den beiden Notiz genommen. Und Suzi war offenbar nicht in Begleitung hier.

»Wohnst du allein?«, fragte er.

»Meine Freundin ist für 'ne Woche in München. Also, gehen wir?«

Raphael griff nach seinem Laptop. Dann stand er auf und legte seinen Arm um Suzis Schultern. Noch einmal überzeugte er sich davon, dass niemand sie beobachtete. Dann antwortete er: »Es wird wohl das Beste sein.«

15

Suzi war außerordentlich stolz auf ihre Eroberung. Tatsächlich befand sich die Wohnung, die sie sich mit ihrer besten Freundin teilte, nur wenige Minuten vom *White* entfernt. Raphael kam das sehr gelegen: Er wäre äußerst ungern mit ihr in seinem Wiesmann GT vorgefahren. Üblicherweise benutzte er für seine Besuche Rons Opel Sintra. Der Van war ebenso praktisch wie unauffällig. Eigenschaften, die man seinem Wiesmann nun wirklich nicht nachsagen konnte. Raphael hatte sich alle Mühe gegeben, nicht allzu auffällig immer wieder zu prüfen, ob man sie beobachtet hatte. Aber Suzi war ohnehin zu betrunken, um es zu bemerken. Auch das kam Raphael gelegen.

»Was soll eigentlich die Nummer mit dem Stock? Hast du was am Bein?«, fragte Suzi, während sie im dunklen Flur des Hinterhauses die Treppe nach oben gingen.

»Nein, alles in Ordnung. Du, ich mache so was nicht gern. Was ist, wenn jemand reinplatzt?«

Suzi lachte.

»Wie bist du denn drauf? Mach dir mal keine Sorgen.«

Die Wohnung lag nicht besonders günstig. Vier Stockwerke ohne Fahrstuhl. An acht Wohnungstüren musste man vorbei. Und auf dem Rückweg noch einmal. Zudem führte der Weg durch das Vorderhaus und über einen Hof, auf dem man von vielen Fenstern aus gesehen werden konnte.

»Dann mal rein, Goethe. Es ist zwar nicht besonders ordentlich, aber egal.«

Sie betraten die Wohnung.

»Setz dich schon mal aufs Sofa. Ich hole was zu trinken. Was Bestimmtes?«

»Was du magst.«

Raphael ging den langen Flur hindurch bis zum Wohnzimmer. Die Wohnung roch nach kaltem Rauch. Aus der Küche hörte er Gläserklimpern, dann das Knallen eines Sektkorkens. Kurz darauf betrat Suzi das Wohnzimmer.

»Ist Prosecco okay? Wie heißt du überhaupt?«

»Tobias.«

Das war nicht einmal gelogen. Raphaels vollständiger Name lautete Raphael Tobias von Bergen. Sein Vater hatte ihn ausgesucht.

»Ich mach mal Musik an«, sagte Suzi, während sie die Gläser füllte.

»Hast du was von Chopin?«

»Du bist ja richtig romantisch. Ist Mozart auch okay?«

»Von mir aus.«

Während Suzi das CD-Regal durchsuchte, überlegte Raphael, was Mayflower wohl gerade denken würde. Sie neigte ihren Erzählungen nach dazu, sich schnell Vorwürfe zu machen. Suzi war ihm übel dazwischengekommen, aber im Augenblick konnte er nichts unternehmen.

Mozarts *Kleine Nachtmusik* erklang.

»So, jetzt ist es aber mal gut mit deiner Sonnenbrille«, sagte Suzi, als sie sich endlich setzte.

»Machst du so was oft? Männer mit nach Hause nehmen?«, lenkte Raphael ab.

»Mann, Tobi, was ist denn mit dir los? Wir leben nicht im Mittelalter.«

Erneut brach sie in albernes Lachen aus, bevor sie einen kräftigen Schluck Prosecco trank und sich eine Zigarette anzündete.

»Also, was soll das jetzt mit dem Stock?«, kam sie auf das Gespräch aus dem Treppenhaus zurück.

»Ich bin so was wie ein Wanderer.«

Während er sprach, musterte Raphael das Zimmer. Es war nicht besonders groß, dafür mit allerlei Einrichtungsgegenständen vollgestellt. Allerlei Schnickschnack wie Kuscheltiere, Döschen oder Teelichter schmückten den Raum. Es würde schon ein Weilchen dauern, hier sauber zu machen. Wenigstens war der Boden mit Laminat belegt. Das war sehr viel einfacher zu säubern als Auslegware.

»Ein Wanderer? Mit Tracht und Gebirge?«, spottete Suzi, während sie immer näher an Raphael heranrutschte. »Warum bist du eigentlich so verklemmt? Andere Männer hätten sich längst an mich rangemacht. Kann es sein, dass du, na ja, du weißt schon...?«

Eine peinliche Pause entstand.

»Schwul bist?«, kam Raphael Suzi zu Hilfe.

»Na ja, ich meine, so durchgestylt, wie du dasitzt. Und dass du auf Klassik stehst. Also, ich hab viele schwule Freunde, so ist es nicht.«

»Keine Sorge. Ich bin vielleicht zurückhaltend, aber nicht schwul. Kennst du Chopin? Ich liebe seine Musik.«

»Na ja, der Name sagt mir schon was, aber ich höre lieber aktuelle Musik.«

»Chopin war Pole. Aber die meiste Zeit in der Welt unterwegs. Er ist sehr jung gestorben.«

Suzi schaltete zurück. Zunehmend wich ihre Oberflächlichkeit. Wieder zündete sie sich eine Zigarette an.

»Wie alt ist er denn geworden?«, wollte sie wissen.

»Neununddreißig. Tuberkulose. Aber er war nicht allein, als er starb. Seine Freunde waren da.«

»Das hat ihm sicher viel bedeutet.«

Suzi trank jetzt langsamer als zuvor.

»Ich habe was von ihm auf meinem Laptop. Willst du mein Lieblingsstück hören?«

»Klar, warum nicht?«

Während Suzi den CD-Spieler ausschaltete, suchte Raphael Chopins Nocturne in g-Moll heraus. Er stellte die Lautstärke seines Laptops so ein, dass die Wirkung der Musik voll zur Geltung kommen konnte.

Die Musik hebt die Zeit auf und übertönt die Stille. Raphael ist zwanzig und isst mit August Danner. Seit dem Tod seines Vaters hat er zu niemandem so viel Vertrauen gehabt. Danner liebt die Musik auch. An diesem Abend fragt er Raphael, ob er weiß, was sein Name bedeutet.

»Klingt gut«, sagte Suzi, als die schlichten, melancholischen

Klavierklänge den Raum mit einer Stimmung von Ruhe und Geborgenheit ausfüllten.

»Ich weiß nicht, ob Chopin traurig oder glücklich war, als er es komponiert hat. Es ist so einfach. Und doch so tief«, sagte Raphael, während seine Blicke weiter den Raum musterten.

Die Fenster waren nicht sehr groß; sie wären relativ schnell zu säubern. Länger würde es dauern, die kitschigen Setzkästen mit den vielen kleinen Figuren zu reinigen. Was Suzi wohl wiegen mochte? In keinem Fall mehr als sechzig Kilo, eher weniger.

»Du bist wirklich romantisch. Warst du vorhin im Internet?«

»Im Chat.«

»Mit deiner Freundin?«

»Nein. Eine Bekannte. Du hast uns unterbrochen.«

Immer stärker zog die wundervolle Musik Suzi in ihren Bann. Sie war wie ausgewechselt.

»Entschuldige. Weißt du, wie du da so gesessen hast, hast du mich irgendwie total neugierig gemacht. Bist du sauer?«

»Sie vielleicht.«

»Wer ist *sie* denn?«

»Eine traurige Frau. Sie sucht jemanden, der sie auf ihrem Weg begleitet.«

»Wie alt ist sie denn?«

»Keine Ahnung. Ich schätze, über vierzig.«

»Ach so, verstehe…«, sagte Suzi mit einem verschmitzten Lächeln auf den Lippen.

»Wohl kaum«, erhielt sie zur Antwort.

Raphael bereitete sich auf seine Besuche gründlich vor. Hier waren die Voraussetzungen anders. Er war ihr nicht nach Hause gefolgt, um sich um sie zu kümmern, wie er es mit Danner, Mankwitz und Woelke getan hatte. Außerdem konnte er nicht sicher sein, dass er wirklich nicht mit Suzi gesehen worden war. Er müsste es irgendwie schaffen, sich bald zu verabschieden.

»Wenn ich's nicht verstehe, erklär es mir«, bat Suzi.

»Das geht nicht mit ein paar Sätzen. Und, ehrlich gesagt, möchte ich es auch gar nicht.«

Raphael würde unverzüglich aufbrechen. Er war auf Suzis Einladung eingegangen, um sie davon abzuhalten, ihm eine Szene zu machen. Er würde seine Mission nicht ihretwegen in Gefahr bringen.

»Ich muss los«, sagte er und wollte gerade aufstehen, als Suzi plötzlich von ihrem Platz aufsprang und sich auf seinen Schoß setzte.

»Nicht so schnell«, hauchte sie. »Ich finde dich wirklich sehr interessant. Bleib doch noch.«

Suzi schloss ihre Augen, näherte sich mit ihren Lippen denen Raphaels und gab ihm einen zarten Kuss. Dann rutschte sie langsam von seinem Schoß hinunter, bis sie vor ihm auf den Knien hockte. Mit gekonnten Griffen öffnete sie seine Hose. Raphael wusste nicht, wie er sich verhalten sollte. Nicht dass er noch nie in einer solchen Situation gewesen wäre. Auch er war nur ein Mann und hatte seine körperlichen Bedürfnisse. Allerdings lebte er sie normalerweise mit professionellen Callgirls aus. Es war unkompliziert und zog keine Konsequenzen nach sich. In dieser Situation hatte Suzi die Kontrolle. Und sie konnte auch noch verdammt gut mit ihr umgehen.

»Hör auf«, versuchte sich Raphael zu wehren, doch sein Körper widersprach ihm. Suzi war attraktiv, und in seiner Hose hatten sich bereits deutlich sichtbare Reaktionen auf ihr Spiel eingestellt. Vielleicht sollte er sie einfach machen lassen und hinterher so schnell wie möglich verschwinden. Andererseits – was, wenn sie ihn wiedersehen wollte? Als er seinen Kopf zurücklegte, fiel sein Blick auf die Deckenlampe. Er würde eine Leiter benötigen, um an sie heranzukommen.

»So, und jetzt nimmst du die Brille ab«, entschied Suzi plötzlich.

Bevor er reagieren konnte, hatte sie ihm die Sonnenbrille von der Nase gerissen. Zum ersten Mal konnte sie sein Gesicht vollständig sehen. Raphael blickte sie erschrocken an.

»Wow …«, hauchte sie ungläubig.

»Bist du verrückt? Her damit!«, fuhr er sie an, während er ihr die Brille aus der Hand riss und sie schnell wieder aufsetzte. Dann sprang er auf und schloss seine Hose.

Sie hatte es endgültig zu weit getrieben. Wenn er ihre Kehle fest genug zudrücken würde, wäre sie wahrscheinlich innerhalb weniger Minuten erstickt. Sie schien nicht besonders kräftig zu sein und würde seinem Würgegriff nicht viel entgegensetzen können.

»Ich war nie hier!«, fauchte er sie an.

Zu viele konnten die beiden zusammen gesehen haben. Das Risiko wäre viel zu groß. Als er über die noch immer kniende Frau hinwegstieg, fiel etwas zu Boden. Sein Autoschlüssel war ihm aus der Hosentasche gerutscht. Suzi hob ihn auf.

»Das war doch nicht böse gemeint«, stammelte sie, während Raphael seinen Laptop ergriff, ihr den Schlüssel aus den Händen riss, ihn eilig in die Hosentasche steckte und mit seinem Gehstab zur Wohnungstür lief. Kurz bevor er sie öffnete, drehte er sich noch einmal zu Suzi um, die mittlerweile aufgestanden war und am anderen Ende des Flurs stand.

»Vergiss das hier«, warf er ihr entgegen, bevor er sich eilig auf den Weg zu seinem Wagen machte.

Nur ein einziger Gedanke bewegte ihn während seiner Fahrt nach Hause: Hoffentlich würde Mayflower morgen wieder im Chat sein. Hoffentlich.

16

»Wir sind ihm scheißegal!«

Es war noch früh. Kern hatte seine Tochter zur Schule gebracht und war sofort danach ins LKA gefahren. Quirin Meisner stand in seinem Büro und goss Pflanzen.

»Dir auch einen guten Morgen«, entgegnete er verdutzt.

»Wir sind für ihn doch überhaupt keine Gegner. Total langweilig«, setzte Kern fort.

»Jetzt komm doch erst mal rein. Hier, guck mal, die Yuccapalme. Vor ein paar Wochen dachte ich noch, ich müsste sie wegwerfen. Aber jetzt?«

»Er müsste es uns leichter machen. Wenn der Gegner zu schlecht ist, macht das Spiel keinen Spaß. Wir haben keine einzige echte Spur von ihm. Der macht doch mit uns, was er will. Wenn's ihm um uns ginge, dann wäre das inzwischen echt langweilig für ihn.«

»Was soll er denn machen? Seine Visitenkarte am Tatort verstecken?«

»Eine Nachricht, einen Gegenstand. Irgendwas. Macht er aber nicht.«

Meisner betrachtete seinen Kaktus.

»Den hat mir Castella geschenkt. Passend, oder?«, sagte er, bevor er sich setzte. »Also, worauf willst du hinaus?«

»Wir haben bisher jemanden gesucht, der den perfekten Mord begehen will. Aber das hat er ja längst. Warum soll er das wiederholen? Perfekt ist perfekt.«

»Er ist auf den Geschmack gekommen.«

»Ich habe die ganze Nacht geputzt wie er. Glaub mir, das ist nichts, bei dem man auf den Geschmack kommt. So was tut man nicht, weil man es will.«

Meisner rückte einen Blumentopf zurecht. Dann entgegnete er: »Sondern weil man es muss?«

»Ich wette drauf! Irgendwas zwingt ihn dazu. Und wir müssen rausfinden, was.«

»Aber wir arbeiten mit Fakten, nicht mit Ideen.«

»Menschen mit einer Idee gelten nur so lange als Spinner, bis sie sich durchgesetzt hat«, erwiderte Kern.

Meisner schmunzelte.

»Wir müssen das Täterprofil noch mal komplett überdenken«, fuhr Kern fort. »Ein Mörder, der sich mit der Polizei anlegt, ist überheblich. Einer, der mit seinen inneren Dämonen kämpft, ist das nicht. Wir haben nach dem völlig falschen Typ gesucht.«

»Du meinst, er hält sich für das Opfer, nicht für den Täter?«

»Absolut. Was er auch immer mit seinen Mitteln und Tinkturen wegzuwischen versucht, er schafft es einfach nicht. Deswegen muss er es noch mal machen. Und schafft es wieder nicht. Und so weiter.«

Meisner wollte seine Position nicht widerstandslos aufgeben.

»Keiner weiß von ihm außer uns«, sagte er deshalb. »Vielleicht will er seinen perfekten Mord so oft begehen, bis er endlich damit auf den Titelseiten steht. Einer dieser Typen, der ein Mythos werden will, wer weiß?«

»Ein Verbrecher kann nur zum Mythos werden, wenn er erwischt wird. Und wenn es ihm um Bewunderung ginge, dann müsste er seine Vorgehensweise längst geändert haben. Die alte hat ihn ja nicht in die Zeitungen gebracht. Warum denkt er sich kein Markenzeichen aus? Irgendwas Krankes, nach dem die Presse ihn dann benennt? So würde ich das machen.«

»Julius, schön und gut. Aber soll ich jetzt das ganze Täterprofil umwerfen?«

»Warum nicht? Das alte war ja nicht besonders erfolgreich.«

Meisner stand kommentarlos auf und lief zu seinem Gummibaum. Während er ihn goss, fragte er: »Okay, was jetzt?«

»Grünberg.«

»Wir haben drei Gutachten von Religionsexperten.«

»Aber keins von Grünberg.«

»Er hatte damals viel zu tun. Aber von mir aus, fahr halt zu ihm. Verrenn dich nur nicht. Und nimm Dennis mit.«

Kern drehte sich um, aber Meisner hielt ihn zurück.

»Sekunde. Ich muss noch was mit dir bereden.«

Meisner zog eine Mappe aus seiner Schreibtischschublade.

»Das sind Interviewanfragen. Von nur zwei Tagen. Tassilo bringt sein Buch in nicht mal acht Wochen raus. Die wollen mit dir reden. Warum willst du denn nicht?«

Kern hatte absolut keine Lust, das lästige Thema schon wieder zu diskutieren.

»Weil ich den Kakao, durch den ich gezogen werde, nicht auch noch trinke. Die sind doch alle auf Tassilos Seite. Und ich soll den doofen Bullen spielen, den er auslachen kann.«

»Tassilo zieht seine Kampagne eh durch. Jetzt hau ihm doch mal ein paar ordentliche Dinger vor den Latz.«

Kern nahm den Kaktus in die Hand.

»Hat *sie* dir gesagt, dass du mich überreden sollst?«, fragte er.

»Wer sonst? Aber sie hat recht. Hat sie ja leider meistens.«

»Und wie stellt ihr euch das vor? Dass ich mich bei einem schönen Glas Rotwein mit Tassilo in eine Talkshow setze und über die alten Zeiten plaudere? *Mensch, das war ja was damals. Zu blöd, dass ich's dir nicht beweisen konnte.* Ohne mich.«

Meisner setzte seine Gießkanne ab, lief zu Kern hinüber und nahm ihm den Kaktus aus der Hand.

»Sie war gegen dich. Ich hab drauf bestanden, dass sie dich in mein Team holt. Sie glaubt, du hast es nicht mehr drauf.«

Kern wurde ruhiger.

»Und was glaubst du?«, fragte er.

»Dass du es nicht länger verdrängen darfst. Als sie meinen Sohn verhaftet haben, wäre ich fast verrückt geworden. Die Schande, versagt zu haben … die Kollegen …«

»Das kannst du nicht vergleichen. Er hat niemanden umgebracht.«

»Du machst dir was vor. Das sage ich dir als Freund. Du hast nichts falsch gemacht, und das weißt du.«

»Aber ich fühle es nicht.«

»Ich habe meinen Sohn wirklich gut erzogen.«

»Du hast auch nichts falsch gemacht.«

»Und was, glaubst du, fühle ich?«

Kern sah die Yuccapalme an.

»Vor ein paar Wochen wolltest du sie wegschmeißen?«, fragte er.

»Ja. Und jetzt blüht sie wieder«, antwortete Meisner.

»Ich kann's nicht machen. Ich sehe dieses Mädchen noch vor mir. Das die Leichen gefunden hat.«

»Hast du mal wieder was von ihr gehört?«

»Ich weiß nur, dass sie in der Nervenklinik war. Lange. Was meinst du, wie es ihr geht, wenn sie Tassilo auf Plakaten sieht?«

»So wie dir?«, gab Meisner zurück.

»Ich muss los. Zu Grünberg.«

Kern drehte sich um.

»Warte«, hielt ihn Meisner noch einmal auf.

Er nahm die Yuccapalme von seiner Fensterbank und gab sie Kern.

»Für dich.«

17

Das Arbeitszimmer von Professor Grünberg erinnerte ein bisschen an eine Rumpelkammer. Die Wände waren über und über mit Bücherregalen bedeckt, die Luft war staubig und schwer. Auf dem Fußboden standen Kartons, die mit römischen Zahlen gekennzeichnet waren. Der Professor hatte sie mit Zetteln, Briefen und Gegenständen gefüllt, denen er auf diese Weise eine Ordnung gegeben hatte, die möglicherweise nicht einmal mehr er selbst verstand. Zwischen Stapeln von Büchern und Zeitungen standen vereinzelt Fotos, die offenbar Grünbergs Kinder und Enkel zeigten. In mehreren Aschenbechern lagen ausgeglühte Zigarrenstummel.

»Wie im Museum«, bemerkte Dennis.

»Wann warst du denn im Museum?«, erwiderte Kern.

In diesem Augenblick betrat der Professor den Raum.

»Möchten Sie Kaffee?«, begrüßte er seine Gäste. »Ich habe mir gerade einen dieser schicken Vollautomaten gekauft. Mein Sohn hat mir dazu geraten. Ich sage Ihnen, diese Maschine macht vielleicht einen Krach. Aber der Kaffee – exzellent!«

»Dann nehme ich gern einen«, antwortete Kern.

Dennis winkte ab; er mochte keinen Kaffee.

Professor Grünberg hatte neben Religions- und Altertumswissenschaften auch Geschichte und alte Sprachen studiert. Lange Zeit hatte er an verschiedenen Universitäten gelehrt, selbst im Ausland. Vor einigen Jahren hatte er sich dann zur Ruhe gesetzt. Er empfing aber immer noch gern Studenten in seinem Haus, um mit ihnen über ihre Ansichten und Vorstellungen zu sprechen. Der Polizei stand er gelegentlich als Sachverständiger zur Seite.

»Also, was verschafft mir die Ehre Ihres Besuchs?«, fragte er die Beamten.

»Es geht um einen Fall«, begann Kern. »Wir tappen im Dunkeln. Vielleicht können Sie uns helfen.«

Wie angekündigt toste der Lärm des Automaten, bevor der appetitliche Kaffee in die Tassen floss.

»Milch oder Zucker?«

»Schwarz, bitte.«

Grünberg reichte Kern eine Tasse, bevor er auf seinem alten Ledersessel Platz nahm.

»Sie vermuten einen religiösen Hintergrund?«, fragte er.

»Es gibt schon drei Gutachten, die das ausschließen.«

Der Professor schüttelte den Kopf und lächelte verschmitzt.

»Sie wissen also schon, was Sie finden wollen. Und jetzt fragen Sie so lange herum, bis es Ihnen jemand bestätigt?«

»Es gibt neue Ansätze«, verteidigte sich Kern gegen den Vorwurf, der nicht ganz unberechtigt war.

Durch das offene Fenster, das zum Garten hinaus lag, drang lautes Kindergeschrei.

»Meine neuen Nachbarn«, entschuldigte sich Grünberg. »Sehr nette Leute, aber die Kinder sind manchmal eine Plage. Was soll's, vermutlich waren wir auch nicht anders. Gut, dann jetzt mal der Reihe nach.«

Kern nahm die Akten aus seiner Tasche und schilderte dem

Professor die Lage. Grünberg hörte aufmerksam zu und machte sich gelegentlich Notizen.

»Wir lassen jetzt erst mal unsere Interpretationen weg«, setzte er an, nachdem er informiert war. »Was wir objektiv haben, sind ein sauberer Raum, penible Ordnung und Asche.«

»Ich dachte vielleicht an ein geopfertes Tier«, warf Kern ein.

Grünberg spitzte seine Lippen, während er sich gemächlich in seinen Sessel zurückfallen ließ.

»Interessante Idee«, sagte er dann. »Aber es gibt etwas, das dann nicht passen würde.«

»Nämlich?«, fragte Dennis.

»Die Leiche. Entweder er opfert ein Tier oder einen Menschen. Beides zusammen wäre Quatsch. Was für Asche ist es denn genau?«

»Das wissen wir noch nicht. Es war nur ein kleiner Fleck. Er hat ihn wohl übersehen«, erklärte Kern.

»Sie sagten, er habe die Hemden mitgebracht. Kann die Asche schon vorher drauf gewesen sein?«

»Nein, sie war nicht eingerieben, sondern lag locker drauf. Was könnte sie denn zu bedeuten haben?«

»In der Thora zum Beispiel gibt es Opferarten, die mit Tieren zusammenhängen. Bei der *Olah* wurden Tiere verbrannt. Das war es hier aber nicht.«

»Warum so sicher?«

»Weil Ihr Mörder nicht in einer Charlottenburger Mietwohnung ein Rind abgefackelt hat. Gibt es denn Hinweise darauf, dass er Teile des Opfers gegessen hat?«

»Nein.«

»Das scheidet also auch aus. In China gibt es sehr alte Schädelfunde. Die Köpfe sind vermutlich geöffnet worden, man hat wohl die Gehirne der Geopferten gegessen. Wie hat Ihr Mörder seine Opfer denn getötet?«

»Ertränkt.«

»Sehr ungewöhnlich. Die Kelten haben ihrem Gott Teutates Menschen durch Ertränken geopfert. Das halte ich aber, offen gestanden, in Ihrem Fall für abwegig.«

»Warum?«, wollte Dennis wissen.

»Mir sind in meiner Laufbahn schon eine Menge Verrückter untergekommen. Aber einen Keltengott hat nun wirklich noch keiner angebetet. Die Wahrscheinlichkeit wäre genauso groß, dass er mit dem Ertränken die Opfer der *Titanic* rächen wollte.«

Der Scherz zeigte bei Dennis deutlich mehr Wirkung als bei Kern. Professor Grünberg war dafür bekannt, seine Erkenntnisse gern mit einer makabren Prise seines ganz speziellen Humors zu würzen. Nicht zuletzt deswegen hatte es auf seine Vorlesungen regelmäßig einen wahren Ansturm von Studenten gegeben.

»Was sind denn ganz allgemein die wahrscheinlichsten Gründe für Ritualmorde?«, wollte Kern wissen.

»Also, generell dienen Opferriten immer dazu, Gottheiten zu besänftigen, für eigene Zwecke einzunehmen oder sich ihnen dankbar zu zeigen.«

»Und wenn Sie sich die Fotos angucken, was denken Sie dann?«, hakte Kern nach.

»Dass es keine religiösen Symbole gibt. Waren denn wenigstens die Opfer religiös?«

»Die Frau war katholisch, die anderen beiden evangelisch. Aber ich glaube, nicht besonders aktiv«, erklärte Kern.

»Und beruflich?«

»Ganz verschieden. Unternehmensberater, Dachdecker, Apothekerin.«

Grünberg dachte kurz nach. Dann schüttelte er den Kopf.

»Passt alles nicht. Mit dem Tod Jesu am Kreuz ist nach christlicher Vorstellung jedes Menschenopfer überflüssig geworden. Das ist ja auch logisch. Der Sohn Gottes hat sein Leben für die Sünden der gesamten Christenheit geopfert. Das ist nun wirklich nicht zu überbieten.«

Das Schreien der Nachbarskinder wurde immer lauter. Grünberg stand auf und schloss das Fenster.

»Haben Sie denn schon mal einen ähnlichen Fall gehabt?«, fragte Kern weiter, der sich noch nicht geschlagen geben wollte.

»Eine aufgebahrte Leiche? Ja, das hatte ich mal. Vor ungefähr zehn Jahren. Sie wurde auf ihrem Küchentisch gefunden. Eindeutiger Fall von Satanismus.«

»Und was war da anders als bei uns?«, wollte Dennis wissen.

»Nun, zum einen hatte der Mörder ihr ein umgedrehtes Kreuz in die Brust geritzt. Und dann fehlten ihr die Arme, die Beine und der Kopf. Noch Kaffee?«

Kern lehnte dankend ab. Dann öffnete Grünberg den Humidor, der auf seiner Kommode stand, und holte eine Zigarre heraus.

»Möchten Sie?«, bot er seinen Gästen an.

Beide lehnten dankend ab.

»Stört es Sie, wenn ich rauche?«

»Machen Sie nur.«

»Eine schlechte Angewohnheit. Aber ich sage immer, das Leben ist zu kurz, um keine zu haben.«

Grünberg schnitt die Zigarre an.

»Eine *H. Upmann*. Davon hat Kennedy sich noch ein paar Kisten einlagern lassen, bevor er das Handelsembargo gegen Kuba beschlossen hat.«

»Was denken Sie denn über das Putzen? Und das Aufräumen?«, setzte Kern nach.

Grünberg entzündete ein Stück Zedernholz und ließ seine Zigarre langsam darüber anglühen.

»Das ist interessant«, antwortete er, während er den ersten Zug nahm. »Gebäude können bei Ritualmorden wirklich eine Rolle spielen. In Irland gab es mal einen äußerst interessanten Fall, gar nicht lange her. Sie haben ein Ehepaar festgenommen. Der Sohn war verschwunden, monatelang keine Spur. Und jetzt raten Sie mal, wo er gefunden wurde.«

»Wo denn?«

»Die beiden haben nachts Geräusche gehört. Und irgendwie haben sie sich eingebildet, dass die von Geistern stammten, die sie heimsuchen wollten.«

»Das ist ja total krank«, wunderte sich Dennis.

»Wenn Sie das schon krank finden, dann passen Sie mal auf: Die hatten das Haus auf einer freien Fläche gebaut. Sie haben dann wirklich gedacht, dass da vorher Dämonen gelebt haben müssen, denen sie den Lebensraum weggenommen haben. Leider haben sich die beiden mit alten Riten beschäftigt. Das war dumm für den Sohn.«

»Wieso denn?«, wollte Kern jetzt wissen.

»Sie haben die Dämonen abgefunden. Indem sie ihren Erstgeborenen geopfert und unter der Türschwelle begraben haben.«

Trotz des geschlossenen Fensters störte das Schreien der Nachbarskinder immer noch. Grünberg stand noch einmal auf, öffnete das Fenster und rief hinaus:

»Und wenn ihr nicht gleich leise seid, mache ich das mit euch auch!«

Dennis lachte laut auf, Kern konnte sich beherrschen. Grünberg schloss das Fenster wieder und nahm einen Zug von seiner Zigarre. Sie duftete angenehm.

»Ein Fundamentopfer. Die Polizisten sind hundertmal über ihn drübergelaufen.«

»Und die Geister? Waren die verschwunden?«, fragte Dennis, der sich wieder beruhigt hatte.

»Das wäre das eigentlich Interessante gewesen. Leider hat sich das Paar umgebracht.«

Kern war überzeugt, dass der Professor mit seinen Anekdoten ganze Hörsäle in atemlose Stille versetzt hatte. Aber bevor der charismatische Mann weiter ins Plaudern geraten konnte, kam er auf sein Thema zurück.

»Was ist mit meinem Mörder? Welche Bedeutung haben die Wohnungen für ihn?«

»Menschenopfer konnten nach antiken Vorstellungen Orte oder Gebäude weihen. Aber da gibt es den nächsten Schönheitsfehler. Ihr Mann hat erst nach dem Mord geputzt. Die Tötung des Opfers ist jedoch der Höhepunkt der Zeremonie. Er hätte erst geputzt, dann getötet.«

Der Professor sah Dennis an.

»Oder würden Sie sich erst mit Ihrer Freundin vergnügen und danach mit ihr ins Kino gehen?«

Dennis nickte zustimmend.

»So sauber zu machen ist extrem anstrengend. Ich habe es selbst ausprobiert. Vielleicht bestraft er sich ja mit dem Putzen?«, spekulierte Kern.

»Selbstkasteiung?«, entgegnete Grünberg. »Das scheidet aus. Der Grund für Selbstgeißelung ist die Annahme, sich von seinem Gott entfernt zu haben. Aber wer ihm ein Opfer bringt, tut ja genau das Gegenteil.«

Der Professor schob die Bilder, die vor ihm ausgebreitet waren, zu einem Haufen zusammen.

»Also kein religiöses Motiv?«, fasste Kern zusammen.

»Das kann ich Ihnen nicht sagen. Ich kann nur meine Einschätzung abgeben. Vielleicht ist er ja ein Selbstbedienungstäter.«

»Ein was?«, fragte Dennis.

»Einer, der sich überall was rauspickt und sich dann seine eigene Religion bastelt. So was kommt vor.«

»Und wie erwischt man so einen?«, fragte Kern interessiert.

Ein weiteres Mal lehnte sich Grünberg zurück und zog genüsslich an seiner Zigarre.

»Gar nicht. Sie können höchstens hoffen, dass er sich stellt. Oder von einem Bus überfahren wird. Die konfusen Gedankengänge von derartig Irren kann nämlich keiner nachvollziehen.«

Kern legte die Unterlagen in seine Tasche zurück. Dann stand er auf.

»Vielen Dank für Ihre Hilfe«, sagte er. »Hier, meine Karte. Wenn Ihnen noch was einfällt, rufen Sie bitte an.«

Grünberg musterte die Karte flüchtig.

»Warum tun Sie das?«, fragte er Kern dann.

»Was?«

»Sie ermitteln in eine Richtung, die außer Ihnen niemand verfolgt.«

Kern zwinkerte dem Professor zu und sagte: »Genau deshalb.«

»Cooler Typ«, stellte Dennis fest, als er mit Kern das Haus verlassen hatte.

Sie liefen durch den Vorgarten, vorbei an Grünbergs Garage, vor der sein Wagen stand.

»Und Stil hat er auch«, fügte Kern hinzu.

»Was für ein Auto. Mercedes 450 SL, Baujahr achtzig. Der

weiß, was gut ist«, stellte Dennis fest, während er den sauber polierten Wagen bewunderte.

»Bist du so ein Autofan?«, wunderte sich Kern.

»Klar. Guck dir doch nur mal die Felgen an – der Hammer!«

Kern hatte wirklich gehofft, dass seine Vermutung stimmte. Langsam musste er sich aber mit den Tatsachen anfreunden.

»Bist enttäuscht, oder?«, fragte Dennis, der bemerkte, dass Kern mit dem Ergebnis des Gesprächs unzufrieden war.

»Irgendwie schon. Das war mein erster Gedanke am Tatort. Dass er sie opfert.«

»Also, ich überprüfe jetzt mal die Blitzanlagen um den Tatort herum«, erwiderte Dennis. »Vielleicht hat der Putzteufel uns ja ein Erinnerungsfoto dagelassen. Und wenn er darauf betet, sage ich's dir zuerst, okay?«

Als sie wieder das Schreien der Nachbarskinder hörten, mussten beide lachen.

Grünberg hatte Kerns Visitenkarte in einem seiner nummerierten Kartons abgelegt. Während er sich nun wieder zurücklehnte und seine Zigarre rauchte, dachte er noch einmal über das Gespräch nach. Er glaubte, irgendetwas hätte eine Glocke in seinem Hinterkopf zum Klingen gebracht. Aber was? Als er nach weiteren Minuten des Nachdenkens nicht darauf gekommen war, entschied er, dass er sich wohl geirrt haben musste. Zunächst.

18

Der neue Tag brachte Raphael viel von der Ruhe und Energie zurück, die ihn die vergangene Nacht gekostet hatte. Er würde noch eine ganze Weile warten müssen, bevor er einen neuen Versuch unternehmen konnte, Mayflower im Chat anzutreffen. Sie arbeitete tagsüber; außerdem konnte Raphael unter keinen Umständen von zu Hause aus mit ihr kommunizieren. Das Internet war alles andere als anonym. Er würde nicht zulassen, dass sein Onlineanschluss die Polizei in sein Haus führte. So entschied er, sich bis zum Abend wieder seiner Malerei hinzugeben. Immerhin war sein aktuelles Bild fast fertig. Heute war er nicht mit seiner Staffelei in den Garten gegangen. Er wollte es in seinem Keller vollenden, allein und ungestört. Wie immer umschmiegten sanfte Klavierklänge Raphaels Geist, während er mit bedachten Strichen letzte Hand an das Gesicht der Apothekerin legte. Ihre Haare waren ihm besonders gut gelungen, viel besser als die des Dachdeckers. Aber mehr noch als an dem Licht- und Schattenspiel der ausgebreiteten Haare begeisterte sich Raphael an dem Leuchten im Gesicht des Jungen Tobias. Er hatte ihn rastend dargestellt. Raphael war der Meinung, Tobias habe sich eine Ruhepause verdient. Jetzt, nachdem er bereits die Hälfte seiner Wanderschaft hinter sich gebracht hatte. Bald würde Tobias' Wunsch in Erfüllung gehen, das hatte Raphael ihm versprochen. Und Raphael hielt, was er versprach. Auch dieses Mal würde er zu seinem Werk einige Zeilen schreiben.

Martha ging es nicht besonders gut. Ron war erst spät mit der Ware eingetroffen, und sie hatte sich beim Konsum übernommen. Die Hungergefühle, die sie zu betäuben hatte, waren zu stark geworden. Immerhin hatte sie seit zwei Tagen nichts mehr gegessen. Heute waren die Depressionen besonders schlimm. Sie spürte die mutlose Trauer wie einen festen, gleichmäßigen Druck auf ihre Schläfen. Nur leise drang Chopins Musik aus dem Keller zu ihr vor und verstärkte ihr Leiden weniger als sonst. Damals in der Therapie hatte sie gelernt, dass sie sich in einen *sicheren Raum* zurückziehen konnte. Ein Raum, der genau so war, wie sie ihn sich wünschte. Dort war alles möglich. Er war eine Flucht vor der Trauer und der Dunkelheit.

Delfine brachten Martha dorthin, so wünschte sie es sich. Tief unten auf dem Grund des Ozeans befand sich ihre Kapsel, in die sie sich immer öfter vor der Realität flüchtete. Ein rundes Bett mit einer kuscheligen Felldecke stand in der Mitte des kleinen, behaglichen Raumes. Bilder aus ihrer Jugend, als sie erfolgreich und beliebt gewesen war, schmückten die Wände. Und wann immer sie den Raum betrat, verwandelte sie sich zurück in das hübsche junge Mädchen, das alle geliebt hatten. Hier unten gab es keinen Chopin, keine Gemälde, die den Geruch von Ölfarbe und Verdünnern verbreiteten. Es war *ihr* Raum. Und sie teilte ihn, mit wem *sie* wollte. Ab und zu besuchte ihre Mutter sie hier, um ihr zu sagen, dass sie da war und über sie wachte. Doch Martha nahm die wärmende Hand auf ihren Wangen und den sanften Kuss auf ihre Stirn immer seltener in Anspruch. Stattdessen kam jetzt oft Sigrid, Raphaels Klavierlehrerin. Martha vermisste sie mehr als alles andere.

Es war eine wunderschöne Nacht gewesen, damals auf der MS *Raphael*. Ihr Mann war bereits seit zwei Jahren tot, und der elfjährige Sohn würde noch lange nicht die Gewalt über das Erbe haben. Sigrid Reissmann hatte wieder einmal darauf bestanden, auf eine Kreuzfahrt mitgenommen zu werden.

Schon lange vor dem Tod von Raphaels Vater hatte Reissmann sich in Marthas Vertrauen geschlichen und der schwachen Frau das Heft für die Erziehung ihres Sohnes aus der Hand genommen. Sie hatte ein strenges Regiment geführt und auch vor Schlägen nicht zurückgeschreckt.

»Du sollst wissen, dass ich die Erlaubnis deiner Eltern habe, dich zu schlagen, wenn es nötig ist«, hatte sie Raphael bereits vor seiner dritten Klavierstunde erklärt. Damals war er sechs Jahre alt gewesen.

Raphael hatte niemals geglaubt, dass sein Vater ihr diese Erlaubnis erteilt hatte, doch er hatte sich auch nicht getraut, ihn zu fragen. Was, wenn es doch stimmte? Sigrid Reissmann war eine Frau voller Zorn und Kälte. Nicht besonders groß, mit kleinen, hervorstehenden Augen, und trotz ihrer nicht einmal fünfzig Jahre bereits vollständig ergraut. Alle ihre Schwangerschaften hatten mit Abtreibungen und Totgeburten geendet. Ihre Männer hatten sie verlassen, einer nach dem anderen. Bei Martha hatte sie ein Heim gefunden, das ihr gefiel. Umso mehr, nachdem von Bergen tot war. Er hatte Raphael zu oft vor ihr in Schutz genommen. Derartige Angriffe auf ihre Autorität konnte sie nicht ausstehen. Raphael hatte nur selten bei seiner Mutter Schutz vor Reissmann gesucht. Einmal hatte er ihr anvertraut, dass er keine Klavierstunden mehr nehmen wolle.

»Aber Klavierspielen war doch dein eigener Wunsch«, hatte sie ihm entgegengehalten.

Martha erklärte Raphael, dass er unter keinen Umständen alles, was er bisher gelernt hatte, wegwerfen konnte. Sie versprach ihm aber, Sigrid nichts von seinem Wunsch zu verraten. Das Versprechen hielt keine drei Tage und führte zu einem ernsten Gespräch, in dem Sigrid dem Jungen unmissverständlich klarmachte, dass es nicht an ihm sei, über seine Zukunft zu bestimmen.

Einmal hatte Sigrid Reissmann dem kleinen Raphael besonders zugesetzt. Immer wieder waren ihm bei Mozarts *Türkischem Marsch* die Finger abgerutscht, und je mehr sie ihn deswegen anschrie, desto ängstlicher wurde der Junge. Als ihm vor Angst gar nichts mehr gelang, war sie tobend aufgesprungen, hatte den Deckel der Klaviertastatur fest auf seine Hände geschlagen und ihm ihren Tee ins Gesicht geschüttet. Schreiend war Raphael aufgesprungen und hatte sich im Badezimmer eingeschlossen. In der hintersten Ecke versteckt, bekam er mit, wie Reissmann von außen wütend gegen die Tür schlug und ihm lautstark befahl zu öffnen. Als er ihrer Aufforderung nicht nachkam, rief sie nach Martha.

»Hol den Schraubenzieher!«

Es dauerte keine Minute, bis Martha mit dem verlangten Werkzeug kam. Das Badezimmer wurde von Sekunde zu Sekunde kleiner für den Jungen. Raphael versuchte verzweifelt mit aller Kraft, die Tür von innen zuzuhalten, doch die erwachsene Frau war viel zu stark, als dass die zierlichen Hände des Jungen ihr etwas hätten entgegensetzen können. Sigrid Reissmann stieß die Tür mit so großer Wucht auf, dass sie gegen Raphaels Kopf schlug und ihn zu Boden warf. Im Liegen versuchte der Junge, der hereinstürmenden Frau zu entkommen, wobei er mit dem Kopf gegen die Wand stieß. Martha stand direkt hinter Sigrid Reissmann. Ausdruckslos und starr stand sie da und sah aus kalten, glanzlosen Augen mit an, wie die wütende Frau ihren Sohn am Kragen packte. Verzweifelt auf Hilfe hoffend, blickte Raphael zu seiner Mutter hinüber. Obwohl der Blick nicht viel länger als ein paar Sekunden gedauert hatte, brannte sich das Bild im Gedächtnis des Kindes unauslöschlich ein. Ausdruckslos und starr. Kalte, glanzlose Augen. Mit einem einzigen Ruck zog Reissmann Raphael hoch. Dumpf prallte sein Kopf gegen die Wandfliesen, nachdem der erste Schlag mit ungebremster Wucht sein Gesicht getroffen hatte. Ein zweiter, härterer Schlag folgte kurz danach. Dann war es vorbei. Sigrid und Martha zogen sich in die Küche zurück. Raphael blieb allein auf dem kalten Badezimmerboden sitzen, bevor er schließlich in sein Zimmer schlich.

Eine halbe Stunde lang berieten sich Martha und Sigrid in der Küche. Raphael kam es wie eine Ewigkeit vor. Er hatte das Licht in seinem Zimmer ausgeschaltet, als könne die Dunkelheit ihm Schutz bieten. In dem Wissen, dass die Sache noch nicht ausgestanden war, wartete er auf das Urteil, das die beiden Frauen über ihn verhängen würden. Nur undeutlich konnte er verfolgen, wie sie sich in der Küche beratschlagten. Bald würde er schwere Schritte hören. Eine von ihnen würde zu ihm kommen. Wer, das war egal.

Es war schließlich Sigrid Reissmann. Sie griff sich einen Hocker und setzte sich direkt vor Raphaels Bett. Jetzt war sie ganz ruhig und sprach in einem sanften, verständnisvollen Ton.

»Ich habe mich mit deiner Mutter darüber unterhalten, was gerade passiert ist«, begann sie. »Du sollst wissen, dass ich dich nicht gern geschlagen habe. Du liegst mir sehr am Herzen, das weißt du ja. Kannst du dir vorstellen, warum ich es trotzdem getan habe?«

Raphael war wie verstummt.

»Ich habe es getan, weil du mich dazu provoziert hast«, erklärte sie ihm in sachlichem Ton. »Warum übst du nicht, wie ich es dir sage? Weißt du, ich könnte ganz andere Kinder unterrichten; ich habe Wartelisten mit viel begabteren Schülern.«

Eine Pause entstand. Möglicherweise wartete Reissmann auf eine Reaktion des Jungen, doch Raphael rührte sich nicht.

»Was denkst du, wäre jetzt angebracht, nachdem du mich so sehr geärgert hast, dass ich dich schlagen musste?«

Raphael hatte keine andere Wahl, als zu kapitulieren.

»Eine Entschuldigung?«, brachte er unsicher hervor.

»Nein. Eine Entschuldigung reicht nicht aus«, stellte Reissmann klar. »Für das, was du getan hast, erwarte ich, dass du mich um Verzeihung bittest.«

Noch immer schmerzten sein Kopf und seine Hände. Sein Vater war weit weg auf See. Was konnte er schon tun?

»Kannst du mir verzeihen?«, hauchte er mit zarter, flehender Stimme.

Es war das letzte Mal, dass er diese Worte in seinem Leben aussprechen sollte. Und eines wusste er genau: Sigrid würde dafür bezahlen. Irgendwann.

Martha befand sich noch immer in ihrer Kapsel auf dem Meeresgrund. Es war der einzige Ort, an dem sie die Erinnerung an den Abend nicht quälte, an dem sie von Sigrid getrennt wurde.

Die beiden waren noch sehr spät an Deck spazieren gegangen. Der Alleinunterhalter, der jeden Abend an der Poolbar Tanzmusik spielte, hatte schon Feierabend gemacht, und die meisten Passagiere hatten sich bereits in ihre Kabinen zurückgezogen. Martha und Sigrid befanden sich auf einem Teil des Decks, auf dem außer ihnen jetzt niemand mehr war. Tags zuvor hatte das Schiff in Costa Rica abgelegt und sich auf den Weg nach Montego Bay gemacht. Sie hatten einen Tag auf See hinter sich, am kommenden Tag würden sie Jamaika erreichen.

»Hol uns noch eine Flasche Wein«, forderte Sigrid Martha auf.

Unverzüglich, wie jedes Mal, wenn Sigrid etwas forderte, hatte Martha sich auf den Weg zur Bar gemacht.

Raphael, damals elf Jahre alt, war noch nicht in seiner Suite. Er hatte die beiden Frauen eine ganze Weile lang beobachtet. Sigrid Reissmann war jetzt allein. In sanfter Fahrt glitt der Ozeanriese über die Karibische See. Es war stockdunkel hier draußen, sie waren irgendwo, mitten auf dem Meer. Nur die Sterne leuchteten am wolkenlosen Himmel, als Raphael von der Seite an seine Klavierlehrerin herantrat, die über das Geländer in die dunkle Weite blickte.

»Was machst du denn hier?«, fragte sie verwundert, als sie ihn bemerkte.

»Auf meinem Schiff mache ich, was ich will«, antwortete er mit klarem, schnörkellosem Tonfall.

Sigrid Reissmann war fassungslos. Eine derart unverschämte Antwort hatte ihr noch nie jemand gegeben. An der Wand hingen die Stöcke, mit denen man Shuffleboard spielen konnte. Sie würde sich einen davon greifen und so lange damit auf Raphael einschlagen, bis er sich wünschen würde, nie geboren worden zu sein.

Weiter kam sie mit ihren Überlegungen nicht.

Der kalte Stahl des Tranchiermessers, das Raphael aus der Schiffsküche mitgenommen hatte, glitt widerstandslos in ihre Kehle. Erst als er gegen ihr Rückgrat stieß, wurde Raphaels Stich abgebremst. Mit einer ruckartigen Bewegung drückte er die Klinge, die sich im Nacken verhakt hatte, nach oben. Der Schrei, den Sigrid Reissmann ausstoßen wollte, verendete kläglich. Die Klinge hatte die Stimmlippen durchtrennt. Jetzt entwich nur noch ein Pfeifen aus der freiliegenden Luftröhre, das angesichts der Situation eher lächerlich wirkte. Bizarr und unwirklich musste es ausgesehen haben, wie der hübsche Junge in seinem maßgefertigten Dinnerjackett vor der Frau mit den vor Entsetzen aufgerissenen Augen stand. Jetzt musste Raphael handeln, solange Reissmann noch auf den Beinen stand. Sobald sie zusammensackte, würde er ihren Körper nicht mehr über Bord werfen können. So zog er das Messer mit einer ebenso raschen Bewegung aus ihrer Kehle, wie er es hineingestoßen hatte, warf es mit einem eleganten Schwung über Bord und ging in die Knie, um Reissmann an den Knöcheln zu packen. Sie keuchte noch immer regungslos, während sich das Blut aus ihrem Hals über ihr plattes Dekolleté ergoss. Widerstandslos konnte Raphael sie mit dem Rücken gegen das Geländer drücken, das ihm nun den nötigen Halt bot, um sie kopfüber in die dunkle Tiefe des Ozeans zu stürzen.

Schnell beseitigte er die wenigen Blutflecken und ließ das Tuch, mit dem er sie abgewischt hatte, dem Messer und seiner Klavierlehrerin folgen.

Der Kapitän leitete bald darauf eine groß angelegte Suchaktion nach der Vermissten ein. Wenngleich er auch auf Bitten Marthas darauf achtete, dass die zahlenden Passagiere so wenig wie möglich von der unangenehmen Sache mitbekamen. Nachdem Reissmann tagelang nicht aufgefunden werden konnte, blieb keine andere Möglichkeit, als sie vermisst zu melden.

Jetzt war Martha ganz allein in ihrer Kapsel, in die sie die Delfine gebracht hatten. Sie war wieder das unschuldige junge Mädchen voller Vertrauen in die Zukunft. Ihre Haut war weich und ihre Brüste rund und fest. Nackt schmiegte sie sich in die Felldecke.

»Ich liebe dich«, hauchte ihr plötzlich eine vertraute Stimme ins Ohr.

Sigrid. Endlich war sie wieder da.

»Ich habe uns den Wein geholt«, erwiderte Martha.

»Meine wundervolle Rose…«

Sigrid glitt sanft unter die Decke und begann, Martha leidenschaftlich zu küssen, wie sie es in Wirklichkeit niemals getan hatte.

Raphael hatte sein Bild fertig gestellt. Elisabeth Woelke würde es lieben. Sie lag in ein weißes Gewand gehüllt da, von den Strahlen der Sonne gewärmt, die aus der Wolkendecke herausschienen. Der Engel, der sie begleitete, hatte seine Flügel ausgebreitet.

Raphael nahm die Porzellanschale mit der Asche und stellte sie auf eine kleine Säule, über die er das Gemälde hängen würde. Dann griff er zu seinem vergoldeten Füller. Nur einen kurzen Augenblick lang musste er das fertige Werk betrachten, dann glitt die Feder wie von selbst über das Papier.

Ich bin Raphael.

Ich gehe an Deiner Seite, wenn Leid über Dich gekommen ist.

Ich stehe Dir bei und gehe mit Dir, wenn die Trauer Dich umhüllt.

Wenn Du mich darum bittest, heile ich Dein Leid.

Ich bin die Liebe.

Ich bin Raphael.

19

»Dieser verdammte Sturkopf«, fluchte Castella, nachdem Quirin Meisner ihr mitgeteilt hatte, dass Kern weiterhin nicht auf die Interviewanfragen eingehen würde.

»Ich kann ihn schon verstehen«, verteidigte ihn Meisner. »Was würden Sie denn an seiner Stelle machen?«

»Jedenfalls würde ich nicht so lange den Kopf in den Sand stecken, bis ich ersticke. Ich habe mit den Brandenburgern telefoniert. Seit dem Freispruch hat Kern nicht mehr zu seiner alten Form zurückgefunden. Und die Presse geht denen genauso auf den Zünder wie uns. Jetzt hat er schon die Gelegenheit, diesem schleimigen Tassilo Paroli zu bieten, und nutzt sie nicht.«

»Er ist halt ein bisschen stur.«

»Ein bisschen? Ich bin mit einem Italiener verheiratet. Und glauben Sie mir, Kern könnte sogar meinem Mann noch Unterricht geben. Psychologische Hilfe hat er damals auch abgelehnt. Was habt ihr Kerle immer für ein Problem damit, euch helfen zu lassen?«

Castella deutete auf einen Stapel mit unbearbeiteten Presseanfragen an Kern.

»So geht's jedenfalls nicht weiter.«

Meisner verstand nicht, warum seine Vorgesetzte plötzlich so interessiert daran war, dass Kern vor die Presse trat.

»Vor ein paar Tagen hat Sie die Sache doch noch gar nicht interessiert«, wunderte er sich.

»Ich habe nicht darüber geredet. Das ist ein Unterschied. Jetzt ist er in meinem Dezernat, und damit betrifft die Geschichte auch mich. Sagt Ihnen das hier was?«

Castella war zu ihrem Aktenschrank gegangen und hatte einen Stapel Zeitungen herausgezogen. Sie griff eine davon und las die Schlagzeile vor.

»*Halloween war gestern. Jetzt kommt der Tassilo-Tag.* – Ist das nicht das Letzte? Michaelis wird sein Schundbuch am dreizehnten August veröffentlichen, auf den Tag genau drei Jahre nach dem Massaker. Und die Leute finden es auch noch toll.«

Castella reichte Meisner die Zeitung. Die Schlagzeile war ihm vertraut, das halbe Dezernat hatte darüber gesprochen. Unter einem Archivbild von Tassilo war eine Gruppe feiernder Menschen abgebildet. Einige waren mit *Tassilo-Shirts* bekleidet, die man über seine offizielle Website bestellen konnte. Darauf war Tassilos Gesicht mit unheimlich leuchtenden Augen abgebildet. Darunter standen makabre Sprüche wie *Essen Sie gern blutig?* oder *Darf's noch etwas Schmerz sein?* Der dazugehörige Artikel behandelte journalistisch geschickt die Tatsache, dass im Anschluss an Tassilos Freispruch eine Polarisierung der öffentlichen Meinung stattgefunden hatte. Die Vermutung, ein Kellner habe ehemalige Gäste ermordet, weil sie ihn erniedrigt hatten, führte zu einer Welle der Solidarität unter Angehörigen von Dienstleistungsberufen. Auch wenn der Verfasser des Artikels es verstanden hatte, den Massenmord mit keinem Wort gutzuheißen, war es ihm doch auf geschickte Weise gelungen, eine subtile Form von Anerkennung durchschimmern zu lassen.

»Sie feiern ihn wie einen Helden«, stellte Castella fest. »Und soll ich Ihnen was sagen? Ich finde das unerträglich. Es ist an der Zeit, dass wir uns dazu äußern, und zwar unmissverständlich. Kern hören sie zu. Und ich finde, es ist seine verdammte Pflicht, etwas gegen diesen Dreck hier zu unternehmen. Diese Menschen feiern einen Massenmörder, verdammt!«

Meisner versuchte, seine Vorgesetzte zu beschwichtigen.

»So dürfen wir das nicht sehen«, begann er. »Sie feiern die Idee, dass sich *mal einer von ihnen gewehrt hat*. Die Symbolkraft der Tat, nicht die Gewalt. Das können die doch gar nicht abschätzen. Was glauben Sie, was mir mein Friseur schon alles für Geschichten von seinen Kunden erzählt hat. Außerdem dürfen wir nicht vergessen, dass Tassilo freigesprochen wurde. Und wir wissen ja noch nicht mal, was in dem Buch überhaupt steht. Wollen wir es nicht erst mal abwarten? Dann kann Julius ja immer noch dazu Stellung nehmen.«

Castella sah noch einmal die Zeitungen an.

»Die Pressestelle beschäftigt schon eine Mitarbeiterin, die sich nur um die Tassilo-Geschichte kümmert. Das muss aufhören. Quirin, Sie wissen, dass ich kein besonderer Fan Ihrer Idee war, ihn ins Team zu holen. Jetzt mal die Karten auf den Tisch: Hat es sich gelohnt?«

Meisner musste keine Sekunde überlegen.

»Absolut. Er bringt richtig frischen Wind in den Fall.«

Er hatte nicht nur seinen Freund zu verteidigen, sondern auch seine Entscheidung, ihn anzufordern. Castella war sich dessen bewusst. Deswegen blieb sie skeptisch.

»Weil er seine Wohnung sauber gemacht hat? Wenn das was bringen würde, dann könnte ich die Ermittlung gleich unserer Putzkolonne übertragen«, kritisierte sie.

Meisner war sich nicht sicher, ob Castella wirklich an Kerns Arbeit zweifelte oder ob es ihr nur auf die Nerven ging, seit seiner Anforderung im Zentrum des Presserummels um Tassilo zu stehen.

»Wir werden uns noch alle wundern«, versprach er. »Wenn Julius so weitermacht wie bisher, dann haben wir den Putzteufel noch vor seinem nächsten Mord. Seine Intuition ist einzigartig.

Er geht seltsame Wege, gebe ich ja zu. Aber am Ende mischt er aus Fakten und Eingebungen ein Bild zusammen.«

»Hoffen wir nur, dass der Richter das Bild dann auch sehen kann«, antwortete Castella.

Dann ging sie zum Fenster und sah auf die Straße. Nach einigen Sekunden fragte sie:

»Glauben Sie, er will den Putzteufel wirklich schnappen?«

»Ob er es will? Er ist hinter ihm her wie ein Jagdhund.«

»Sehr gut. Dann schicken Sie ihn mir nachher mal vorbei. Ich hab da nämlich eine Idee.«

20

Drei Jahre zuvor.

Tassilo hatte Vanessa Christensen lange leiden lassen. Es war so furchtbar gewesen, dass die verbliebenen drei Geiseln ihren Tod am Ende regelrecht herbeigesehnt hatten.

»Ist es Ihnen recht, wenn ich eine kurze Zigarettenpause mache?«, fragte Tassilo in die Runde. »Die Gäste fordern heute Abend wieder ziemlich viel Aufmerksamkeit von mir.«

Auf die Dosanders hatte Tassilo sich besonders gefreut.

»Geben Sie mir noch ein paar Minuten«, lächelte er sie an. »Ich bin sofort bei Ihnen.«

Tassilo hatte seine Dinnerparty monatelang vorbereitet. Drei Wochen lang hatte er an jedem freien Tag die Scheune, die er noch aus seiner Kindheit kannte, beobachtet. Es war, wie er es sich vorgestellt hatte: ruhig und verlassen. Am Vorabend seines makabren Empfangs hatte er eine Ganzkörperrasur vorgenommen, um nur kein Haar in der Scheune zu verlieren. Den Schutzanzug hatte er in einem großen Baumarkt gekauft. Das Gaffer-Tape hatte er nicht selber gekauft, sondern aus einem kleinen Varieté mitgenommen. Der Veranstaltungstechniker hatte es am Bühnenrand liegen lassen. Tassilo hatte außerdem mehrere Male mit seinen späteren Opfern telefonieren müssen. Ihm war bewusst, dass jeder Anruf im Nachhinein zurückverfolgt werden würde. Trotzdem benötigte er eine eigene Telefonnummer, unter der ihn seine Gäste erreichen konnten. Es war nicht ganz einfach gewesen, dieses Problem zu lösen. Er hatte jeden Gast des *Lohengrin* auf eine mögliche Ähnlichkeit mit sich überprüft. Schließlich war er auf einen geeigneten Gast gestoßen. Seinen Ausweis aus der Garderobe zu entwenden war ein Kinderspiel gewesen; sie war für die Gäste nicht einsehbar. Am darauffolgenden Samstag besuchte Tassilo wenige Minuten vor Feierabend die stark besuchte Filiale eines Handygeschäfts. Die Verkäuferin überprüfte den Ausweis nur flüchtig, mit dem er sich daraufhin ein Prepaid-Handy kaufte. Als die Ermittler kurz nach dem Auffinden der Leichen dann beim eingetragenen Besitzer des Telefons klingelten, fanden sie einen fassungslosen Mann vor, der lediglich angeben konnte, dass ihm sein Ausweis verloren gegangen war.

Das Schlafmittel, mit dem Tassilo seine Gäste nach ihrem Eintreffen betäubt hatte, war schon länger in seinem Besitz gewesen. Ursprünglich war es ihm gegen die Schlafstörungen verschrieben worden, die ihn seit Jahren plagten. In zahlreichen Selbstversuchen hatte er ausprobiert, wie die Tabletten in aufgelöster Form in diversen Cocktails schmeckten, wie lange es dauerte, bis sie zum Einschlafen führten, wie fest der Schlaf war und wie lange er bei welcher Dosierung andauerte. Schließlich hatte er eine Aperitifvariante ermittelt, welcher der leicht bittere Geschmack des Medikaments sogar noch zur geschmacklichen Vollendung verhalf.

»Was ist denn nur heute mit Ihnen allen los? Das ist eine Party. Jetzt lächeln Sie doch mal«, forderte Tassilo die Dosanders auf.

Er wischte Annabelle eine Träne unter dem Auge weg, in der sich ihr Lidschatten aufgelöst hatte.

»Wo ist Ihr Kampfgeist geblieben?«, fragte er sie, während aus dem Trichter in Vanessa Christensens Hals mit einem leisen Blubbern ein kleiner Blutstropfen auf die Tafel fiel.

»Ich erinnere mich, dass Sie für meine Entlassung sorgen wollten. Das war ein höchst bemerkenswerter Tag. Sie kamen als Gäste in mein Refugium und haben Drohungen gegen mich ausgestoßen.«

Tassilo setzte sich auf einen der freien Stühle am Tisch.

»Wollen Sie mir immer noch drohen, Herr Dosander?«

Tassilo wischte seinem Gegenüber mit dessen eigenem Einstecktuch den Schweiß von der Stirn.

»Oder mich am Handgelenk packen und mit dem Aschenbecher nach mir werfen?«

Olaf Steinbrecher und die an ihrem eigenen Blut erstickte Vanessa Christensen waren noch nicht einmal kalt geworden, als den Dosanders klar wurde, dass ihre letzte Stunde geschlagen hatte.

»Andererseits, warum sollten Sie? Ich habe Ihnen ja heute einen ganz besonderen Platz reserviert. Mit Ausblick auf diese spannenden Ereignisse. Geradezu Erlebnisgastronomie.«

Jetzt drehte Tassilo sich zu Dieter Wagner um.

»Wissen Sie, weswegen die Dosanders heute Abend zu Gast

sein dürfen, Dieter? Möchten Sie es Herrn Wagner selbst berichten? Ich bin mir sicher, Sie haben die Anekdote im Bekanntenkreis wochenlang erzählt. Also? Es wäre quasi Ihre letzte Gelegenheit.«

Die Dosanders sahen einander stumm in die Augen. Ihre eng gebundenen Knebel schnitten schmerzhaft in ihre Mundwinkel ein.

»Ach ja, richtig, ich vergaß«, setzte Tassilo sein makabres Spiel fort. »Dann muss ich wohl: Es war Ostermontag. Selbstverständlich ist das *Lohengrin* an solchen Tagen Wochen zuvor ausgebucht. Nachdem ich unseren lieben Dosanders mitteilen musste, dass ich leider keinen freien Tisch für sie zur Verfügung hatte, wurden sie ein wenig ungehalten.«

Tassilo blickte das Paar nicht einmal an, als er ihm zuwarf: »Korrigieren Sie mich, falls ich etwas Falsches erzähle.«

Dann fuhr er fort.

»Sie bezweifelten, dass die reservierten Tische tatsächlich reserviert seien. Als würden wir diese Schilder aus Spaß aufstellen. Und dann, meine Guten? Sie haben einfach Platz genommen. Wie war Ihre Wortwahl, Frau Dosander? Ich glaube, Sie teilten mir mit, dass Sie *zuerst da gewesen* seien und *die anderen eben Pech gehabt hätten*. Was hätten Sie an meiner Stelle getan, Dieter?«

Wagner reagierte nicht.

»Ich musste sie zum Gehen auffordern. Daraufhin packte unsere liebe Annabelle mich am Handgelenk und ordnete mir an, dass ich unverzüglich diesen Tisch zur Verfügung zu stellen habe.«

Tassilo, der noch immer ruhig und freundlich sprach, erhob sich, ergriff Annabelle Dosanders linke Hand und riss sie mit einem gewaltigen Ruck nach oben, bis der Handgelenkknochen mit einem durch Mark und Bein gehenden Knacken brach. Während Michael Dosander und Dieter Wagner entsetzt zusammenzuckten, stieß Annabelle einen fürchterlichen Schmerzensschrei aus, der von ihrem Knebel gedämpft wurde.

»Pardon«, entschuldigte sich Tassilo, bevor er sein Gastronomielächeln aufsetzte und sich wieder an Wagner wandte. »Der Rest der kleinen Anekdote ist ein wenig unerfreulich. Ich sah mich genötigt, das Paar höflich zu verabschieden. Daraufhin warf Herr Dosander mit einem Aschenbecher nach mir und erkundigte sich nach meinem Namen.«

Tassilo hielt kurz inne.

»Das können Sie nicht wissen, Dieter«, fuhr er dann fort. »Den Kellner nach seinem Namen zu fragen wird von Gästen gern als Versuch einer Drohung eingesetzt. Es soll ihm zu verstehen geben, dass der Gast Macht über sein Leben hat. Das ist übrigens ein gutes Thema. Macht über das Leben eines anderen haben.«

Tassilo neigte sich zu Annabelle Dosander hinunter, die noch immer vor Schmerzen wimmerte.

»Darf ich Ihnen ein Angebot machen?«

Sie zögerte kurz, dann nickte sie.

»Würde es Ihnen gefallen, diese kleine Abendgesellschaft lebend zu verlassen?«

Annabelle nickte erneut.

»Würden Sie mir denn im Gegenzug auch einen kleinen Gefallen tun?«

Das Nicken wurde schneller.

»Wunderbar. Erschießen Sie Ihren Mann.«

Die eigentliche Arbeit hatte Tassilo in der Zeit zu erledigen, nachdem seine Gäste den Begrüßungscocktail getrunken hatten und einer nach dem anderen auf seinem Stuhl eingeschlafen war. Er hatte dafür eigens eine Checkliste aufgestellt. Zuerst musste er sich umziehen. Er streifte den Schutzanzug, die Handschuhe, die Schuhüberzüge und den Mundschutz über. Daraufhin vernichtete er mit einem Rechen alle bisher verursachten Spuren seiner Schuhe. Dann ging er daran, die wenigen Fingerabdrücke, die er hatte verursachen müssen, abzuwischen. Nun musste er die Gäste fesseln und knebeln. Im nächsten Schritt räumte er die Tafel ab. Nachdem auch der Tisch vor der Scheune und die Fackeln weggeräumt waren, mussten die Autos der Gäste verschwinden. Sie einzeln zu der kleinen Lichtung zu bringen beanspruchte einige Zeit. Außerdem war diese Aktion gefährlich. Er hätte zufällig gesehen werden können und wäre in seinem Schutzanzug dabei äußerst auffällig gewesen. Er hatte sicherheitshalber ein Messer mitgenommen, das er aber glücklicherweise nicht einsetzen musste.

Es war dunkel geworden. Mit einer Taschenlampe schloss Tassilo die letzten Vorbereitungen ab, bevor Dieter Wagner schließlich als Erster wieder das Bewusstsein erlangte.

»Sie sind doch sonst so schnell, wenn es darum geht zu handeln«, hakte Tassilo nach, als Annabelle Dosander noch immer nicht auf sein Angebot reagiert hatte.

»Ich erkläre Ihnen das mal. Erschießen Sie ihn nicht, töte ich Sie beide. Tun Sie es, lasse ich Sie laufen. Na, kommen Sie schon, das ist doch fair.«

Tassilo verschwand wenige Sekunden lang und kehrte kurz darauf mit einem Revolver zurück. Er legte ihn vor den Dosanders auf den Tisch.

»Wenn Ihr Schuss so treffsicher ist wie Ihr Sozialverhalten, bekommen Sie ein Problem. Es befindet sich nämlich nur eine

Kugel in der Trommel. Wenn Sie danebenschießen, erlischt mein Angebot. Verstanden?«

Tassilo packte Annabelles Stuhl und zog ihn wenige Meter nach hinten, sodass sie ihrem Mann nun auf den Rücken sah.

»Vielleicht ist es am Anfang einfacher, wenn man seinem Opfer dabei nicht ins Gesicht sehen muss.«

Mit einem kurzen Schnitt seiner scharfen Klinge hatte er die rechte Hand der verzweifelten Frau losgeschnitten.

»Oder würden Sie lieber mit einem Aschenbecher nach ihm werfen?«, spottete Tassilo. »Sie waren sich so einig, damals im *Lohengrin*. Vollkommen im Unrecht und doch so von sich überzeugt. Ich erlebe das in meinem Beruf jeden Tag. Charles Ritz hat einmal gesagt: *Der Gast hat immer recht. Selbst wenn wir ihn vor die Tür setzen müssen.*«

Tassilo kostete die Situation genussvoll aus.

»Ich vermute, dass Sie nach der Verabschiedung von Herrn Steinbrecher und Frau Christensen keinen Zweifel an der Ernsthaftigkeit meines Ansinnens haben. Es ist also im Grunde ganz einfach. Lassen Sie ihn schnell und schmerzlos sterben oder eher etwas, nun …«

Tassilo deutete auf die Leiche von Vanessa Christensen.

Es dauerte eine Weile, bis Annabelle endlich nickte.

»Hervorragend.«

Tassilo griff den Revolver und drückte ihn der keuchenden Frau in die Hand.

»Einfach zielen und abdrücken.«

Die Stimmung in der Scheune war bis zum Zerreißen gespannt, als Annabelle Dosander den Revolver anhob. Tassilo betrachtete das Spektakel von der Tischkante aus. Michael Dosander kniff so fest er konnte seine Augen zusammen. Annabelle durchlebte die furchtbarsten Sekunden ihres Lebens.

»Wir haben nicht ewig Zeit. Heute Nacht wird eine wundervolle Retrospektive auf das Leben von Sir Peter Ustinov ausgestrahlt. Die würde ich gern sehen«, mahnte Tassilo nach kaum zwanzig Sekunden. »Ich zähle bis drei. Wenn Sie bis dann nicht geschossen haben, dürfen Sie sich ansehen, was Sie Ihrem Mann hätten ersparen können. – *Eins!*«

Längst nicht mehr Herr ihrer Sinne, hob Annabelle den Revolver erneut an.

»*Zwei!*«

Michael Dosander sah sich als Kind, wie er sich auf dem Dachboden versteckte, damit seine Großmutter ihn nicht finden konnte. Er hatte versehentlich ihre Blumenvase zerschlagen.

»*Drei!*«

Mit einem leisen Klicken schlug der Abzugshahn gegen den Bolzen. Annabelle Dosander hatte auf ihren Mann gezielt und abgedrückt. Ein Knall war aber ausgeblieben.

Absolute Stille herrschte im Raum. Es war so still, dass man das Rauschen des Waldes hören konnte. Bis Tassilo plötzlich in schallendes Gelächter ausbrach.

»Wie dämlich sind Sie eigentlich?«, brach es aus ihm heraus. »Ich habe die ganze Zeit hier auf dieser blöden Tischkante gesessen. Direkt vor Ihnen. Hätte ich noch singen sollen? *Erschieß mich, ich sitze direkt vor dir!* Haben Sie auf eine Einladung gewartet?«

Niemand im Raum mochte sich Tassilos Lachen anschließen.

»Sie hätten es wirklich getan. Mein Gott, ist das gut.«

Langsam beruhigte sich Tassilo wieder.

»Jetzt müsste ich Sie ja fast gehen lassen, damit Sie Ihrem Mann erklären können, warum Sie nicht mal versucht haben, ihn zu retten.«

Weitere Sekunden vergingen, in denen Tassilo langsam zu seiner Ernsthaftigkeit zurückfand.

»Sie werden allerdings verstehen, dass ich das nicht tun kann.«

Er schob Annabelle Dosanders Stuhl zurück an den Tisch und fesselte sie wieder. Dann positionierte er einen schweren gläsernen Aschenbecher direkt vor ihrem Mann.

»Ich hoffe, Sie sind nicht allzu wehleidig«, sagte er, bevor er sich ans Werk machte.

21

Bitte melde dich bei Castella!, stand in Meisners Handschrift auf dem Zettel, den Kern an seinem Monitor fand. Er konnte sich gut vorstellen, worum es seiner Dezernatsleiterin ging. Also entschied er sich dafür, das Ganze noch ein wenig hinauszuzögern und sich erst einmal daranzumachen, einen Bericht über seinen Besuch bei Professor Grünberg zu schreiben.

Keltische Gottheiten. Titanic. Selbstbedienungstäter.

Die Informationen sausten wirr durch seinen Kopf. Anscheinend sinnlos irrten sie durch seine Gedanken und versuchten vergeblich, sich in das Puzzle einzufügen, das er seit dem Moment, in dem er vor der Leiche der Apothekerin gestanden hatte, zusammensetzte.

Fundamentopfer. Keine religiösen Symbole am Tatort. Erst morden, dann putzen. Verdammt, was ist dein Motiv? Wer bist du?

Was hatte Grünberg gesagt, nachdem er die Fotos angesehen hatte?

Wir lassen erst mal unsere Interpretationen weg.

Was war in den Wohnungen der Opfer geschehen? Objektiv? Wie viel Zeit hatten sie mit ihrem Mörder zugebracht? Warum hatten sie sich nicht gewehrt, als er ihnen das Chloroform ins Gesicht drückte? Und warum verdammt noch mal diese Sauberkeit und Ordnung?

Kein Blut, keine Gewalt. Ist er mehr am Putzen interessiert als am Töten? Warum gerade diese Opfer? Du bist zu präzise, um bei der Opferauswahl willkürlich zu sein. Sie sind die, die du gewollt hast. Zeig dich mir, du verdammter Dreckskerl.

Leere ergriff von Kern Besitz. Er stand von seinem Schreibtisch auf und lief zum Fenster. Es war auf die Straße ausgerichtet. Durch die vergilbten Vorhänge hatte er einen hervorragenden Blick. Nicht nur auf die Vorkriegsbauten, die in ihrem *Grau in Grau* die deprimierende Stimmung dieser Gegend noch verstärkten, sondern auch auf die Autos, die sich durch den Berliner Berufsverkehr von einer roten Ampel zur nächsten schoben. Hier, am Tempelhofer Damm, herrschte reiner Durchgangsverkehr. Tausende Menschen kamen innerhalb kürzester Zeit vorbei.

Kern wurde klar, dass jeder von ihnen der Putzteufel sein konnte. Jeder.

»Was kann ich für Sie tun?«, begrüßte er Castella, nachdem er in ihr Büro gekommen war.

»Das können Sie sich doch sicher vorstellen«, erwiderte sie.

Sie hatte recht.

»Vergessen Sie's. Dafür haben wir eine Pressestelle; ich habe andere Aufgaben.«

»Ich kenne Ihre Meinung zu dem Thema. Deswegen sind Sie nicht hier.«

Castella deutete an, dass Kern sich setzen solle.

»Kaffee?«, bot sie an.

»Danke, ich hatte schon einen bei Grünberg.«

Castella horchte auf.

»Sie waren bei Grünberg? Wie geht's ihm denn? Erzählt er immer noch diese morbiden Geschichten?«

»Allerdings. Ich hab mir seine Meinung zum Putzteufel angehört.«

Kern hatte das passende Stichwort geliefert.

»Sehen Sie, genau darüber will ich mit Ihnen reden. Wie lange sind Sie schon bei den *Delikten am Menschen*?«

Kern überschlug, wie lange es her sein mochte, dass er von der Wirtschaftskriminalität zu den Kapitalverbrechen gewechselt war.

»Über zehn Jahre bestimmt.«

»Und wie viele Serienmörder hatten Sie in dieser Zeit?«

Langsam begann Kern zu verstehen, worauf seine Chefin hinauswollte.

»Wenn ich den Putzteufel mitzähle – zwei.«

»Wer war der andere?«

»Sie werden sich erinnern, Ende der Neunziger. Der *Schlächter von Pankow*.«

»Alexander Axmann, ich erinnere mich. Ziemlich abscheuliche Sache. Ich war zu der Zeit noch in München, hab's mehr aus der Ferne mitbekommen.«

Der Fall hatte Polizei und Öffentlichkeit wochenlang in Atem gehalten. Axmann hatte insgesamt sieben Obdachlose auf der Straße angesprochen und unter Vorwänden zu sich nach Hause gelockt. Dann hatte der höfliche junge Mann sie niedergeschlagen und in seinen Hobbykeller geschleppt. Dort schlitzte er ihre Oberkörper mit einem Ausbeinmesser auf. Vier der Männer hatten zu diesem Zeitpunkt noch gelebt. Danach hatte er sie sorgfältig ausgeweidet und ihre Organe in Plastiktüten verpackt. Später hatte er sich verlassene Seitenstraßen und Hinterhöfe gesucht, um dort die Organe in einer immer gleichen Anordnung nebeneinanderzulegen. Die verstümmelten Körper der Obdachlosen hatte er zunächst unter einer Plane in seinem Keller versteckt. Nachdem sie bald darauf einen unerträglichen Geruch verbreiteten, lud er sie in seinen Wagen und verscharrte sie in einem abgelegenen Waldstück in Köpenick.

Kern war zu dieser Zeit noch nicht lange für Mordfälle zuständig gewesen. Trotzdem hatte er wesentlich zu Axmanns Ergreifung beigetragen. Sein Instinkt hatte ihn auf die Idee gebracht, die Anordnung der Organe könne aus dem Metzgerhandwerk stammen. Tatsächlich ergaben entsprechende Nachforschungen, dass es sich um eine Methode handelte, mit der Fleischerlehrlinge in ihrer Gesellenprüfung ihre handwerklichen Fähigkeiten demonstrieren mussten. Die Mordkommission fokussierte ihre Ermittlungen daraufhin auf das Umfeld der Berliner Fleischerinnung. Sie fand zwar unter den Angehörigen auch nach aufwändigen Untersuchungen keinen Tatverdächtigen; die Beschreibungen von Zeugen, die sich an den Mann erinnern konnten, der die Opfer mitgenommen hatte, lenkten die Ermittlungen aber bald auf Alexander Axmann. Er hatte zweimal vergeblich versucht, die Fleischerprüfung zu absolvieren, und war den Prüfern dabei wegen seines unangebrachten, fanatischen Verhaltens aufgefallen. Schon der erste Besuch bei dem Tatverdächtigen beendete schließlich die Ermittlungen. Axmann ergab sich den Kripobeamten widerstandslos.

»Bringen Sie mich hier weg. Sie sprechen zu mir, nachts. Unerträglich. Ich hab sie doch vergraben«, hatte er gesagt.

Dann führte er die Beamten an den Tatort.

Ein Bild des Schreckens hatte sich Kern geboten. Axmanns Hobbykeller war voller Blut und Leichenteile, die allerlei Insekten angezogen hatten. Die Wände waren mit Fotos der ausgebreiteten Organe bedeckt.

Es blieb Kern erspart, die Videos anzusehen, die Axmann angefertigt hatte, während er in seiner Fleischerschürze die Körper der Obdachlosen zerstückelt hatte. Dafür waren andere verantwortlich gewesen.

Während der Vernehmungen hatte Axmann den Beamten später immer wieder nur eine einzige Frage gestellt: »Habe ich bestanden?«

»Wir sind hier nicht besonders erfahren mit Serienmördern«, knüpfte Castella an. »Aber wenn es dann doch mal einen gibt, ist die Presse immer total aus dem Häuschen.«

Kern hatte Castella unterschätzt. Je deutlicher ihm wurde, worauf sie hinauswollte, desto mehr Achtung gewann er für sie.

»Also gut, was stellen Sie sich vor?«, fragte er offen.

»Tassilos Medienkampagne ist ekelhaft. Gebe ich zu. Sie wollen sich nicht zu einem Teil davon machen? Okay, verstehe ich. Aber wenn wir nun schon mal eine Nation im Killerfieber haben, sollten wir das auch nutzen.«

Der Widerwille, mit dem Kern Castellas Büro betreten hatte, war gewichen.

»Ich höre.«

»Bisher hatten Sie keinen Grund, die Presseanfragen anzunehmen. Jetzt schon. Wir nutzen Tassilo, um den Putzteufel zu schnappen.«

»Wie stellen Sie sich das vor?«

»Wir haben der Presse unseren Putzteufel verschwiegen. Acht Monate lang. Wir sollten überlegen, ob wir das ändern.«

»An die große Glocke hängen?«

Ein Zucken huschte durch Castellas Gesicht, das eine gewisse Anerkennung für Kern durchschimmern ließ.

»Auf der einen Seite haben wir einen Massenmörder, den die Medien lieben. Auf der anderen Seite einen Serienmörder, von dem sie gar nichts wissen. Und was verbindet die beiden miteinander?«

Auch wenn Kern nicht gefiel, was Castella andeutete – er konnte ihre Überlegung nicht von der Hand weisen.

»Ich soll eine Putzteufel-Kampagne starten?«

»Das wäre doch ein gefundenes Fressen für die Medien. Stellen Sie sich vor, wir bekommen nur halb so viel Aufmerksamkeit wie Tassilo. Dann wird unserem Putzteufel ganz schön heiß werden. Vielleicht hört er ja sogar auf.«

»Aber wir haben nichts«, wandte Kern ein. »Wir würden ganz Berlin in Angst versetzen, ohne einen einzigen Hinweis zu bieten, wie man uns helfen kann. Wenn wir ein Phantombild hätten. Oder wenigstens sein Opferprofil durchschauen würden. Aber so?«

Castella schlug ihren Kalender auf.

»Tassilos Buch erscheint in knapp acht Wochen. Bisher hat der Putzteufel zwischen seinen Morden jeweils etwa vier Monate Pause gemacht«, fasste sie zusammen. »Stimmt schon, im Moment haben wir nicht genug. Reichen Ihnen drei Wochen?«

»Wofür?«

»Um was rauszufinden, das wir der Presse bieten können.«

»Keine Ahnung. Ich hoffe. Aber ich kann Ihnen nicht versprechen, dass ich das mache.«

»Ich denke, Sie werden es machen«, entgegnete Castella. »Wenn wir nämlich kurz vor dem Erscheinen von Tassilos Buch mit unserer Serienmördergeschichte kommen, wen interessiert dann noch ein drei Jahre alter Fall?«

Ein breites Lächeln zog durch Kerns Gesicht.

»Kann schon sein, dass das hinhaut. Aber versprechen Sie sich nicht zu viel. Hier geht's darum, einen Mörder zu schnappen, nicht, Tassilo zu ärgern. Die Idee ist allerdings nicht übel. Wir brauchen halt nur Pulver, bevor wir feuern.«

Die beiden hatten einander verstanden.

»Dann gehen Sie los und besorgen welches. Und dann verpassen wir unseren bösen Buben einen ordentlichen Schuss in den Hintern!«

22

Raphael wartete voller Sehnsucht auf Mayflower. Er wollte online bleiben, und wenn es die ganze Nacht dauern würde. Hier, in der großen Filiale einer Coffeehouse-Kette, war Raphael anonym. Außerdem hatte er den Hotspot dort noch nie benutzt. Raphael loggte sich ungern mehrmals vom selben Ort aus in den Chat ein. Im *White* hatte er eine Ausnahme von dieser Regel gemacht. Er mochte den Klub, der außerdem stark genug besucht war. Wegen Suzi würde er das *White* aber eine Zeit lang meiden müssen.

Seit mehr als zwei Stunden wartete er nun schon darauf, dass Mayflower endlich online gehen würde. Er wusste noch nicht genug über sie, um sie richtig einschätzen zu können. Aber sie schien genauso interessant zu sein wie ihre drei Vorgänger. Raphael hatte viel Zeit, um auf sie zu warten. Irgendwann wollte auch Ron noch vorbeikommen. Er hatte Raphael um ein Gespräch gebeten.

Ron, der eigentlich Ronaldo Raul del Fuentes hieß, war schon lange bevor Raphael geboren wurde im Dienst Richard von Bergens gewesen. Von Bergen hatte damals noch am Beginn seiner Karriere gestanden. In der Nähe von Guatemala-Stadt waren die beiden einander begegnet, als der noch junge Unternehmer auf der Suche nach Handelspartnern für einige pikante Operationen gewesen war. Raphaels Vater besaß erst ein Passagierschiff, und seine wirtschaftliche Situation nötigte ihn dazu, sich Nebengeschäften zu widmen, die sich abseits der Legalität abspielten. Über Mittelsmänner konnte von Bergen Kontakt zu verschiedenen Organisationen aufnehmen, unter anderem zu der, der Ron angehörte. Die Möglichkeiten zum Drogenschmuggel, die sich mit dem entsprechenden Know-how auf einem Kreuzfahrtschiff boten, hatten die beiden bald zu Geschäftspartnern werden lassen. Richard von Bergen hatte die Gerüchte gehört, dass die Männer der Gruppierung, der Ron angehörte, in einem blutigen Bandenkrieg die rivalisierende Konkurrenz in die Schranken verwiesen hatte, um sich die Vormachtstellung für die lukrative Zusammenarbeit mit Raphaels Vater zu sichern. Er hatte sich jedoch niemals ernsthaft Gedanken darüber gemacht.

Einige Jahre später kam es zu einer groß angelegten Razzia der guatemaltekischen Polizei. Nach zahlreichen Schusswechseln und Verhaftungen brach Rons Organisation schließlich auseinander. Ron, der als einer der Überlebenden verhaftet worden war, hatte mit keinem Wort die Beziehungen zu Raphaels

Vater preisgegeben. Einige weniger schwere Straftaten hatte die Staatsanwaltschaft von Guatemala ihm trotzdem nachweisen können. Lange bevor er einige Jahre später aus der Haft entlassen wurde, hatte von Bergen ihm daher zugesichert, sich immer um ihn zu kümmern. Aus den beiden Männern wurden schließlich Freunde. Sehr viele Jahre waren seitdem vergangen.

Ron hatte Raphael von Geburt an gekannt. Da dessen Vater ihn aber immer nur in Südamerika eingesetzt hatte, kam es nur selten zu Begegnungen der beiden. Erst nach Richard von Bergens Tod verstärkte sich ihre Beziehung. Raphael hatte sich über Ron immer mit seinem Vater verbunden gefühlt. Deshalb hatte er ihn schließlich auch nach Berlin gerufen. Noch immer kein Zeichen von Mayflower. Chopins Präludium in e-Moll schmiegte sich durch die Kopfhörer in Raphaels Ohr.

Der Barpianist auf der MS *Raphael spielt das Präludium auch gern. Er heißt Popev, ein Ukrainer. Raphael mag ihn, er ist dick und lustig. Raphael lacht. Jetzt ist noch sein Vater dabei, und Raphael ist ein Kind. Gleich kommt Danner, und er wird erwachsen. Chopin hebt die Zeit auf. Und er lässt die Schreie verstummen. Sie kommen erst wieder, wenn die Musik aufhört. Danner kennt Raphaels Bestimmung. Aber er ist traurig. Deswegen zieht Raphael in die Stadt, in der Danner lebt. Am 17. Oktober begleitet er Danner hinüber. Immerhin ist der ihm fast so nah, wie es sein Vater war. Raphaels Wanderschaft hat endlich begonnen.*

»Danke, dass du hast gewartet, guapo.«

Raphael hatte Ron nicht kommen sehen. Er war in seine Gedanken vertieft.

»Was gibt es denn?«, begrüßte er den kleinen, kräftigen Mann, der, wenn auch mit deutlichem Akzent, längst hervorragend deutsch sprach.

»Deine Mutter. Sie ist sehr krank, mi hijito. Wie lange sie kann das alles noch aushalten?«

Raphael mochte es nicht, auf Martha angesprochen zu werden. Niemand wusste das besser als Ron. Dass er es dennoch tat, war daher umso bedeutsamer.

»Sie hat niemals um Hilfe gebeten«, antwortete Raphael.

»Aber sie wird immer dünner. Und immer mehr Drogen. Raphael, ich habe gekannt Martha, als sie war jung und wunderschön. Qué guapa! Wie soll das weitergehen?«

Wieder blitzte die Erinnerung vor Raphaels Augen auf. Die kalten, glanzlosen Augen seiner Mutter, nachdem sie Sigrid Reissmann dabei geholfen hatte, die Badezimmertür zu öffnen.

»Wie war sie, als ihr sie kennengelernt habt?«, wollte er wissen.

Rons Gesicht war ein zerfurchter Spiegel des Lebens, das er geführt hatte. Wie viele Verbrechen mochte er begangen haben, in seiner Jugend in den gefährlichsten Straßen von Guatemala-Stadt? Wie viele Familien hatte er zerstört, wie viele Menschen getötet? Nicht einmal er selber konnte es noch wissen. Doch in dem Augenblick, in dem er die Bilder von damals in seine Erinnerung zurückrief, begannen seine dunklen Augen zu leuchten.

»Sie war wundervoll, mi hijito. Hat gewirkt stark und selbstbewusst. Aber sie hat nur so getan. Dein Vater hat gemerkt. Sie hatte viel Angst. Er hat sich gekümmert um sie, ich war ein bisschen eifersüchtig. Was für eine wunderschöne Frau. Aber sie wollte nur deine Vater.«

»Das Geld? Oder hat sie ihn geliebt?«

Ron musste lange überlegen, bevor er antworten konnte.

»Ganz ehrlich, ich weiß nicht. Deine Vater wusste auch nicht. Aber sie ist deine Mutter, mi pequeño angel. Sie wird sterben, wenn sie macht weiter so.«

Raphael stand auf, stellte sich hinter Ron und legte seine Hände auf dessen Schultern.

»Du hast ein gutes Herz. Aber meine Mutter hat sich entschieden. Es ist ihr Weg.«

»Aber siehst du nicht, dass sie braucht dich?«, fragte Ron.

»Ich sehe es jeden Tag«, antwortete er. »Und weißt du, was?« Raphael schob seine große, schwach getönte Sonnenbrille zurück. »Ich sehe es gern.«

»Aber …«, setzte Ron an. Weiter kam er nicht, denn Raphael unterbrach ihn.

»Wann hat sie mit den Drogen angefangen?«

Raphael setzte sich wieder, während Ron seinen Blick senkte.

»Willst du wissen, ob dein Vater war schuld?«

»Nein«, antwortete Raphael. »Ich will wissen, ob es meinetwegen war.«

Ron sah Richards Sohn, den er bereits als Baby auf dem Arm gehalten hatte, entsetzt an.

»Wie kannst du nur denken so was, chico?«, fragte er.

»War sie eifersüchtig auf mich?«, fragte Raphael weiter.

»Aber warum denn?«

»Mein Vater hat mich geliebt. Nicht sie.«

»Glaubst du das wirklich?«

»Etwa nicht?«

Als sähe er die Bilder von damals direkt vor sich, antwortete Ron: »Vielleicht ja. Aber ich glaube, war es was anderes. Du warst so schön. Schöner als sie. Hat sich keiner mehr für sie interessiert. Dein Vater hat dich nur genannt *mein Engel*. Die Frauen müssen dich lieben, guapo. Warum du immer versteckst dich hinter deine Schal und diese Brille, mi hijito?«

Raphael antwortete nicht. Er kam wieder auf Rons Anliegen zurück.

»Das nächste Mal gib Martha nicht ganz so starken Stoff. Und versuch sie dazu zu bringen, was zu essen.«

»Wünschst du dir etwa, dass sie stirbt?«, fragte Ron besorgt.

Wieder sah Raphael ihre kalten, glanzlosen Augen.

»Hat sie jemals um meinen Vater getrauert?«, entgegnete er.

Ron, der seine eigene Mutter über alles geliebt hatte, brachte es erneut nicht fertig, Raphael anzulügen.

»Niemals eine Träne. Was sollen wir tun?«

Als er seinen Monitor kontrollierte, bemerkte Raphael, dass Mayflower endlich da war.

»Lass mich jetzt allein«, brach er das Gespräch ab. »Fahr zu Martha und rede über früher mit ihr. Das mag sie. Ich bin froh, dass mein Vater dich hatte.«

»Möge Gott dich beschützen auf deine Weg, kleiner Engel«, antwortete Ron, bevor er aufstand und ging.

Raphael gab eilig einen Text an Mayflower ein. Er durfte sie nicht noch einmal verschrecken.

»Ich habe gehofft, dass Du kommst«, schrieb er.

Gespannt wartete er, ob sie antworten würde. Nach scheinbar endlosen dreißig Sekunden erschienen schließlich ihre Zeilen im Chatfenster.

»Ich habe auch gehofft, dass Du da bist«, antwortete sie.

Raphael atmete erleichtert auf. Wieder steckte er seine Kopfhörer in die Ohren und schaltete die Chopin-Aufnahmen ein. Jetzt würde ihn nichts mehr aufhalten. Schon bald würde er Mayflower besuchen. Ganz sicher.

23

Es war schon der dritte Cognac, den sich Kern an diesem Abend einschenkte. Die Eindrücke, die der Tag hinterlassen hatte, waren stark gewesen. Auch früher, als er noch mit Nathalie und Sophie zusammenlebte, hatte er oft versucht, auf diese Art zur Ruhe zu finden. In der Zeit nach Tassilos Freispruch war es dann aber viel zu oft vorgekommen. Anders als damals hatte Kern jetzt, da er allein lebte, aber kein schlechtes Gewissen mehr dabei. Er war sich allerdings nicht sicher, ob er das als Privileg sehen sollte.

Der immer ruhiger werdende Straßenverkehr rauschte monoton unter seinem Fenster entlang. Als er mit dem Glas in der Hand auf die Couch sank, merkte er, wie seine Augenlider langsam schwer wurden. Nach kurzem Kampf fielen sie schließlich zu. Kern zuckte erschrocken zusammen, schüttelte kräftig seinen Kopf und versuchte, gegen die Müdigkeit anzukämpfen. Er hatte sich noch über so vieles Gedanken zu machen. Aber die harte Arbeit und der Schlafentzug der vergangenen Tage forderten ihren Tribut. So lange, bis er schließlich eingeschlafen war.

»Setzen Sie sich doch. Zu meinem Bedauern haben Sie die Auftritte unserer Protagonisten allerdings verpasst. Oder sollte ich lieber sagen: die Abgänge? Wie dem auch sei, es war wirklich sehenswert.«

Es war Kerns erster Albtraum, seit er in den Putzteufel-Fall eingestiegen war.

»Wo sind sie?«, fragte Kern, der den Tisch in der Scheune noch nie leer gesehen hatte.

»Ich war so frei, für Ordnung zu sorgen. Jemand muss das doch alles sauber machen.«

Kern spürte, wie der Boden unter seinen Füßen nachgab. Tassilo hatte es sich gemeinsam mit Professor Grünberg an der Tafel gemütlich gemacht. Der Professor hatte einen brennenden Ochsen auf dem Schoß und lächelte freundlich.

»Sie würden gern wissen, wie ich es angestellt habe, oder?«, fragte Tassilo und zeigte das professionelle Servicelächeln, das er immer für seine Gäste im *Lohengrin* eingesetzt hatte.

Es war hell in der Scheune. Niemals hatte Kern sie in der Realität so erlebt. Tassilo sprach weiter:

»Zu viel Dreck. Aber Ihnen zu Ehren habe ich ihn beseitigt.«

Der Boden gab immer weiter nach, und obwohl Kern sich nicht umgedreht hatte, blickte er plötzlich in die entgegengesetzte Richtung. Das Scheunentor war weit geöffnet. Das Sonnenlicht strahlte hell in den Raum und ließ von den fünf Körpern, die direkt im Eingang standen, nur düstere Schatten erkennen. Die Gruppe setzte sich mit beängstigender Gleichmäßigkeit in Bewegung. Alle waren über und über mit Erde beschmutzt, die an dem klebrigen Blut auf ihren Körpern haftete.

»Ich habe sie unter der Türschwelle begraben«, erklärte Grünberg freundlich.

Mit surrealen Bewegungen näherten sich die Toten Kern, der nicht davonlaufen konnte, sosehr er es auch versuchte. Seine Beine hafteten schwer wie Blei am Boden, bevor er sich schließlich fallen ließ, um kurz darauf abzuheben und zu entschweben. Kurz nachdem Kern sich hoch in den Himmel hinaufgeschwungen hatte, wachte er auf.

Es dauerte etwa eine Viertelstunde, bis er wieder zur Besinnung gekommen war. Im Fernseher war ein aufgeregter Mann mit rheinischem Dialekt damit beschäftigt, seine Zuschauer pausenlos zum Anrufen aufzufordern, um *Geldpakete* zu gewinnen. Der Verkehr unter Kerns Fenster war zur Ruhe gekommen. Genau konnte er sich an den Inhalt seines Traums nicht erinnern, aber eins wusste er noch: Zum ersten Mal war die Putzteufel-Ermittlung in seine Träume eingeflossen.

Geht jetzt alles von vorn los? Worauf habe ich mich da bloß eingelassen?

Kern stand auf und ging zum Fenster. Hier draußen waren die Straßen nachts kaum beleuchtet. Er sah im Glas, das nach wie vor streifenfrei sauber war, sein Spiegelbild.

»So sieht also ein Killerjäger aus«, sagte er leise zu sich selbst, bevor er einen weiteren Schluck Cognac trank. »Kein Wunder, dass ihr alle frei rumlauft.«

Als Kern durch seine Spiegelung hindurch in die triste Nacht hinausstarrte, ging ihm noch einmal das Gespräch mit Castella durch den Kopf. Alexander Axmann. Er hatte seit Jahren nicht an ihn gedacht. Seinetwegen hatte er nicht einen einzigen Albtraum gehabt. Er war Axmann nach dessen Verurteilung noch einmal begegnet. Kern hatte ihn im Maßregelvollzug der forensischen Psychiatrie besucht, in der der Mann voraussichtlich bis an sein Lebensende würde bleiben müssen.

Es gab zwar eine Reihe von Gründen für seinen Besuch; wenn er aber ehrlich war, ging es ihm nur darum, die Bestie, die er fieberhaft gejagt hatte, dort zu sehen, wo sie hingehörte. Für immer weggeschlossen. Axmann war ihm in seiner Zelle harmlos und friedlich vorgekommen. Seine grausamen Verbrechen waren ihm offenbar nicht einmal bewusst. Die ruhige Art und das schüchterne Wesen waren in Axmanns tief verwurzelter Grausamkeit geradezu Furcht einflößend gewesen. Aber trotzdem, er hatte Kern nie in seine Träume verfolgt.

Weil ich dich besiegt habe.

Es konnte keinen Zweifel geben. Würde Kern den Putzteufel nicht fassen, würden die Albträume niemals enden.

Was, wenn ich auf Castellas Vorschlag eingehe? Was, wenn ich alles auf eine Karte setze?

Es war das erste Mal seit Langem, dass Kern etwas spürte, das er mehr fürchtete als jeden Albtraum: Die Angst zu verlieren. Als er sich noch einmal in seinem blitzsauberen Wohnzimmer umsah, kam es ihm plötzlich vor, als wolle es ihn verspotten. Die Sauberkeit des Raums schien ihn höhnisch anzugrinsen.

»Du kriegst mich nicht!«, schrie Kern plötzlich in den leeren Raum und zerschmetterte sein Glas mit einem lauten Scheppern an der Wand.

Während sein Puls sich wieder verlangsamte, kam ihm in den Sinn, dass er sich über das falsche Problem Gedanken machte. Ob er an die Presse gehen sollte oder nicht, war vollkommen unwichtig. Er musste sich vielmehr mit der Tatsache auseinandersetzen, dass er nicht eine einzige heiße Spur hatte. Und trotz all der Monate der bisherigen Polizeiarbeit war noch nicht einmal an eine zu denken.

Ein fürchterlicher Gedanke drängte sich Kern plötzlich auf. Er war schrecklich und menschenverachtend. Kern versuchte ihn wegzuschieben, aber sosehr er es auch versuchte, es ging einfach nicht. Nicht nach dem vielen Cognac. Wie konnte er nur so etwas denken, jetzt, da gerade erst Elisabeth Woelkes Grab ausgehoben war?

Seine Stirn verursachte einen Fleck an der Fensterscheibe, als er sich mit seinem Kopf dagegenlehnte. Das Glas konnte ihn nur leicht kühlen.

Der Gedanke wurde lauter. Selbstverständlich, es war nur ein

Gedanke, aber was, wenn er tatsächlich seine einzige realistische Hoffnung formulierte?

Hoffentlich machst du bei deinem nächsten Mord endlich einen Fehler!

24

Mit der Leichtigkeit eines Pianisten bewegte Raphael seine Finger über die Tastatur seines Laptops. Es war ein wundervolles Bild, wie er in seinem maßgefertigten grünen Gewand dasaß, entspannt zurückgelehnt, die Musik Chopins in seinem Ohr. Jetzt, da er sich endlich ungestört der Frau widmete, die irgendwo in dieser großen Stadt allein an ihrem Rechner saß. Und obwohl die beiden noch so gut wie nichts voneinander wussten, hätten ihre Nachrichten kaum vertrauter sein können. Vielleicht gerade deswegen.

»Es war blöd abzubrechen. Aber es sind so viele Gefühle hochgekommen«, entschuldigte er das abrupte Ende ihres letzten Chats.

Normalerweise hätte er die Wahrheit gesagt. Aber die Geschichte mit Suzi hätte wie eine schlecht erfundene Ausrede geklungen. Davon abgesehen stimmte Raphaels Aussage durchaus. Die Frage nach dem Ende seiner einzigen Beziehung hatte Erinnerungen in ihm geweckt. Erinnerungen an die Zeit, in der er ziellos durch sein Leben gegangen war. Die Zeit, bevor seine Wanderschaft begann.

»Schon okay. Ich war indiskret«, antwortete Mayflower.

»Im Gegenteil. Ich möchte Dir gern von mir erzählen. Willst Du es denn noch wissen?«

»Gern. Wenn es okay für Dich ist.«

Raphael hatte Martina, seine Exfreundin, auf dem jährlichen Wohltätigkeitsball einer der Organisationen, die Raphael finanziell unterstützte, kennengelernt. Sie war ein Jahr jünger als er. Sie hatte geduldig bis zur Damenwahl gewartet, um den schönen blonden Raphael, den sie bereits den ganzen Abend über beobachtet hatte, endlich zum Tanz aufzufordern. Er selber hätte sich das nie getraut. Der Duft ihrer langen, kräftigen Haare hatte ihn von Anfang an fasziniert. Die Grübchen auf ihren Wangen und das leichte, unbeschwerte Lachen hatten ihn begeistert. Bereits zwei Tage später hatte er sie zum Essen ausgeführt. Die beiden schienen ein wahres Traumpaar zu sein. Doch mit wachsender Vertrautheit wich die Vorsicht voreinander immer mehr. Alltag kehrte in die Beziehung ein und brachte auf beiden Seiten Wesenszüge zum Vorschein, die sie zunächst vorsichtig voreinander verborgen hatten. Es fiel Raphael immer schwerer, seine Ängste zu verbergen, und Martina wollte es nicht länger übersehen. Sie hatte immer öfter das Gespräch mit Martha gesucht. Raphael hasste es, wenn die beiden allein miteinander sprachen. Das Gleichgewicht zwischen dem Reederei-Erben und der Unternehmertochter geriet immer mehr ins Wanken, bis Raphael es letztlich nicht mehr aushalten konnte.

»Es ging nicht mehr«, schrieb er Mayflower zögerlich.

»Warum?«

»Sie hat sich zu gut mit meiner Mutter verstanden.«

Es dauerte eine Weile, bis Mayflower sich traute nachzuhaken.

»Das klingt traurig. Versteht Ihr Euch nicht?«

»Lange Geschichte. Wir haben kein gutes Verhältnis.«

»Und Dein Vater?«

Die Frage traf Raphael wie ein Stich ins Herz. Er musste den Chat für einen Augenblick unterbrechen. Er schloss die Augen. Die Erinnerungen an den letzten Tag mit seinem Vater kamen zurück.

Der Vergnügungspark war gerade einmal eine Autostunde vom Anwesen der von Bergens entfernt. Raphael, damals neun Jahre alt, wollte für sein Leben gern dorthin. Er hatte gehört, dass es eine Achterbahn, Kettenkarussells und eine Wildwasserbahn gab. Fast alle Kinder, die er kannte, waren schon dort gewesen und hatten in schillernden Farben davon erzählt. Wochenlang hatte er Martha angebettelt, mit ihm dorthin zu fahren.

»Sigrid sagt, du hast es nicht verdient«, hatte sie ihm geantwortet. »Solange du nicht wenigstens zwei Stunden am Tag übst, darfst du da nicht hin.«

Sogar mehr als zwei Stunden am Tag hatte Raphael seitdem am Klavier gesessen und Tonleitern, Fingerübungen und Etüden gespielt. Doch Martha, die längst keine Entscheidungen mehr ohne Absprache mit seiner Klavierlehrerin traf, war es noch immer nicht genug. Mit immer neuen Forderungen zögerte sie den Besuch im Vergnügungspark hinaus, bis Richard von Bergen schließlich von einer seiner mehrwöchigen Geschäftsreisen nach Hause kam. Raphael liebte den Moment, wenn sein Vater ihn zur Begrüßung in die Arme nahm. Nicht dass Martha dies nicht auch gelegentlich tat, doch ihre Umarmungen fühlten sich kalt und unaufrichtig an. Nur in den Armen seines Vaters fühlte Raphael sich geborgen.

Es war einer der wenigen Momente, in denen Raphael so etwas wie Genugtuung verspürte, als sein Vater Sigrid Reissmann zu sich zitierte und ihr in unmissverständlichen Formulierungen zu verstehen gab, dass sie sich aus der Erziehung seines Sohnes gefälligst herauszuhalten hatte. Selbstverständlich war Raphael klar, dass sie ihn dafür würde büßen lassen, sobald sein Vater wieder zurück auf See gehen würde. Aber das war es ihm wert.

Bereits am Morgen des nächsten Tages setzte sich Richard von Bergen mit seinem Sohn ins Auto und machte sich mit ihm auf den Weg zum Vergnügungspark...

Die Musik verhindert, dass Raphael den Tag noch einmal durchlebt.

»Darüber möchte ich nichts erzählen«, antwortete Raphael, als er nach wenigen Sekunden wieder in seiner Gegenwart angekommen war.

»Verstehe. Mit meinen Eltern ist es auch nicht leicht.«

Es war längst an der Zeit, dass Mayflower von sich erzählte.

»Möchtest Du drüber reden?«, fragte Raphael.

»Weiß nicht. Will Dich nicht langweilen.«

»Keine Angst.«

Es schien eine längere Nachricht zu werden, die Mayflower eingab. Es dauerte fast zwei Minuten, bis sie auf Raphaels Monitor erschien.

»Nach dem Umzug nach Deutschland haben sie nur noch gearbeitet. Ich musste auch immer mithelfen. Sie haben gesagt, dass wir wieder nach Hause gehen, wenn sie genug verdient haben. Aber sie sind nie aus ihrem Laden rausgekommen. Es ist, als ob sie für ein Leben sparen, das sie schon lange hätten leben müssen. Jetzt sind sie alt und arbeiten immer noch jeden Tag. Ich habe mich längst an Berlin gewöhnt, aber das Kind in mir wartet immer noch darauf, dass es wieder nach Hause darf.«

Wenige Sekunden später folgte noch eine zweite Nachricht von Mayflower:

»Ein bisschen kitschig, aber so ist es halt.«

»Eher traurig«, antwortete Raphael. »Warum hast Du denn keinen Freund, wenn ich das fragen darf?«

»Ich hatte kein Glück bisher.«

»Ich finde schon, dass Du Glück hattest. Du hast einen wundervollen Charakter und bist ehrlich und einfühlsam. Ich bin glücklich, dass ich Dich gefunden habe.«

»Ich frage mich, was für ein Mensch Du bist. Wer weiß, vielleicht treffen wir uns ja mal persönlich«, schrieb Mayflower.

Der Pianist der Chopin-Aufnahme, die er gerade hörte, kam zu Raphaels Lieblingsstelle.

Raphael streicht durch Danners Haar, das er gewaschen und frisiert hat. Er liegt friedlich da, seine Trauer ist gewichen.

»Wer weiß?«, antwortete er. »Aber ich möchte noch so viel von Dir wissen. Vorher.«

»Klar«, antwortete Mayflower. »Wir haben alle Zeit der Welt.«

Raphael nickte zufrieden. Dann antwortete er:

»Und noch viel mehr!«

25

In den folgenden Wochen führten Raphael und Mayflower im Internet viele wundervolle Gespräche. Sie erzählten einander immer mehr von ihrem Leben, ihren Ängsten und Hoffnungen. Bald vertrauten sie einander vollkommen. Raphael wusste, dass seine Wanderschaft ihn schon bald ans Ziel führen würde. Er war sich noch nicht im Klaren darüber, wie lange er noch warten sollte, bevor er sich Mayflower offenbaren konnte, aber lange würde es nicht mehr dauern.

Kern hatte die Zeit genutzt, um sich näher mit den Opfern des Putzteufels zu beschäftigen. Die Leichen von August Danner und Kurt Mankwitz waren zwar längst begraben und ihre Wohnungen ausgeräumt. Die Fallakten waren aber mit Fotos und Vernehmungsprotokollen gefüllt, sodass er sich einen guten Eindruck davon verschaffen konnte, wer die beiden Männer gewesen waren. Kern war besonders an Danner interessiert. Serientäter hatten oft ein besonderes Verhältnis zu ihrem ersten Opfer gehabt. Es wäre nicht auszuschließen, dass der Putzteufel Danner schon länger als die beiden anderen gekannt hatte. Der Unternehmensberater war in den ersten Jahrzehnten seiner Berufstätigkeit sehr erfolgreich gewesen. Nach der Scheidung von seiner Frau vor fünfzehn Jahren hatte er sich aber langsam von seiner Arbeit zurückgezogen und stattdessen die Welt bereist. Seine ganze Wohnung zeugte davon. Überall standen Bilder, die ihn an den exotischsten Orten der Welt zeigten. Am liebsten hatte Danner Kreuzfahrten gemacht. Kern entschloss sich, Danners Reisen aufzulisten und die entsprechenden Passagierdaten anzufordern. Dann ließ sich recherchieren, wem Danner auf den Kreuzfahrten begegnet war. Es war immerhin möglich, dass er seinen Mörder auf einem der Schiffe kennengelernt hatte.

Martha verbrachte viel Zeit in ihrer Kapsel auf dem Meeresgrund. Die Mangelernährung und der Drogenkonsum zehrten sie immer weiter aus. Ihre Kräfte ließen unaufhörlich nach. Sie wusste nicht, wie viel Zeit ihr noch bleiben würde. Nur dass sie nichts gegen ihren schleichenden Untergang tun konnte. Sie bemerkte zwar Raphaels Zuwendung zu seiner neuen Internetbekanntschaft; im Gegensatz zu den vorigen interessierte es sie aber kaum noch. Raphael malte schon seit Tagen an seinem neuen Bild. Das, was sie gelegentlich davon sehen konnte, gefiel ihr ganz gut. Raphael war ein begnadeter Künstler, wenn auch ein beängstigender Mensch. Falls er überhaupt ein Mensch war.

Der Druck auf Quirin wurde von Tag zu Tag größer. Selbst wenn der Putzteufel seinen Rhythmus beibehielt, würde er bald wieder zuschlagen. Castella hatte die Staatsanwaltschaft im Nacken, und die Veröffentlichung des Tassilo-Buches rückte auch immer näher. Die Befragungen der Anwohner der Tatorte hatte nichts Verwertbares ergeben, und der Putzteufel war auch nicht in eine Radarfalle geraten, wie Dennis gehofft hatte. Die Sitzungen der Mordkommission wurden seltener. Dafür musste das Team um Meisner immer öfter Aufgaben übernehmen, die mit der Putzteufel-Ermittlung nichts zu tun hatten. Die Suche nach dem geheimnisvollen Serienmörder steckte in einer Sackgasse.

Kern hatte zusammen mit Judith Beer die Beerdigung Elisabeth Woelkes besucht. Nicht nur, um zu beobachten, wer daran teilnehmen würde. Sie wollten auch noch einmal mit Astrid Sokorsky sprechen, die sie so traurig und verlassen in Woelkes Apotheke zurückgelassen hatten. Sie war so tapfer wie bei ihrem letzten Aufeinandertreffen. Schon bevor sie ihre Freundin zu Grabe getragen hatte, war sie sich mit deren Kindern einig geworden, dass sie die Apotheke weiter leiten würde. Ansonsten brachte die Beerdigung die Ermittlungen nicht weiter. Keiner der Trauergäste konnte mit Woelkes Tod in Verbindung stehen, und selbst intensive Nachforschungen förderten keinen Tatverdächtigen in ihrem persönlichen Umfeld zutage.

Nathalie Kern verfolgte die Berichterstattung um Tassilos Buch genauer, als sie zugegeben hätte. Die Mitarbeiterinnen ihres Friseursalons verehrten Tassilo, auch wenn sie es nie zugegeben hätten, und tuschelten daher sowieso täglich darüber. Außerdem stand sie ihrem Mann trotz der Trennung noch immer nah genug, um sich schmerzlich in seine Lage versetzen zu können. Immer wenn sie den Massenmörder, den man hatte laufen lassen müssen, auf den Titelseiten sah.

Seine Tochter hatte Kern in der Zwischenzeit nur noch einmal wiedergesehen, als er sie auf Bitten Nathalies von ihrer Schulfreundin abholte. Er hatte gehofft, dass sie seine Alkoholfahne nicht bemerken würde. Kern trank in seiner wenigen Freizeit jetzt immer öfter.

So ging wertvolle Zeit dahin, und Kerns schlimmste Befürchtungen wurden immer wahrscheinlicher. Der Putzteufel war viel zu geschickt und umsichtig vorgegangen, als dass sie ihn würden aufspüren können.

Raphael beabsichtigte nicht, etwas daran zu ändern. Seine Mission war viel zu bedeutsam, als dass er sich von einer weltlichen Justiz dabei würde in die Quere kommen lassen.

So schlängelten sich die Tage dahin wie eine Viper. Und langsam, aber sicher lief der Mordkommission die Zeit davon.

Es war schließlich ein ganz gewöhnlicher Dienstagmorgen, als etwas geschah, das die Geschehnisse auf ungeahnte Weise beeinflussen sollte. Als Kern das Gespräch durchgestellt wurde, erkannte er die Stimme der Anruferin sofort. Obwohl er sie seit Jahren nicht gehört hatte.

26

Dr. Christiane Weissdorn war eine intelligente Frau und mit Sicherheit eine der besten Strafverteidigerinnen, die man in Berlin bekommen konnte.

»Einer meiner Mandanten hat mich damit beauftragt, Ihnen ein Angebot zu machen«, erklärte sie Kern in sachlichem Ton.

»Ein Mandant?«, wiederholte er. »Richten Sie Ihrem *Mandanten* bitte aus, dass er sich seine Angebote sonst wohin stecken kann.«

»Unterstellen wir einmal, es handele sich tatsächlich um *den* Mandanten, an den Sie ganz offenbar denken. Dann könnte ich mir gut vorstellen, dass Sie an seinem Angebot interessiert sind.«

Als Kriminalbeamter mit seiner Berufserfahrung war es praktisch unmöglich, Kern mit Rhetorik auszutricksen. An diesem Morgen hatte er allerdings eine schlaflose Nacht hinter sich gehabt, nachdem Tassilo ihm im Traum bei lebendigem Leibe die Haut vom Schädel gezogen hatte. Anstatt weiterzuschlafen, war er in sein Büro gefahren und hatte sich wieder und wieder dieselben Tatortfotos der Putzteufelfälle angesehen. So oft, bis er sie mit geschlossenen Augen vor sich sehen konnte.

»Ich würde mich darüber freuen, wenn Sie meine Einladung zu einem persönlichen Gespräch annehmen würden«, fuhr Weissdorn fort.

»Also los, was will er?«, fragte Kern, zu erschöpft, um seine Abwehr aufrechtzuhalten.

»Sie sollten lieber fragen, was er *bietet*. Könnten Sie heute noch in meine Kanzlei kommen?«

Es geht um sein Buch, worum sonst. Aber warum macht er mir ein Angebot? Und was soll er mir zu bieten haben? Verdammt, sie hat es schon wieder geschafft.

»Also gut, in einer Stunde. Wehe, wenn ich meine Zeit verschwende.«

»In einer Stunde. Vielen Dank.«

Einen starken Kaffee später machte sich Kern auf den Weg.

Während der Fahrt gingen ihm die Ereignisse von damals durch den Kopf. Nach dem Gespräch mit Tassilo im *Lohengin* hatte er noch keinen Verdacht gegen ihn geschöpft. Sicher, es konnte kein Zufall gewesen sein, dass mehrere der Opfer in diesem Restaurant waren. Aber was hatte es zu bedeuten? Kern überprüfte, welche Geschäfte, Vereine oder öffentlichen Einrichtungen sich in der Umgebung des Restaurants befanden. Vielleicht war es gar nicht das *Lohengrin*, sondern ein Ort in dessen Nähe gewesen, der die fünf miteinander verband. Gemeinsam mit seinen Kollegen hatte er daraufhin eine Reihe von Geschäften und Büros abgeklappert. Fitnessstudios, Solarien, Supermärkte, Arztpraxen und vieles andere. Nichts. Erschöpft von der vergeblichen Suche nach dem Scheunenmörder, war Kern wieder einmal in eine kleine Kneipe in der Nähe seiner Wohnung gegangen. Damals, als er noch mit Nathalie und Sophie zusammenlebte, trank er seinen Cognac lieber auswärts. An diesem Abend hatte ein unangenehmer Mann neben ihm am Tresen gesessen. Immer wieder hatte er die junge Bedienung mit anzüglichen Bemerkungen belästigt. Kern hatte ihn aufgefordert, die Frau in Frieden zu lassen. Doch der Betrunkene hatte sich davon nicht beeindrucken lassen. Schließlich schlug er ihr mit einem kräftigen Hieb auf das Hinterteil. Unverzüglich packte Kern den Mann, drehte ihm den Arm auf den Rücken und warf ihn aus der Bar.

Er bot der Bedienung an, eine Anzeige gegen ihn aufzunehmen, doch sie verzichtete.

Kern dachte über den Vorfall nach. Bestimmt war es nicht der erste Gast gewesen, der die Bedienung belästigt hatte. Er dachte noch einmal an das *Lohengrin*. Dort würde wohl niemand der Bedienung auf den Hintern hauen, aber schwierig waren die Gäste sicher auch. Die Idee, auf die er gekommen war, gefiel ihm von Minute zu Minute besser.

»Warum eigentlich nicht…«, hauchte er leise.

Als er am Tag darauf ins Büro kam, wartete schon die Nachricht auf ihn, dass der Geschäftsführer des *Lohengrin* sich gemeldet hatte. Der Name Dosander sei ihm doch noch bekannt vorgekommen. Bei der Durchsicht seiner Unterlagen hatte er dann ein Schreiben von ihnen gefunden. Sie hatten sich über das *Lohengrin*, insbesondere über Tassilo Michaelis beschwert. Breuer hatte sich nicht sofort daran erinnert, weil die Beschwerde haltlos und offensichtlich weitgehend zusammengelogen gewesen war. Aber tatsächlich bewies sie, dass auch die Dosanders im Restaurant gewesen waren.

Sie beschweren sich über ihn. Und er kann sich nicht an die beiden erinnern?

Kern musste jetzt vorsichtig sein. Wenn er von Anfang an nur nach Hinweisen suchen würde, die auf Tassilo als Täter hindeuteten, würde er auch nichts anderes finden. So glich er mit Breuers Hilfe die Dienstpläne der vergangenen Monate mit der Kreditkartenabrechnung Steinbrechers und der Beschwerde der Dosanders ab. An beiden Tagen hatte Tassilo Dienst gehabt. Außer ihm waren noch ein Mitarbeiter aus der Küche und der Barchef da gewesen. Auch sie würde Kern befragen. Die Beschwerde der Dosanders war tatsächlich lächerlich gewesen. Aus diesem Grund hatte Breuer seinen besten Mitarbeiter auch gar nicht erst damit konfrontiert. Kern war mit einem Kollegen daraufhin sofort zu Tassilo gefahren.

Tassilos Wohnung war nicht sehr groß, dafür äußerst geschmackvoll eingerichtet. Die Wände waren ziegelrot gestrichen und mit Kunstdrucken behängt. Verschiedene Weinregale verbreiteten ein Flair von Gediegenheit, und die Möbel waren edel und teuer. Es hätte der Aktfotos junger Männer nicht bedurft, um Kerns Vermutung zu bestätigen, dass Tassilo homosexuell war.

»Sie können sich wirklich nicht an die Dosanders erinnern?« Tassilo sah Kern tief in die Augen.

»Mit dem Erinnern ist es so eine Sache, Herr Kommissar. Balzac hat einmal gesagt: *Die Erinnerung verschönert das Leben, aber das Vergessen macht es erst erträglich*«, entgegnete er dann. »Es tut mir leid.«

»Das ist merkwürdig. Die beiden haben sich nämlich sehr wohl an Sie erinnert«, konterte Kern und legte eine Kopie des Beschwerdebriefes auf den Tisch.

Tassilo musste schmunzeln, als er die Zeilen las.

»Ach, *die* beiden«, sagte er so beiläufig, dass es nicht einmal den Anschein einer Ausrede hatte. »Höchst unangenehme Zeitgenossen.«

»Die müssen Sie jetzt nicht mehr bedienen. Wie Herrn Steinbrecher. Den haben Sie ja auch nicht besonders geschätzt, oder? Und Herr Wagner ist auch tot. Ziemlich viele tote Gäste auf einmal.«

»Ich verstehe nicht.«

»Ein Kellner muss sich eine Menge von seinen Gästen gefallen lassen, nicht wahr? Wie lange arbeiten Sie schon in dem Beruf?«

»Dreiundzwanzig Jahre.«

»Da staut sich eine Menge Frust auf. Oder?«

»Ich muss Sie jetzt bitten, meine Wohnung zu verlassen.«

»Bleiben Sie in der Stadt.«

Nachdem Kern die Wohnung verlassen hatte, war Tassilo eine halbe Stunde lang wie ein Tiger im Käfig auf und ab gelaufen. Jetzt, da er unter Tatverdacht stand, durfte er keinen Fehler machen. Lebenslange Haft stand auf dem Spiel. Und er war nicht bereit, sie für diese fünf Dreckschweine auf sich zu nehmen.

Das alles war Jahre her. Tassilo hatte sich nach seinem Freispruch vollkommen zurückgezogen und lebte an einem geheimen Ort. Nur seine Rechtsanwältin, die seine exklusive Vertretung übernommen hatte, wusste, wo er sich aufhielt.

Kern mochte das Geräusch, das ein Kiesbett macht, wenn es unter rollenden Autoreifen knirscht. Er ließ extra seine Fensterscheiben hinunterfahren, als er vor der kleinen Stadtvilla eintraf, in der Dr. Weissdorn lebte und ihre Kanzlei betrieb.

»Er ist da«, flüsterte sie ins Telefon.

Der Teilnehmer am anderen Ende der Leitung erwiderte: »Hervorragend. Schreiten wir zur Tat.«

27

»Martha, mi pequeña. Es tut mir weh, dich zu sehen so. Was machst du denn nur?«

Ron verbrachte immer mehr Zeit mit Martha.

»Ist schon alles in Ordnung«, wehrte sie ab.

»Aber du kannst nicht ernst meinen. Du bist nur noch Knochen. Was wiegst du? Vierzig Kilo? Dreißig Kilo? Ich habe Raphael gesagt, er soll sich kümmern. Aber er hört nicht auf mich.«

Martha lächelte sanft, als sie eines der Fotos nahm, die auf dem Flügel im Wohnzimmer standen. Sie lächelte nicht oft.

»Siehst du das? Das waren unsere großen Jahre, oder?«

Sie reichte Ron das Bild. Martha, jung und schön, wie sie war, saß auf den Schultern von ihm und Richard. Jubelnd streckte sie ihre Arme in den Himmel, als wolle sie nach den Sternen greifen. Das Bild war gut und gern dreißig Jahre alt.

»Wir haben gehabt wunderschöne Zeiten, pequeña.«

Mit der Güte eines Vaters nahm der alt gewordene Mann das Mädchen von damals in die Arme. Ganz behutsam allerdings; sie war sehr zerbrechlich geworden.

»Raphael macht sich Sorgen. Aber du darfst nicht erzählen, dass ich habe es dir gesagt«, flüsterte er Martha ins Ohr.

Seit Ewigkeiten hatte sie niemand mehr im Arm gehalten. Martha umschlang Rons Körper und begann mit ihm zu tanzen. Es spielte keine Musik, aber die brauchten die beiden auch nicht. Es war das zweite Mal, dass sie miteinander tanzten. Das erste lag Jahrzehnte zurück.

»Er macht sich keine Sorgen um mich; er ist kein guter Junge. Aber ich mache mir welche um ihn«, antwortete sie nach einer Weile.

»Er ist so verschlossen«, entgegnete Ron.

»Er hört immer nur seine Musik. Und malt. Was soll nur mit ihm werden, wenn ich tot bin?«

Ron drückte Martha ein wenig fester an sich.

»Du wirst leben noch lange. Aber du musst aufhören mit Drogen. Und essen, Marthita.«

»Hast du mich geliebt, damals?«

Die karibische See. Die kleine Cocktailbar auf Aruba. Das helle Lachen der schönsten Frau an Bord. Die Bilder von damals waren schon lange nicht mehr an Rons geistigem Auge vorbeigelaufen.

»Es ist so viel passiert seit damals«, antwortete er. »Ich möchte, dass du lässt dir helfen. Ich rede noch einmal mit Raphael.«

»Du hast immer zu ihm gehalten. Nach Richards Tod. Deine Zuwendung ist hingegangen, wo das Geld hingegangen ist.«

»Du darfst nicht denken so. Er ist der Sohn von meine beste Freund. Und du weißt, was er hat erlebt damals. Das hat ihm gebrochen seine kleine Herz, so was Furchtbares.«

»Lass uns einfach tanzen.«

Martha versuchte den Moment noch ein wenig länger festzuhalten. Es war das letzte Mal, dass jemand sie im Arm halten sollte. Und jetzt, als die Erinnerungen an damals so spürbar wie lange nicht mehr waren, wusste sie es.

28

Die Kanzlei von Dr. Weissdorn befand sich im Erdgeschoss ihrer kleinen Stadtvilla im Ortsteil Dahlem. Offenbar war ihre Anwaltsgehilfin nicht im Büro; das Vorzimmer war verwaist. Kern konnte einen kurzen Blick in einen Nebenraum erhaschen. In etlichen Kisten waren darin die verschiedenen Tassilo-Fanartikel gestapelt, die man über dessen Internetseite bestellen konnte. Offenbar hatte Weissdorn den Vertrieb übernommen.

»Danke, dass das so schnell ging. Entschuldigen Sie die Unordnung; meine Mitarbeiterin ist im Urlaub«, begrüßte die ebenso selbstbewusste wie attraktive Anwältin ihren Gast.

»Danken Sie mir nicht zu früh.«

»Was halten Sie davon, wenn wir in den Garten gehen bei dem schönen Wetter?«

»Von mir aus.«

Es war ein wundervoller kleiner Garten, den Dr. Weissdorn sich hatte anlegen lassen. Farbenfroh bepflanzt und fürsorglich gepflegt. Fast jedes der wunderschönen Häuser in dieser feudalen Gegend im Süden Berlins war wunderschön. Hierher zog der Berliner, wenn er es geschafft hatte. Dahlem war vorwiegend von Diplomaten, Ärzten und Juristen bewohnt. Hier gab es hervorragende Privatschulen, erstklassige Restaurants und Privatkliniken.

»Sie hatten natürlich recht, dass Herr Michaelis mich gebeten hat, Kontakt mit Ihnen aufzunehmen«, begann Weissdorn.

Die beiden hatten einen kleinen Teich erreicht, in dem bunte Zierfische umherschwammen.

»Was will er?«

»Sie haben ja mitbekommen, dass er in wenigen Wochen ein Buch veröffentlichen wird.«

»Allerdings. Und Sie können mir bestimmt auch sagen, was für ein Verlag das ist, der ein derartiges Projekt realisiert. Ein Massenmörder, der Geld mit seinen Taten verdienen will.«

»Gar keiner. Aus Imagegründen wollte es niemand verlegen. Kann ich auch verstehen. Ich gebe es jetzt gemeinsam mit Herrn Michaelis im Selbstverlag heraus. Das ist übrigens auch viel lukrativer. Na ja, zumindest, wenn man so viel kostenlose Werbung hat. Es liegen jetzt schon Bestellungen im fünfstelligen Bereich vor.«

»Gratuliere. Und Tassilo gesteht darin endlich die Morde?«

»Natürlich nicht. Strafrechtlich ist die Sache zwar für ihn ausgestanden, zivilrechtlich aber nicht. Wenn er jetzt gesteht, können die Hinterbliebenen der Opfer ihn auf immense Schadenersatzzahlungen verklagen.«

Kern war erstaunt.

»Und was hat er dann geschrieben?«

»Einen Roman. Angelehnt an die Morde, aber offiziell fiktiv. Juristentricks, Sie verstehen schon.«

»Na, damit kennen Sie sich ja aus. War das Geständnis damals auch einer Ihrer Juristentricks?«

Kern hatte bei seinen Ermittlungen gegen Tassilo herausgefunden, dass dieser als kleiner Junge oft zu Besuch auf Reinhardts Hof gewesen war. Nachdem er damit sowohl die Opfer als auch den Tatort mit Tassilo in Verbindung bringen konnte, war es eng für den Verdächtigen geworden. Schließlich sagte auch noch der Mann, mit dessen Ausweis Tassilo das Handy gekauft hatte, aus, im *Lohengrin* gewesen zu sein. Die Ähnlichkeit des Mannes mit Tassilo erhärtete den Verdacht zusätzlich. In stundenlangen Verhören wurde Tassilo von Kern in die Zange genommen. Einige Tage später unterschrieb er dann tatsächlich das Geständnis, für die Morde in der Scheune verantwortlich gewesen zu sein.

»Ohne das Geständnis hätte es keinen Prozess gegeben«, gab Kern zu.

»Ich habe meinem Mandanten damals erklärt, dass die Indizienlage unter keinen Umständen ausgereicht hätte.«

»Warum hat er dann gestanden?«

Dr. Weissdorn bot Kern einen Platz auf der kleinen Bank an, die hinter dem Fischteich stand. Dann setzte auch sie sich.

»Ich würde jetzt gern auf sein Anliegen kommen«, lenkte sie ab.

»Ich bin gespannt.«

»Er möchte ein persönliches Gespräch mit Ihnen. Er ist bereit, Sie an seinen geheimen Aufenthaltsort einzuladen und mit Ihnen ein Anliegen zu besprechen, das sein Buchprojekt betrifft.«

Kern blickte ungläubig.

»Warum?«

»Er befindet sich in einer gewissen Notlage. Mehr kann ich nicht sagen.«

»Und deswegen bin ich hergekommen? Wenn's nach mir ginge, dann befände er sich nicht nur in einer gewissen Notlage, sondern hinter Gittern. Und zwar für immer. Vergessen Sie's.«

Kern stand auf und wollte gehen. Dr. Weissdorn blieb ruhig sitzen. Sie hatte keine andere Reaktion erwartet.

»Ich habe ihm dazu geraten, das Geständnis zu unterschreiben. Und ja, es war ein Trick«, rief sie ihm hinterher.

Sie wusste genau, dass Kern sich umdrehen würde.

»Er hat vor Gericht alles widerrufen«, erinnerte er sich. »Danach standen wir dumm da.«

»Ich habe ihm empfohlen, nur zu gestehen, was in der Presse stand.«

Kern konnte sich gut erinnern.

»Genauso wie Tausende Spinner im ganzen Land auch. Nichts von dem, was wir geheim gehalten haben.«

»Genau«, antwortete Weissdorn. »Kein geheimes Täterwissen – keine Verurteilung. Warum haben Sie sich denn überhaupt mit diesem dünnen Geständnis zufriedengegeben?«

Kern ging zurück zu der kleinen Bank und setzte sich wieder.

»Wir hatten nur Indizien, keinen einzigen echten Beweis. Und das Motiv hätte uns das Gericht möglicherweise auch nicht abgekauft. Ein Oberkellner, der seine Gäste umbringt, weil sie ihn genervt haben. Na ja. Das blöde Geständnis war alles, was wir hatten. Aber warum haben Sie ihm denn dazu geraten? Wir hätten ihn vielleicht nie drangekriegt.«

»Aber eben nur vielleicht«, konterte Weissdorn. »Das war das Beste, was meinem Mandanten passieren konnte. Eine Justiz unter Druck, die so sehr an einem Prozess interessiert war, dass sie ihn sogar auf ein dünnes Geständnis und ein paar Indizien gestützt hat. Wer weiß? Später hätten Sie vielleicht doch noch Beweise gefunden. Oder mein Mandant hätte dem Druck nicht mehr standgehalten und gestehen müssen. Er war sehr labil damals. So haben wir in einem überhasteten Prozess ohne große Probleme einen Freispruch bekommen, und Herr Michaelis ist für immer aus der Geschichte raus.«

Die starren Augen des jungen Mädchens, das sich beim Sex an der Leiche Dieter Wagners festgehalten hatte. Wagners aufgebrochene Schädeldecke, das entnommene Gehirn. Die Dosanders, die nur noch aus zerfetzter Haut und hervorstehenden Knochensplittern bestanden hatten.

»Sie wussten von Anfang an, dass er es wirklich war?«, fragte Kern.

»Es ist meine Aufgabe, meine Mandanten zu verteidigen. So funktioniert unser Rechtssystem. Sie hatten die Aufgabe, ihn hinter Gitter zu bringen. Das ist Ihnen nicht gelungen. Ich habe meinen Job einfach besser gemacht als Sie Ihren.«

Kern sah auf die Uhr.

»Ich muss zurück ins Büro. Richten Sie Tassilo bitte keine schönen Grüße von mir aus.«

Noch einmal wollte Weissdorn nicht warten, bis Kern aufgestanden war. Er würde ihr nicht wieder den Gefallen tun zurückzukommen.

»Er bietet Ihnen Informationen. Alles, was Sie über den Fall wissen wollen«, sagte sie schnörkellos.

»Wie meinen Sie das?«, antwortete Kern.

»Sie haben bis heute nicht die geringste Ahnung davon, was damals wirklich geschehen ist. Können Sie gut damit schlafen?«

Kern konnte unmöglich so tun, als ließe das Angebot ihn kalt.

»Ich kann einfach ein paar Wochen warten und mir das Buch kaufen. Dann habe ich meine Antworten«, entgegnete er.

»Unsinn«, konterte Weissdorn. »Das Buch ist zu achtzig Prozent erfunden. Er hat es erst mit der Wahrheit versucht. Las sich aber nicht gut. Die Gewaltszenen waren viel zu schockierend. Das Buch ist ganz nett, aber was Sie wissen wollen, finden Sie dort sicher nicht.«

Die Bilder, die er in der Scheune gesehen hatte, waren ihm bis heute nicht aus dem Kopf gegangen. Er wollte wissen, was in dieser blutigen Nacht geschehen war. Aber Tassilo hatte eisern geschwiegen.

»Das ist Jahre her. Lassen wir die Vergangenheit ruhen. Und die Opfer«, sagte Kern und stand auf.

»Das Angebot steht«, rief Weissdorn ihm hinterher. »Das Buch geht in ein paar Tagen in Druck, danach braucht er Sie nicht mehr. Nehmen Sie seine Einladung an, am besten heute noch. Sonst erfahren Sie die Wahrheit nie.«

Tatsächlich drehte Kern sich nicht noch einmal um. Sein Entschluss stand fest: Er würde sich auf Tassilos Spiel nicht einlassen.

Oder? Nein, das kommt nicht infrage!

Während er in sein Auto stieg, griff Weissdorn zu ihrem Handy.

»Er hat abgelehnt«, sagte sie.

»Höchst bedauerlich«, erhielt sie zur Antwort. »Dann also Plan B.«

»Sie wissen, was ich von Plan B halte?«

»Keine Sorge, ich habe alles im Griff.«

Als sie die Zündung von Kerns Wagen hörte, stand Dr. Weissdorn auf und lief vor das Haus, um auf die Straße sehen zu können.

»Tassilo, passen Sie auf, was Sie tun.«

»Ich weiß genau, was ich tue.«

29

Raphael trieb auf der Wasseroberfläche des Schwebebades, das er sich im Keller neben seinem Fitnessraum hatte einbauen lassen. Das flache Wasser hatte denselben Salzgehalt wie das Tote Meer, sodass er seine Muskulatur vollkommen entspannen konnte, um sich allein seinen Gedanken hinzugeben. Die kleine Pyramide war verschlossen, sodass er nur die wundervolle Musik Chopins aus den Boxen wahrnahm, die unter der Wasseroberfläche installiert waren. Schwerelos trieb er seit über einer Stunde auf dem Rücken und dachte sanft lächelnd an Mayflower. Heute war es endlich geschehen.

Er hatte mit ihr von einem kleinen Café in Berlin-Kreuzberg aus gechattet. Wie immer hatte er zunächst viel von sich erzählt. Er wusste, dass es seine Ehrlichkeit war, die Mayflower dazu ermutigte, ihre eigenen Wünsche und Sorgen zu offenbaren. Sie war ängstlich, das hatte Raphael von Anfang an gespürt. Doch es gab etwas, das er seit dem ersten Chat an ihr bewundert hatte: die Unverdorbenheit ihrer Seele. Sie war wie ein kleines Mädchen, das orientierungslos durchs Leben irrte und ohne es zu wissen nach jemandem suchte, der sie an die Hand nehmen und an ihr Ziel führen würde. Raphael wollte ihr diesen Wunsch erfüllen.

Die Musik ermöglicht ihm das Reisen durch die Zeit. Er sitzt mit seinem Vater an Deck eines seiner Schiffe und frühstückt. Das Schiff liegt im Hafen von Santo Tomas in Guatemala. Er kann den Regenwald sehen. Ron sitzt mit am Tisch und schneidet Grimassen. Raphael lacht; er mag den Freund seines Vaters. Martha liegt in ihrem Badeanzug am Pool. Sie ist wunderschön. Die Erinnerung ist bruchstückhaft, sie geht in Raphaels früheste Kindheit zurück. Sie ist kein Film, sondern besteht nur aus Einzelbildern.

Mayflower hatte oft Andeutungen gemacht, dass sie Raphael treffen wollte. Aber er hatte sie jedes Mal zurückgewiesen. Es war normal, einen Chatpartner früher oder später zu einem Treffen aufzufordern. Aber das war nicht, was Raphael wollte. Sie sollte sich seine Hilfe wünschen. Aus tiefster Überzeugung.

Irgendwo oben im Haus rief Martha nach ihrem Sohn. Er konnte es hören, wenn auch nur leise. Sie hatte einen ihrer reumütigen Tage. Das geschah oft, wenn sie Drogen genommen hatte. Sie weinte dann und bat Raphael um Verzeihung. Sie war ihm keine gute Mutter gewesen, und manchmal, wenn sie diese Momente hatte, wurde es ihr bewusst. Raphael ahnte nichts von ihrer fiktiven Kapsel auf dem Meeresgrund, in die sie sich immer öfter zurückzog. Er spürte aber, dass seine Mutter dem Leben mehr und mehr entwich. Er würde sie nicht mehr lange haben, und er war sich noch immer nicht sicher, ob er sich darüber freuen oder darunter leiden sollte. Sie hatte es ihm schwer gemacht, sie zu lieben.

Mayflower hatte heute wieder gefragt, ob Raphael sich nicht mit ihr treffen wolle. Aber heute war es anders gewesen. Sie hatte bemerkt, dass Raphael ein Treffen stets abgelehnt hatte, und ihm versichert, dass es ihr egal sei, wie er aussehe. Dass er sich keine Sorgen machen müsse, weil es ihr nur um eines ging: Sie wollte die wundervollen Dinge, die er ihr geschrieben hatte, endlich aus seinem Mund hören. Sie hatte auch ein bisschen Angst vor einem Treffen, aber was, wenn es nie stattfinden würde? Sie würde niemals sein Lächeln sehen. Und er niemals ihre Augen. Wie das Fenster zu ihrer Seele mussten sie sein, das hatte er ihr einmal geschrieben. Voller Glanz und Reinheit. Raphael hatte gezögert. Er mochte es nicht, in die Öffentlichkeit zu gehen, hatte er behauptet. Mayflower vermutete schon länger, dass *Angel* sehr unattraktiv war oder sich zumindest dafür hielt. Es dauerte eine ganze Weile, bis sie ihre Ängste überwunden und ihm schließlich angeboten hatte, sie bei sich zu Hause zu besuchen. Dann hatte sie ihm ihre Adresse gegeben.

Raphael trieb noch immer auf der Wasseroberfläche. Sein Nacken war vollkommen entspannt, seine Arme hatte er weit von sich gestreckt. Langsam drehte sich sein perfekter Körper in der Pyramide, nur gelegentlich berührte er mit seinen Füßen den Rand des Beckens.

August Danner hat ihm ein Geschenk mitgebracht. Raphael ist dreiundzwanzig Jahre alt, und sie sind wieder gemeinsam auf der MS Raphael. *Es ist der Druck eines Gemäldes von Rembrandt: Der Engel verlässt die Familie des Tobias. Sein Vater ist geheilt, die Wanderschaft beendet. Niemand auf dem Gemälde lächelt, alles ist grau und düster. Aber der Himmel, in den sich der Engel aufschwingt, öffnet seine düstere Wolkendecke und gibt das erlösende Licht frei. Raphael ist tief bewegt.*

In drei Tagen würde er Mayflower besuchen. Sie hatte versprochen, dass niemand außer ihr da sein würde. Danach würde es nicht mehr lange dauern, bis der Engel auch seine Familie wieder verlassen würde. Die düstere Wolkendecke würde sich öffnen und das Licht freigeben. Dann wäre auch sein Vater endlich geheilt.

30

Zurück im Büro, dachte Kern noch immer über Tassilos Angebot nach. Das *Scheunenmassaker* war einer der blutigsten Massenmorde der letzten Jahrzehnte gewesen, aber niemand hatte jemals die wahren Hintergründe erfahren.

Die Geschichte ist zu achtzig Prozent erfunden.

Insgeheim hatte Kern das Buch sehnsüchtig erwartet, auch wenn er es niemals zugegeben hätte. Er hatte sich vorgestellt, es in einer Bahnhofsbuchhandlung zu kaufen und zu Hause hinter zugezogenen Vorhängen zu lesen. Dabei hatte er sich oft gefragt, was für ein Gefühl es wohl wäre, endlich zu erfahren, was er eigentlich selber hätte herausfinden müssen. Und er hatte gehofft, dass alle nachlesen könnten, dass er damals keine Chance gehabt hatte.

Alles erfunden. Verdammt!

Konnte er Tassilos Angebot wirklich ausschlagen? Ohne es sich wenigstens angehört zu haben? War sein Stolz wirklich so groß, dass er es sogar in Kauf nehmen würde, sich vielleicht den Rest seines Lebens Vorwürfe zu machen?

Was kann er denn überhaupt von mir wollen?

Warum hatte Tassilo ausgerechnet diese fünf Menschen ausgesucht? Wie hatte er sie in die Scheune gelockt? Außerdem, zwischen Steinbrechers Tod und dem von Wagner waren Stunden vergangen. Was war in dieser Zeit passiert?

Womit kannst du eher leben? Es nie zu erfahren oder dich auf ihn eingelassen zu haben?

»Warum machst du das?«

Kern war so in seine Gedanken versunken, dass er gar nicht bemerkt hatte, dass Meisner hereingekommen war.

»Was?«

»Wie du mit deiner Gesundheit umgehst. Du musst auch mal schlafen.«

»Ich hab mir noch mal die Fotos von den Tatorten angeguckt.«

»Wie oft denn noch?«

»Bis ich weiß, was er übersehen hat.«

Kern nahm eins der Fotos in die Hand.

»Es ist wie dieses Spiel: *Finde den Fehler im Bild.*«

Meisner war offensichtlich besorgt um seinen Freund. In der Zeit, nachdem sein Sohn verhaftet worden war, hatte er selber wochenlang kaum ein Auge zugetan. Umso besser konnte er sich in Kerns Lage hineinversetzen. In gewisser Weise richtete sich seine Mahnung daher auch an ihn selbst, obwohl ihm das natürlich nicht bewusst war.

»Stelter vom Eingang sagt, du bist mitten in der Nacht hergekommen. Du hilfst wirklich niemandem, wenn du dich kaputtmachst.«

Meisner sah die Yuccapalme, die er Kern geschenkt hatte, auf dem Fensterbrett stehen. Er berührte die Erde, um zu überprüfen, ob sie gegossen war. Sie war feucht.

»Geh jetzt mal nach Hause, Julius«, sagte er dann.

Kern widersprach nicht.

»Quirin, darf ich dich was fragen?«, entgegnete er stattdessen.

Meisner sah ihn misstrauisch an. Kern fuhr fort:

»Ich hatte gerade ein Gespräch. Mit Tassilos Anwältin.«

»Ist nicht wahr! Was will sie denn?«

»Das ist es ja. Sie hat's mir nicht gesagt. Tassilo will irgendwas mit mir besprechen; geht um sein Buch. Dafür will er mir alles über die Morde erzählen.«

Meisner sah Kern einen Moment lang still in die Augen. Dann senkte er den Blick zum Boden und atmete tief durch.

»Verstehe. Und was hast du geantwortet?«

»Ich hab abgelehnt.«

»Aber du bist dir unsicher, oder?«

»Was hättest du denn gemacht?«

Meisner setzte sich.

»Ganz ehrlich? Keine Ahnung. Aber hör dir doch wenigstens mal an, was er vorschlägt. Du musst diese Geschichte irgendwann sowieso mal abschließen. Und wenn du ehrlich bist: Was Besseres kann dir doch gar nicht passieren, als alles aus erster Hand zu erfahren.«

»Aber er will ja auch was dafür.«

»Na, was wird das wohl sein? Du sollst seine Kampagne unterstützen. Er will mit dir vor die Presse. Was meinst du, was für eine Werbung das für ihn ist!«

»Und wenn es nur eins seiner miesen Spielchen ist?«

»Natürlich ist es das. Na und?«

Quirin glaubte, dass er gesagt hatte, was Julius hören wollte. Auch wenn er sich seines Ratschlags nicht so sicher war, wie er schien.

»Und jetzt ab nach Hause«, schloss er das Gespräch ab. »Du kannst es dir ja noch mal in Ruhe überlegen.«

»Kann ich die Fotos mitnehmen?«

Meisner schüttelte schmunzelnd den Kopf.

»Du wirst dich wohl nie ändern, was?«

Kern fuhr nicht direkt nach Hause. Er hatte einige Einkäufe und Erledigungen zu machen, die er seit Tagen vor sich her schob. Tassilos Angebot ließ ihm auch dabei keine Ruhe. Quirins Standpunkt war ehrlich und vernünftig. Trotzdem wollte er noch eine zweite Meinung hören.

»Was machst du denn hier?«, begrüßte Nathalie ihren Mann, als er in ihren Salon trat.

»Können wir kurz reden? Allein?«

Sie zogen sich in den Nebenraum zurück. Nathalies Mitarbeiterinnen würden stundenlang deswegen tuscheln, aber das war ihr egal. Ihre Mitarbeiterinnen waren längst zu Freundinnen geworden und hatten ihr während der Trennungsphase oft seelischen Beistand leisten müssen. Sie waren immer noch davon überzeugt, dass Nathalie ihren Mann nach wie vor liebte, aber sie drängten sie nicht damit. Nicht zuletzt, weil sie die Gründe für die Trennung nur zu gut verstehen konnten.

Nathalie hörte aufmerksam zu, als Kern ihr sein Problem schilderte. Sie äußerte sich erst, als er fertig war.

»Er hat diese Spielchen von Anfang an gespielt. Erst mit seinen Opfern, dann mit euch. Jetzt mit der Öffentlichkeit und der Presse. Und dann kommt er an und lässt seine Anwältin ausrichten, dass er sich schon wieder eins ausgedacht hat. Diesmal mit dir. Also, ich würde ihn auf den Mond schießen!«

Kern dachte eigentlich genauso. Aber so einfach war es leider nicht.

»Ich habe ja auch abgelehnt. Aber diese Stimme in mir hört einfach nicht auf, mir dafür Vorwürfe zu machen.«

»Hast du schon vergessen, weswegen wir ausgezogen sind?«

Als ob ich das vergessen könnte.

»Aber wenn ich die Wahrheit kenne, kann ich vielleicht endlich mit der Geschichte abschließen.«

Nathalie schüttelte den Kopf.

»Es ist nicht zu Ende, wenn du die Wahrheit kennst. Es ist beendet, wenn Tassilo hinter Gittern sitzt.«

Kern spürte, dass Nathalie recht hatte. Trotzdem hätte er ihr gern widersprochen. Und genau das bereitete ihm Kopfzerbrechen.

Es war früher Nachmittag, als Kern zu Hause eintraf. Er öffnete den Kofferraum seines Wagens und nahm zwei Einkaufstüten heraus. Dann ging er durch die offen stehende Haustür zu seiner Wohnung in den ersten Stock. Als Nächstes wollte er die Getränkekiste holen. Deswegen ließ er die Wohnungstür offen. Er lief zurück zu seinem Fahrzeug und nahm die Kiste aus dem Kofferraum. Als er gerade damit ins Haus gehen wollte, fielen ihm die Tatortfotos ein, die noch in ihrem Umschlag auf dem Beifahrersitz lagen. Er hatte kein gutes Gefühl dabei, wichtige Unterlagen in seinem Auto zu lassen. Also setzte er die Getränkekiste noch einmal ab, um den Umschlag zu holen.

Quirin hatte seinen Freund nicht ohne Grund nach Hause geschickt. Kerns Müdigkeit wurde immer stärker. Trotzdem breitete er einige der Fotos auf seinem Wohnzimmertisch aus, um sie noch einmal anzusehen.

Je öfter du die Bilder siehst, umso bedeutungsloser werden sie für dich. Fall nicht drauf rein. Es ist ein Trick deiner Wahrnehmung. Öffne dich für neue Perspektiven. Sieh sie dir an, wie ein Kind sie ansehen würde. Frei und unbefangen.

Während Kerns Blicke über die Schminke von Elisabeth Woelke, die Frisur von August Danner und das Hemd von Kurt Mankwitz streiften, ließ seine Konzentration unaufhörlich nach. Wieder wurden seine Augenlider schwer. Wieder besiegte ihn die Müdigkeit.

»Das Auge des Gesetzes macht wohl nie Feierabend«, sagte Tassilo in seinem unverkennbaren Tonfall.

Da stand er, mitten im Raum. Mitten in Kerns Wohnzimmer, keine drei Meter von ihm entfernt. Die Müdigkeit hatte Kern wehrlos gemacht, und seine Sinne waren getrübt. Er sah sich schlaftrunken um. Es gab keine Scheune, keine Leichen. Die Umgebung war ihm auf unheimliche Weise vertraut. Sein eigenes Zuhause.

»Sie haben sich wirklich kaum verändert. Ich hoffe, Sie sind noch immer ein so angenehmer Konversationspartner wie seinerzeit«, bemerkte Tassilo freundlich.

Erst langsam erkannte Kern, dass er nicht träumte. Dieses Mal war Tassilo real. Instinktiv griff er nach seiner Waffe.

»Keine Bewegung!«, rief er Tassilo zu, während er direkt auf seine Brust zielte.

Jetzt war plötzlich alles anders. Das hier war Realität. Dieses Mal konnte er die Waffe problemlos ziehen. Dieses Mal klemmte der Abzug nicht.

Und dieses Mal konnte die Kugel Tassilo wirklich töten.

31

»Wenn Sie alle Ihre Gäste so empfangen, dann verdienen Sie keine«, kommentierte Tassilo die Tatsache, dass Kerns Waffe auf ihn gerichtet war.

Kern war mit einem Schlag hellwach geworden.

»Wie sind Sie reingekommen?«, rief er.

»Ihre Tür war offen.«

Kern stand langsam auf, die Waffe weiter auf sein Gegenüber gerichtet. Er wusste genau, dass er die Wohnungstür hinter sich geschlossen hatte.

Er hat sich reingeschlichen, als ich die Getränkekiste geholt habe.

»Jetzt habe ich Ihre Waffe aber lange genug bewundert«, sagte Tassilo.

Kern trat an ihn heran und tastete ihn ab.

»Woher haben Sie meine Adresse?«, fragte er, während er seine Waffe wieder einsteckte.

»Intuition.«

Er ist mir von seiner Anwältin aus gefolgt.

»Sagt Ihnen Ihre Intuition auch, was ich mache, wenn Sie nicht sofort verschwinden?«

»Nun mal nicht so forsch. Das letzte Mal, als Sie mir gedroht haben, hieß es, ich werde mein Leben hinter Gittern verbringen.«

Tassilo nahm unaufgefordert auf der Couch Platz. Sein Blick fiel unweigerlich auf die ausgebreiteten Fotos.

»Ihr aktueller Fall?«

»Das ist vertraulich.«

Tassilo schmunzelte.

»Wir sind doch vertraut. Oder sehen Sie in mir immer noch einen Feind?«

»Dann hätte ich die Gelegenheit gerade genutzt.«

»Kaum sieht man Sie ein paar Jahre nicht, schon mutieren Sie zum Rambo. Was ist denn das für ein Mörder? Er scheint ordentlich zu sein.«

»Jedenfalls ordentlicher als Sie.«

»Nun seien Sie mal kein Spielverderber. Wenn es nicht ein

bisschen schmutzig ist, macht's doch keinen Spaß. Jetzt setzen Sie sich doch endlich.«

Kern reagierte nicht.

»Rausschmeißen können Sie mich ja immer noch.«

Kern zögerte einen Augenblick, dann setzte er sich.

»Was wollen Sie?«, fragte er.

»Ich bitte Sie, mich zu mir nach Hause zu begleiten.«

»Haben Sie getrunken?«

»Ich habe etwas für Sie vorbereitet.«

»Darin sind Sie ja groß.«

»Eine Art Zeitreise. Ich wette, es wird Sie interessieren. Also?«

»Ich schlage vor, Sie unternehmen eine Zeitreise zu dem Punkt, an dem Sie in meine Wohnung gekommen sind. Und dieses Mal kehren Sie wieder um.«

»Wie Sie wollen.«

Tassilo hatte verstanden. Er verneigte sich still und stand auf.

»Wissen Sie, wie öffentliche Aufträge vergeben werden?«, fragte er eher beiläufig im Gehen.

»Warum?«

»Es gibt Ausschreibungen«, fuhr Tassilo fort. »Wer das günstigste Angebot abgibt, bekommt den Zuschlag.«

»Was soll das?«

»Aber die Angebote sind geheim«, knüpfte Tassilo an. »Sie glauben gar nicht, wie viel Geld man verdienen könnte, wenn man die Angebote der Konkurrenz vorher kennen würde.«

»Reden Sie nicht in Rätseln.«

»Dosander leitete doch eine Druckerei, oder?«

»Ja.«

»Ich glaube, wenn ich mich als Mitarbeiter der Stadt ausgegeben hätte, der Insiderinformationen verkaufen möchte, dann wäre er bestimmt sehr interessiert gewesen. Er wäre bedenkenlos zu einem abgelegenen Treffpunkt gefahren und hätte niemandem davon erzählt. Auf Wiedersehen, Julius.«

Tassilo wandte sich ab und verließ die Wohnung.

Gemächlich schlenderte er zu seinem Fahrzeug und stieg ein. Anstatt den Motor zu zünden, schrieb er irgendetwas Belangloses in sein Notizbuch. Danach führte er ein kurzes Telefonat und öffnete dann das Handschuhfach. Er entnahm ein Taschentuch, mit dem er in aller Ruhe das Armaturenbrett abwischte, obwohl es nicht schmutzig war. Endlich klopfte es an seine Scheibe.

»Wie haben Sie die anderen angelockt?«, fragte Kern.

»Das erzähle ich Ihnen während der Fahrt.«

Zügig brauste der Wagen über die Autobahn.

»Also?«, fragte Kern.

»Wenn man über zwanzig Jahre in der Gastronomie arbeitet, dann lernt man die Menschen kennen.«

»*Kennen*? Oder lernt man sie *hassen*?«

»Die wenigsten. Es sind die Ausnahmen, die einem das Leben schwer machen. Manche Gäste glauben, sie kaufen mit einem Bier das ganze Restaurant. Und sie fühlen sich sicher. Sie denken, dass der Kellner sich nicht gegen ihre Unverschämtheiten wehren darf, weil er sonst seinen Job verliert. Deswegen trauen sie sich Dinge, die sie vor der Tür nicht wagen würden.«

»Sie haben es genossen, die fünf gefesselt vor sich zu sehen. Oder?«

»Ach, Julius, schön, dass Sie mitgekommen sind.«

»Glauben Sie, Sie haben mich manipuliert?«

»Jetzt sagen Sie das doch nicht so dramatisch. Ich habe einfach Ihre Neugier geweckt.«

»Haben Sie es bei Ihren Opfern genauso gemacht?«

»Jeder Mensch zeigt Ihnen offen seine größte Schwäche. Indem er versucht, sie zu vertuschen«, holte Tassilo aus.

»Was war Steinbrechers?«

»Er war dumm und unkultiviert. Ein Prolet aus der untersten Gesellschaftsschicht. Und das hat er allen gezeigt, indem er ständig versucht hat, klug und weltmännisch zu wirken. Wie ein kleiner Köter, der ununterbrochen kläfft, damit ihn die großen Hunde für gefährlich halten. Jämmerlich.«

»Sie haben ihn bei seiner Eitelkeit gepackt?«

»Er hat allen Ernstes geglaubt, ich wolle ihm Investoren vorstellen, die ihm seine Solarienkette abkaufen wollen. Was ist eigentlich an den Gerüchten dran, dass Ihre Frau Sie verlassen hat?«

»Was war die Schwäche von Christensen?«

»Erfolglosigkeit. Sie hat alles getan, um für eine Karrierefrau gehalten zu werden.«

»Und Sie haben sich als Headhunter ausgegeben, der sie abwerben will?«

»Nicht schlecht, Julius. So was in der Art war's.«

»Welche Schwäche verrate *ich* Ihnen denn?«

Tassilo zog seine rechte Augenbraue hoch.

»Denken Sie doch mal selber drüber nach.«

Sie fuhren von der Autobahn auf eine Landstraße ab. Kurz darauf erreichten sie ein Dorf. Sie hielten vor einem etwas heruntergekommenen Haus.

»Wir sind da«, sagte Tassilo und stieg aus. »Haben Sie Ihre Waffe dabei?«

»Brauche ich sie denn?«

»Sie sollen nicht denken, ich wollte Sie in eine Falle locken. Also, wenn Sie möchten, rufen Sie Ihre Kollegen an und sagen ihnen, bei wem Sie sind.«

»Das habe ich schon von zu Hause gemacht.«

»Hervorragend. Dann seien Sie mein Gast.«

Obwohl Tassilo bereits seit über einem Jahr in dem Haus lebte, war es noch immer provisorisch eingerichtet. Kern sah sich um. Er überprüfte die Räume auf Fluchtwege, tote Winkel und Gefahrenbereiche. Seine Waffe war durchgeladen, aber gesichert. Im Notfall wäre sie innerhalb einer Sekunde einsatzbereit. Er glaubte nicht, dass Tassilo ihn in einen Hinterhalt locken würde, aber er hatte gelernt, auf alles vorbereitet zu sein. Zumal er in Wirklichkeit niemandem erzählt hatte, wo er war.

»Ihre Überraschung befindet sich hinter dieser Tür«, sagte Tassilo, als sie den Endraum des Flurs erreicht hatten. »Sie werden beeindruckt sein.«

Kern war in höchster Alarmbereitschaft, als Tassilo die Tür langsam öffnete. Als der Blick in den Raum schließlich frei war, sah er zuerst eine Tafel, die festlich gedeckt war. Edles Porzellan, Tafelsilber und Kristallgläser waren mit wunderschönen Blumengestecken kombiniert. Danach bemerkte Kern, dass die Wände über und über mit Briefen tapeziert waren. Teils handschriftlich, teils am Computer getippt. Dann fiel Kerns Blick auf die brennenden Kerzen und das Feuer, das im Kamin loderte.

Wer hat das Feuer angezündet?

Kern schlug die Tür hinter sich zu und prüfte den Raum mit blitzschnellen Blicken.

»Wer ist noch hier?«, rief er.

»Was?«

»Das Feuer! Wer ist im Haus?«

Tassilo atmete erleichtert aus.

»Jonathan, komm her!«, rief er auffällig schroff in Richtung Treppe.

Kurz darauf hörten sie Schritte, die sich langsam vom ersten

Stock her auf sie zubewegten. Sekunden später stand ein zierlicher, dunkelhaariger junger Mann im Raum. Unrasiert, etwas kleiner als Tassilo, Anfang zwanzig.

»Jonathan, mein Lebensgefährte. Er wird bei unserem Gespräch zugegen sein«, stellte Tassilo ihn vor.

»Warum?«, wollte Kern wissen.

»Damit er hinterher bezeugen kann, dass ich nichts von dem gesagt habe, was ich Ihnen erzählen werde.«

Kern begriff.

»Alles in Ordnung mit Ihnen?«, fragte er Jonathan, der ihn unverwandt ansah.

»Er redet nur, wenn ich ihn dazu auffordere«, sagte Tassilo. »Er ist in mancher Hinsicht etwas – na ja – speziell. Aber genug von ihm.«

Kern kam auf die Tafel zurück.

»Für wen haben Sie gedeckt?«

»Das ist, was meine Gäste damals vorgefunden haben. Ich habe die Tafel exakt nachgestellt. Sie müssen zugeben, da würde jeder gern Platz nehmen, oder? Hier saß Steinbrecher, hier Frau Christensen. Da drüben die Dosanders und hier vorn mein lieber, guter Dieter Wagner. Leider sind die Herrschaften inzwischen alle verstorben. Es ist fast ein bisschen wie bei *Dinner for One*«, sagte Tassilo und schlug die Hacken mit einem lauten Knall zusammen.

Die entstellten Leichen, der Gestank in der Scheune.

»Wie haben Sie das mit dem Schlafmittel gemacht?«, fragte Kern.

»Das sind Details. Nehmen Sie erst mal Platz.«

Kern war unsicher, was er tun sollte. Die Situation hätte kaum morbider sein können. Schließlich setzte er sich auf einen der Plätze, die damals frei geblieben waren.

»Was darf ich Ihnen einschenken?«, fragte Tassilo.

»Reinen Wein. Warum veranstalten Sie das hier? Doch wohl kaum, um in Erinnerungen zu schwelgen.«

»Glauben Sie mir, Julius. Wenn es darum ginge, wären es andere Erinnerungen, in denen ich mit Ihnen schwelgen würde«, antwortete Tassilo. »Dann kommen wir also zum Punkt. Ich bin pleite.«

»Nicht im Ernst«, entgegnete Kern verwundert. »Sie verkaufen doch Ihre T-Shirts und Tassen wie verrückt.«

»Glauben Sie, davon kann man leben?«

»Und was erwarten Sie jetzt von mir? Mitleid?«

»Mein Buch muss ein Riesenerfolg werden, sonst bin ich erledigt.«

Tassilos schonungslose Offenheit imponierte Kern auf eine merkwürdige Weise.

»Ich denke, Sie haben so viele Vorbestellungen«, sagte er.

»Es wird ja auch gut anlaufen. Aber dann? Es muss schon ein Knaller werden. Die Filmrechte müssen verkauft werden, und das Ausland muss es haben wollen, das ganze Programm.«

Kern lehnte sich in gespannter Erwartung zurück.

»Sie wissen, dass mich das nicht interessiert. Also, warum bin ich hier?«

»Weil Sie das fehlende Puzzleteil in meiner Geschichte sind. Der Ermittler in meinem Roman soll Ihre Züge haben. Er soll denken wie Sie und sehen, was Sie gesehen haben. Aber dafür brauche ich Ihre Unterstützung.«

Kern wunderte sich.

»Ich denke, Sie gehen demnächst in Druck. Das muss doch alles seit Ewigkeiten fertig sein.«

»Klar. Aber ich will es noch mal überarbeiten. Mit Ihnen zusammen. Nur die Zeit rennt mir weg.«

»Aber was um alles in der Welt bringt Sie auf die hirnverbrannte Idee, dass ich mich mit einem Kaffee neben Sie setze und an Ihrem Roman feile?«

»Das Gleiche, was Sie dazu gebracht hat, sich in mein Auto zu setzen und mich nach Hause zu begleiten. Sie sehen diese wunderschöne Tafel vor sich. Und Sie wollen wissen, was an ihr vorgefallen ist. Denn das ist *Ihr* fehlendes Puzzleteil.«

Hat er etwa recht?

Kern spürte einen leichten Luftzug, als Jonathan hinter ihm entlangging, um eine Flasche Wein vom Nebentisch zu holen. Er schenkte den beiden ein.

»Warum haben Sie Wagner das Gehirn entfernt?«, fragte er.

»Kleine, feuchte Mädchenmuschis«, antwortete Tassilo.

»Was?«

»Ein widerlicher Mann, glauben Sie mir.«

»Ich verstehe nicht.«

»Und das werden Sie auch nie, wenn Sie mir nicht helfen. Sie werden niemals wissen, warum ich die Dosanders in Stücke geschlagen habe oder warum Vanessa Christensen die letzten Minuten ihres jämmerlichen Lebens ohne Augen verbringen musste. Und Sie werden vor allem niemals eine Antwort auf die wichtigste Frage bekommen.«

»Die da wäre?«

Tassilo zelebrierte eine Kunstpause. Dann antwortete er:

»Ob ich weitergemacht hätte.«

Er ist gut. Verdammt gut.

»Interna sind geheim. Was Sie sich vorstellen, geht gar nicht.«

»Sie dürfen auch das Ende bestimmen.«

»Bitte?«

»Das Ende der Geschichte. Bisher wird der Mörder am Schluss

freigesprochen. Wenn Sie möchten, können Sie das ändern. Wenn schon nicht in Wirklichkeit.«

Kern dachte an Nathalie und Sophie. Was hatte ihn so sehr verändert, dass er ungerecht und aggressiv geworden war? Was war der Grund dafür, dass Nathalie heimlich eine neue Wohnung gesucht und ihn bald darauf verlassen hatte? War es die Tatsache, dass Tassilo nicht verurteilt werden konnte? Oder war es die Ungewissheit über die Umstände des furchtbaren Massenmordes? Eins davon konnte er jetzt ändern.

Aber ist es auch das Richtige? Die Geschichte ist nicht beendet, wenn du die Wahrheit kennst. Sie ist beendet, wenn Tassilo hinter Gittern sitzt. Hat Nathalie recht? Oder doch Quirin? Oder ist das alles hier wieder nur eins von Tassilos Spielen?

»Was sind das für Briefe an den Wänden?«, wollte Kern wissen,

»Ich habe Ihnen doch versprochen, dass Sie beeindruckt sein würden«, antwortete Tassilo und stand auf. »Alle von meinen Anhängern. Gucken Sie mal.«

Tassilo überflog die Blätter, die die Wand bedeckten, und deutete schließlich auf eines davon.

»Hier schreibt ein junger Mann, der in einem Elektromarkt die Reklamationen annimmt. Er sagt, die Kunden schreien ihn ununterbrochen an und beleidigen ihn. Er nennt Namen und Adressen. Er bittet mich, sie für ihn zu beseitigen.«

Jetzt stand auch Kern auf und überflog die Briefe. Teilweise handelte es sich um Sympathiebekundungen. Dann gab es Menschen, die Tassilo ihre Geschichten von besonders unerträglichen Kunden erzählten, und solche, die seinen Rat oder seine Hilfe suchten.

»Hier, eine Weinhändlerin. Ein Kunde hat bei ihr zwanzig Weine gekostet und keinen einzigen gekauft. Beim Rausgehen hat er dann ein Regal mit einigen sehr teuren Flaschen umgestoßen. Er hat zu ihr gesagt: *Ich hoffe, Sie haben eine gute Versicherung*. Sie schreibt, ich hätte ihr regelrecht aus der Seele gemordet. Ich bekomme massenhaft solche Briefe. Jonathan hat mal gesagt, ich könne damit die Wände tapezieren. Und eine gute Idee ist eben eine gute Idee.«

»Was macht diese Menschen nur so hasserfüllt?«, fragte Kern kopfschüttelnd.

»Fragen Sie das im Ernst?«, erwiderte Tassilo. »Es sind Dienstleister. Ihre Kunden machen sie dazu. Gedankenlose Egoisten. Wildfremde, die sie duzen, weil sie keinen Respekt vor ihnen haben. Menschen, die nicht einmal grüßen können, wenn sie ein Geschäft betreten. Einige haben sich Gesetze ausgedacht, mit denen sie uns belehren, was wir *dürfen* und was wir *müssen*. Idioten, die es in ihrem erbärmlichen Leben zu nichts gebracht haben und jetzt glauben, es an uns auslassen zu können. Ich weiß, dass Sie mich verachten. Aber Sie müssen auch die verstehen, die es nicht tun.«

Eine kurze Pause entstand. Dann wandte sich Tassilo seinem Gast zu und wechselte sein professionelles Gastronomielächeln gegen ein echtes ein.

»War es wirklich eine Streichholzschachtel, wegen der Sie mich erwischt haben?«

»Allerdings.«

Tassilo schmunzelte kopfschüttelnd.

»Und was ist das für ein Mörder, den Sie jetzt gerade suchen?«

»Sauber, feinsinnig, präzise. Sie scheiden also als Verdächtiger aus.«

»Haben Sie seine *Streichholzschachtel* schon gefunden?«

»Der übersieht nichts. Er macht immer alles genau gleich.«

»Na, ganz genau gleich ja nun auch wieder nicht«, widersprach Tassilo mit einem Zwinkern.

»Wie meinen Sie das?«

»Ach, vielleicht bin ich in Modefragen einfach nur zu pingelig.«

»Die Bilder. Ist Ihnen was aufgefallen?«

»Sie sind ja plötzlich so zugeknöpft«, wunderte sich Tassilo. »Also, melden Sie sich, wenn Sie eine Entscheidung getroffen haben. Haben Sie vielen Dank, dass Sie mein Gast waren. Jonathan fährt Sie nach Hause.«

Jonathan schwieg während der gesamten Fahrt. Der junge Mann funktionierte wie ferngesteuert. Sein Blick war stur auf die Straße gerichtet.

Hat Tassilo etwas auf den Fotos gesehen?

Zu Hause angekommen lief Kern sofort zu den Bildern.

Er hat sie nicht berührt. Alles, was er sehen konnte, liegt hier vor mir.

Was hatte Tassilo gesagt?

Vielleicht bin ich in Modefragen etwas zu pingelig.

Die Hemden. Sie waren das Einzige, das der Putzteufel hinterlassen hatte. Aber sie waren vollkommen neutral.

Was hat er danach gesagt?

Sie sind ja plötzlich so zugeknöpft.

Der Satz hatte überhaupt nicht in das Gespräch gepasst.

Zugeknöpft. Die Hemden. Na, ganz genau gleich ja nun auch wieder nicht.

Und plötzlich wusste Kern, was Tassilo gemeint hatte. Er hatte es gesehen. Alle hatten es gesehen. Die ganze Zeit über. Es hatte sich nur niemand Gedanken darüber gemacht. Vielleicht zu Recht. Aber tatsächlich: Es war der einzige Unterschied. Und der Putzteufel gehörte nicht zu denen, die Unterschiede machten. Konnte es wirklich etwas zu bedeuten haben? Und wenn ja, was?

32

Das Haus, in dem Mayflower wohnte, stand direkt an der Straße. Raphael, der es aus seinem Wagen heraus seit über einer Stunde beobachtete, mochte keine Hinterhäuser. Dort gab es zu viele Fenster, hinter denen gelangweilte Bewohner sich ihren trüben Alltag damit vertreiben konnten, die Menschen auf dem Hof zu beobachten.

Jetzt, kurz nach neun, herrschte noch Leben in der trostlosen Gegend rund um den U-Bahnhof Boddinstraße. Merkwürdige Gestalten, die sich in alten, ungepflegten Läden Bier kauften. Jugendliche, die rauchend und trinkend auf Treppenstufen und in Hauseingängen saßen. Überall standen Geschäftsräume leer, die Abwanderung aus dem sozialschwachen Bezirk Neukölln war hoch. Die Werbeschilder vor den Geschäften waren Jahrzehnte alt oder einfach selbst gebastelt, die Aufschriften waren in den verschiedensten Fremdsprachen verfasst. Die meist ausländischen Ladeninhaber kombinierten ihre Angebote scheinbar wahllos aus *Videothek und Getränkemarkt* oder *Internetcafé und Spielothek*. Neben Solarien und *1-Euro-Shops* gab es überwiegend Handygeschäfte und Dönerbuden.

Raphael fühlte sich unwohl. Aber er wusste, dass er hier gebraucht wurde. Dass Mayflower ihn brauchte. So hielt er weiter seine Wache. Natürlich wusste er, dass die Menschen in Berlin nicht daran gewöhnt waren, einander Beachtung zu schenken. Darauf verlassen wollte er sich aber nicht.

Mayflowers Wohnung befand sich im zweiten Stock. Raphael beobachtete das Licht im Hausflur. Es ging nicht öfter als zweimal in der Stunde an. Es herrschte offenbar kein reges Leben in diesem Haus. Der nächste Polizeiabschnitt befand sich über einen Kilometer entfernt. Um die möglichen Fluchtwege einschätzen zu können, musste Raphael seinen Wagen verlassen und in das Haus gehen. Damit er in dieser Gegend nicht auffiel, hatte er sich einfacher gekleidet, als er es normalerweise tat. Mit einer Jeans und einem hellen T-Shirt bekleidet stieg er aus dem Auto und ließ sein goldblondes Haar unter einer Baseballmütze verschwinden.

Der Hausflur war unendlich trist. Die Briefkästen waren verbeult, der Lack abgeplatzt. Die Namensschilder daran waren immer wieder mit Klebestreifen verändert worden. Kostenlose Stadtteilzeitungen und Werbeprospekte steckten in den Schlitzen. Alles war alt und verkommen in diesem Haus, in dem die wundervolle Mayflower schon viel zu lange leben musste.

Eine Katze huschte vom Hof her in den Hausflur und beschnupperte Raphael. Er hätte sie gern auf den Arm genommen und gestreichelt, aber das ging nicht. Sie hätte ihn kratzen können. Raphael war vorsichtig und beabsichtigte nicht, Spuren zu hinterlassen. Auch nicht unter der Kralle eines Kätzchens.

Der Geruch von Hausflur stach Raphael in die Nase. Ein Mix aus dem, was die Menschen gekocht hatten, dem Rauch ihrer Zigaretten und dem Muff, der vom Keller nach oben drang. Wahrscheinlich nahm Mayflower diesen Geruch schon lange nicht mehr wahr. Sie hatte sich darin ergeben, dass ihre Würfel gefallen waren. Eine wundervolle Blume, die in einem miefenden Sozialbau dahinwelkte.

Die Vordertür war nicht verschlossen. Die Gefahr war aber groß, dass ein übereifriger Mieter sie später abschließen könnte. Um sicherzugehen, würde er Mayflowers Hausschlüssel an sich nehmen, nachdem er sie hinübergeleitet hatte.

Die Tür zum Hinterhof stand offen. Sie führte allerdings in eine Sackgasse, aus der es im Fluchtfall kein Entkommen geben würde. Dasselbe galt für den Keller. Die Eingangstür bot den einzigen Fluchtweg. Raphael würde lieber seine Pistole mitnehmen. Er konnte kein Risiko eingehen.

Einen Fahrstuhl gab es nicht. In Häusern mit Aufzügen war Raphael noch nie einem Bewohner im Treppenaufgang begegnet, zumindest nicht nachts. Hier, in Mayflowers Haus, konnte es passieren. Raphael würde eine Stunde vor seinem Besuch die Glühlampen im Hausflur herausnehmen. Sollte ihm dann ein Anwohner begegnen, würde dieser im Dunkeln auf seine Schritte achten, nicht auf ihn.

Die Reinigungsmittel würden vor dem Haus in Rons Opel Sintra bleiben, bis die Pilgerin erlöst wäre. Oben in der Wohnung würde er sehen, welche Spezialreiniger er benötigte, um danach die erforderliche Auswahl im Wagen zusammenzustellen.

Mit seinem leisen, bedächtigen Gang lief Raphael die Treppe bis zu Mayflowers Wohnungstür hinauf. Seinen Gehstab hatte er im Wagen gelassen. Es gab zwei Wohnungstüren auf jeder Etage. Durch die Türspione konnte man problemlos die jeweils andere beobachten. Er würde den Türspion der Nachbarwohnung von außen überkleben müssen.

Ganz leise drangen die Geräusche eines laufenden Fernsehers durch Mayflowers Tür. Sie war zu Hause. Raphael war ihr so nahe wie nie zuvor. Höchstens ein paar Meter, allein durch eine schmale Tür getrennt. Was sie wohl gerade denken mochte? Vermutlich waren ihre Gedanken bei ihm, bei ihrer bevorstehenden Begegnung. Die beiden hatten ihre Chats auf ihr Leben, ihr Wesen, ihre Gedankenwelt beschränkt. Aussehen, Körpermaße, Alter hatten beide nie angesprochen. Raphael konnte aus Mayflowers Erzählungen herleiten, wie alt sie etwa war; über ihr Aussehen wusste er aber nichts.

Raphael streckte seine Hand nach der Türklingel aus, nicht nah genug, als dass er sie hätte berühren können. Er hätte sie gern betätigt. Er hätte Mayflower gern gegenübergestanden, ihr Lächeln gesehen. Doch er zog seine Hand wieder zurück.

Er musste sich noch ein wenig gedulden.

33

Tassilo und Jonathan waren wieder allein. Tassilo schwenkte einen guten Burgunder im Weinglas, während er still ins Kaminfeuer starrte. Sein Blick tauchte immer tiefer in das knisternde Spiel der Flammen ein, die ihre Wärme gegen sein Gesicht warfen.

Er war gerade einmal fünfzehn gewesen, als er mit seinen Eltern und seinen beiden älteren Geschwistern in das vornehmste Restaurant gegangen war, das es in der ländlichen Gegend gab, in der er groß geworden war. Wie immer war einer der Erfolge seines Bruders der Anlass für das teure Abendessen gewesen. Er hatte ein hervorragendes Abitur gemacht, und Tassilos Eltern hatten keinen Zweifel daran gelassen, dass sie ein nicht weniger gutes später auch von ihm erwarteten.

Das Ambiente in dem Lokal mit seiner geschmackvollen Innenarchitektur und dem warmen Schein der Kerzenleuchter hatte Tassilo bereits beim Betreten begeistert. Ebenso wie der attraktive Ober, der die Familie in seiner makellosen Kellneruniform bediente. Bald hatte er die sehnsüchtigen Blicke des zierlichen Jungen bemerkt und sie von Mal zu Mal verheißungsvoller erwidert. Als er später allein zur Toilette ging, folgte der Kellner ihm unauffällig. Und als er nach wenigen Minuten an den Tisch zurückkehrte, wusste Tassilo, welchen Lebensweg er einschlagen würde. Und er hoffte von diesem Augenblick an verzweifelt, dass seine Familie nur niemals etwas davon erfahren würde.

»Hat es dich angemacht?«, riss Jonathan ihn aus seinen Erinnerungen.

In Tassilos Mienenspiel kam Leben. Er beugte sich vor und umklammerte sein Weinglas fester.

»Was?«, fragte er mit leisem, diabolischem Unterton.

»Die Tafel. Sind die Erinnerungen zurückgekommen?«

Tassilo verstand sehr genau, was sein Freund ihm zu verstehen geben wollte.

»Sie ist immer noch gedeckt«, antwortete er und zwinkerte unmissverständlich.

»Was soll ich anziehen?«, fragte Jonathan.

Tassilo nahm einen kräftigen Schluck Wein. Dann lehnte er sich wieder in seinen Sessel zurück und schloss die Augen.

»Überrasch mich.«

Wortlos drehte Jonathan sich um und lief die Treppe nach oben ins Schlafzimmer. Er öffnete den Kleiderschrank. Neben der Bundeswehr- und der Polizeiuniform hingen ein Riemenbody aus Leder, eine Latexmaske und eine britische Schüleruniform darin. Jonathan bekam mit, wie Tassilo den gedeckten Tisch frei räumte. Seine Erregung wurde stärker. Schließlich griff er nach seinem Smoking und zog ihn an.

»Es ist angerichtet!«, rief Tassilo mit perfekter Höflichkeit nach oben.

Jonathan konnte es kaum erwarten. Er liebte dieses Spiel. Vermutlich sogar noch mehr als Tassilo.

34

Kern hatte Meisner schon überall gesucht. Nachdem er ihn weder in seinem Büro noch bei Castella gefunden hatte, war er in die Kantine gegangen, in der Meisner gelegentlich frühstückte, wenn er zu Hause nicht dazu gekommen war. Kern entdeckte ihn schließlich in einer hinteren Ecke. Er aß gerade ein belegtes Brötchen und blätterte die Zeitung durch.

»Er hat sie gar nicht persönlich gekannt!«, rief er ihm zu.

Meisner blickte erschrocken hinter seiner Zeitung hervor.

»Was ist los?«, fragte er verdutzt.

»Der Putzteufel. Er wusste nicht, wie groß sie sind!«

»Jetzt mal ganz langsam. Setz dich.«

Anstatt der Aufforderung zu folgen, zog Kern die Fotos der Opfer aus der Tasche und warf sie Meisner hin.

»Siehst du's? Jeder Täter lässt was von sich am Tatort zurück. Bei unserem waren es die Hemden. Und jetzt achte mal auf die Kragen.«

Meisner griff die Bilder und sah sie genau an.

»Und, gibt es einen Unterschied?«, fragte Kern.

»Bei Danner ist das Hemd bis oben geschlossen, bei den beiden anderen sind zwei Knöpfe offen.«

»Bingo!«

Kern lief um den Tisch herum und setzte sich direkt neben Meisner, um die Bilder aus derselben Perspektive zu sehen wie er.

»Der Putzteufel ist ein Perfektionist. Alles ist absolut sauber, geordnet und makellos. Jedes noch so kleine Detail passt bis ins Kleinste. Nur die Hemden nicht. Er konnte sie nicht bis oben zuknöpfen, weil sie zu eng waren. Ein Perfektionist wie er hätte aber exakt passende Hemden mitgebracht – wenn er gewusst hätte, wie groß seine Opfer sind!«

»Also gut, worauf willst du hinaus?«, fragte Meisner.

»Wir sind von Anfang an davon ausgegangen, dass er seine Opfer gekannt hat. Er wusste, dass sie ihn hereinlassen würden. Er wusste, dass sie allein waren. Er wusste, dass man ihn nicht bei seiner Arbeit stören würde.«

»Und jetzt willst du mir erzählen, dass er einfach nur an irgendwelche Wohnungstüren geklopft hat? Das glaubst du doch selber nicht«, erwiderte Meisner.

»Nein. Er hat das alles ja wirklich gewusst. Und einer wie er will ganz bestimmte Opfer, nicht irgendwelche.«

Meisner hörte aufmerksam zu.

»Wenn wir also nach wie vor davon ausgehen, dass er sie zwar gekannt hat, aber nicht wusste, wie sie genau aussehen, dann bleibt nur eine Möglichkeit«, fuhr Kern fort.

»Er kannte sie über eine Kontaktanzeige?«

»Nein, so was macht heute kein Mensch mehr«, winkte Kern ab. »Ich tippe auf eine Partnerbörse im Internet. Das ist absolut anonym. Er kann in aller Ruhe nach passenden Opfern Ausschau halten und sich mit ihnen verabreden. Vielleicht hat er sogar geglaubt, ihre Körpermaße zu kennen. Immerhin waren die Hemden ja zu klein, nicht zu groß. Menschen machen sich in solchen Chatforen gern größer und schlanker, als sie sind.«

»Soweit ich weiß, hatte Elisabeth Woelke gar keinen Computer«, überlegte Meisner.

»Ihre Angestellte hat erzählt, dass sie einen Computerkurs gemacht hat. Habt ihr überprüft, ob der Rechner in ihrer Apotheke Internetzugang hatte?«

»Keine Ahnung, ich checke das mal. Soweit ich weiß, haben wir jedenfalls die Rechner von Danner und Mankwitz überprüft. Ich kann mich nicht erinnern, dass jemand was von Internet-Partnerbörsen gesagt hätte. Das kriege ich aber schnell raus. Aber was ist mit dem Hemd von Danner? Das hat doch gepasst.«

»Richtig! Danner war der Einzige, dessen Hemd perfekt gepasst hat. Und er war auch das erste Opfer. Wenn meine Theorie stimmt, dann hat der Putzteufel ihn als Einzigen vorher wirklich gekannt. Das würde passen: Er lernt Danner kennen. Aus welchen Gründen auch immer erkennt er, dass er ihn töten will. Dieser Mord verläuft nach seinen Wünschen, und er findet Gefallen daran. Er will es wieder tun. Nein, er *muss* es wieder tun. Jetzt braucht er neue Opfer. Und die sucht er sich im anonymen Internet. Wie aus einer Speisekarte, so lange, bis er endlich welche findet, die nach seinem Geschmack sind. Das würde auch die lange Zeit erklären, die zwischen den Morden vergangen ist. Es dauert, bis man jemanden findet, der perfekt ist.«

Meisner biss noch einmal von seinem Brötchen ab.

»Ich sage dir, was wir machen«, entgegnete er unaufgeregt mit halb vollem Mund. »Wir überprüfen noch mal die Festplatten der Rechner. Wenn wir auf Chatseiten stoßen, fragen wir bei den Betreibern an. Die können dann die Usernamen der Opfer rausfinden. Wird aber mindestens bis morgen dauern.«

»Dann los. Wer weiß, wann er wieder zuschlägt«, rief Kern.

»Na gut, den Versuch ist es wert.«

»Worauf warten wir noch? Deine Schrippe kannst du später aufessen«, sagte Kern.

Meisner sah ihn mürrisch an.

»Hätte ich dich mal in Brandenburg gelassen.«

35

Janthieng Reanaree ging noch einmal alles in Ruhe durch. Sie hatte zwar noch bis zum nächsten Tag Zeit, aber sie wollte alles richtig machen. Zur Begrüßung würde sie Angel Tee anbieten. Sie hatte darüber nachgedacht, einen Cocktail vorzubereiten, aber das erschien ihr dann doch als unpassend. Er war offenbar scheu und sollte nicht den Eindruck gewinnen, zu einem ungewollten Rendezvous erschienen zu sein. Deswegen wollte sie ihn auch einfach in ihrer Alltagskleidung empfangen. Na ja, wenigstens in ihrer schönsten. Gern hätte sie thailändisch für ihn gekocht, aber sie wollte nicht das Klischeebild erfüllen, das er möglicherweise von ihr hatte. Deswegen entschied sie, den Rollbraten zu machen, den sie so gut zubereiten konnte. Den Esstisch feierlich zu decken kam nicht infrage. Das wäre viel zu förmlich gewesen. Stattdessen wollte sie das Essen gemütlich in der Küche servieren. Sie hatte sich für morgen extra freigenommen, um alles in Ruhe vorbereiten zu können. Janthieng hatte noch nie ein Blind Date gehabt, und sie kam sich ein wenig albern dabei vor. Ihr Computer lief schon den ganzen Abend; Angel würde sich vielleicht noch einmal melden. Er hatte wunderbare Dinge geschrieben. Er hatte sie verstanden und war in einer Weise auf sie eingegangen, wie es niemand zuvor geschafft hatte. Weswegen er so scheu war, von niemandem angesehen werden wollte, verstand sie aber nicht. Trotzdem hatte sie dafür Sorge getragen, dass niemand ihren gemeinsamen Abend stören würde. Sie war sich nicht sicher, warum Angel die Anonymität des Internets bevorzugte und wegen seines Äußeren so empfindlich war. Etwas ängstlich war sie schon, dass er möglicherweise auf eine besondere Weise entstellt oder gezeichnet sein könnte. Andererseits ging es ihr ja auch nur darum, den Mann, der so wundervolle Dinge schreiben konnte, endlich persönlich kennenzulernen.

Oder empfand sie etwa doch mehr für ihn? Während die zierliche kleine Frau die Fotos, die Angel noch nicht sehen sollte, in einem Karton unter ihrem Bett versteckte, schob sie diesen Gedanken noch ein weiteres Mal auf. Bereits morgen würde sie mehr wissen.

Sie konnte es kaum noch erwarten.

36

Raphael war frei von Hektik. Die Klänge von Chopins Präludium in e-Moll streichelten seine Seele, während er zielsicher in seinen Kleiderschrank griff. Das Ensemble, das er sich in Paris hatte anfertigen lassen, war aus reiner Seide. Es umhüllte seinen Körper elegant und kühlte ihn leicht wie eine sommerliche Brise. Nachdem er sich für Mayflower angekleidet hatte, holte er seine Ledertasche hervor. Zuerst legte er die Flasche mit dem Chloroform sowie einige Stofftücher hinein. Darauf folgte ein Plastikbeutel, in dem er die getränkten Tücher später wieder luftdicht würde einpacken können. Dann die CD, die er Mayflower schenken wollte, sowie ein kleiner Behälter mit belgischen Pastillen. Zusätzlich verstaute er seine schallgedämpfte Neunmillimeterpistole der Marke Glock. Zuletzt steckte er eine kleine Porzellanschale und Brennspiritus ein, mit dem er später das Fleisch des Tieres verbrennen konnte. Danach bedeckte er den Inhalt der Tasche mit einem seiner grünen Seidenschals und zog den Reißverschluss zu. Er hängte sich die Tasche mit einer eleganten Bewegung über die rechte Schulter, griff seinen Gehstab und öffnete das Sicherheitsschloss seines Schlafzimmers.

Martha stand in der Küche, als Raphael die Treppe hinunterkam.

»Ich habe Fisch gemacht. Wie du wolltest«, rief sie ihm zu.

»Und die Innereien?«, fragte Raphael mit einem Unterton, den Martha kannte.

Immer, wenn er jemanden besuchen ging, wünschte er sich Fisch. Bereits am Morgen musste Martha, die eine äußerst begabte Köchin war, die Leber und das Herz des Tieres entnehmen und in Salz einlegen, damit den Organen die Flüssigkeit entzogen wurde. Danach legte sie die Innereien bei 80 Grad in den Ofen, bis sie vollständig ausgetrocknet waren.

»Ich habe sie dir eingepackt.«

Raphael setzte sich an den großen Esstisch, der wie immer nur für ihn allein gedeckt war.

»Isst du nicht mit?«, fragte er.

Erst nachdem sie die Sauce noch einmal nachgewürzt hatte, antwortete Martha brüchig: »Nicht heute.«

»Spürst du diese wundervolle Kraft?«, fragte Raphael, während er seine Augen schloss und den Kopf in den Nacken legte. »Chopin muss ein wundervoller Mensch gewesen sein. Ich wünschte, ich hätte ihn begleiten dürfen.«

Raphaels Vater liebt Chopin. Er nimmt den Jungen auf den Schoß, damit sie die Schallplatten gemeinsam hören können. Wenn Richard da ist, spielt die Musik. Und wenn die Musik spielt, dann ist er da. Raphael spürt seine Wärme. So lange, wie die Musik da ist. Sie ist mächtiger als der Tod.

Einige Minuten lang verweilte er in seiner Körperhaltung, während seine Arme mit fließenden Bewegungen in der Musik mitzuschwingen schienen. Es sah aus, als könne er die Klänge einatmen.

»Ron hat seinen Wagen gebracht«, sagte Martha. »Er lässt dich grüßen.«

»Er verbringt mehr Zeit mit dir als früher, oder?«

»Er ist ein guter Mann. Wie es dein Vater war.«

Raphael antwortete nicht darauf. An Tagen wie diesem sagte Martha oft Dinge, die sie nicht so meinte. Stattdessen nahm er einen Schluck von dem Chablis Grand Cru, den sie zum Fisch aufgemacht hatte, und ließ die kraftvollen Aromen in seinem Mund spielen. Das Essen war wie immer köstlich. Ein Jammer, dass sie selber fast nie etwas davon aß.

»In einer Stunde«, kündigte Raphael an.

»Gut«, antwortete Martha leise.

Nachdem er aufgegessen hatte, ging Raphael in die Garage. Er öffnete die Heckklappe des Opel Sintra, dann lief er zu dem Schrank, in dem er seine Reinigungsmittel aufbewahrte. Sorgfältig stellte er die Flaschen und Dosen in eine große Kiste. Zum

Schluss stellte er noch seinen tragbaren CD-Spieler auf den Rücksitz, für den Fall, dass Mayflower keinen besaß. Es war undenkbar, diesen besonderen Abend ohne Chopin zu verbringen.

Martha stand jetzt vor dem Eingangstor und blickte zur Garage hinüber. Raphael bemerkte sie nicht. Was für ein zarter, schöner Junge er damals war, dachte sie. Neugierig und interessiert, ein wundervolles Kind. Als sie ihrem Sohn jetzt dabei zusah, wie er den Wagen vorbereitete, dachte sie an den Abend zurück, an dem er sie tapfer angerufen und ihr erzählt hatte, was im Ferienhaus geschehen war.

»Wärst du doch gleich mit gestorben«, sagte sie leise. Zu leise, als dass es jemand hätte hören können.

37

Die Arbeit der Computerexperten hatte zwei volle Tage in Anspruch genommen. Kern konnte die Ergebnisse kaum erwarten.

»Wir haben erst nur ein paar stinklangweilige Seiten gefunden. Suchmaschinen, Fachseiten und solchen Kram«, erklärte Dirk Schuster, der, sportlich und schlank, wie er war, nicht ansatzweise der stereotypen Vorstellung von einem IT-Experten entsprach. »Aber dann haben wir die Festplatten genauer überprüft. Vom Rechner des Opfers Mankwitz wurde mehrmals eine Partnerbörse namens *lovefields.de* aufgerufen. Und aus der Apotheke ist ziemlich oft die Seite *springfeelings24.de* aufgerufen worden. Aber das eigentlich Interessante ist, dass jemand ziemlich gekonnt versucht hat, die Spuren dieser Seiten zu vernichten. Ohne konkreten Verdacht hätten wir die nie gefunden. Wir mussten da echt mit allen Tricks arbeiten.«

Kerns Puls beschleunigte sich.

»Ich habe die Betreiber der Seiten angerufen. Euer Glück, dass die beiden ihren Sitz in Deutschland haben, sonst hätten wir das erst mal knicken können.«

»Was haben sie gesagt?«, warf Kern ungeduldig ein.

»Die waren nicht gerade kooperativ. Bis ich gedroht habe, ein Team vom BKA mit Gerichtsbeschluss bei ihnen aufkreuzen zu lassen. Da waren sie dann plötzlich ganz zahm. Internetleute halt.«

»Jetzt erzähl schon, was habt ihr rausgekriegt?«, schoss es aus Kern heraus.

»Das war ein ganz schöner Akt. Hast du eine Ahnung, was für ein Verkehr auf solchen Seiten stattfindet? Normalerweise werden die Daten nach ein paar Monaten komplett gelöscht. War ja bei der Woelke nicht das Ding, aber bei Mankwitz haben wir echt Schwein gehabt«, antwortete Schuster. »Egal, wir haben jedenfalls rausgekriegt, dass Kurt Mankwitz mit dem Namen *DachdeckerBerlin* angemeldet war. Sehr originell. Elisabeth Woelke hat sich *Herbstwind* genannt. Eine Frau eben.«

»Was war mit den Chatpartnern?«, fragte Meisner, der langsam auch ungeduldig wurde.

»Wenn ihr mich mal ausreden lassen würdet, wüsstet ihr's schon. Also, beide haben sich mit ziemlich vielen Usern Nachrichten geschrieben, aber jeweils nur mit einem sehr häufig. Der Chatpartner von Mankwitz nannte sich *Seraphim*, der von Woelke *Tobias*. Und jetzt kommt der Trommelwirbel!«

Kern und Meisner standen regungslos da.

»Sowohl *Seraphim* als auch *Tobias* waren über dieselbe Netzwerkkarte mit dem Web verbunden.«

»Das heißt, wir haben ihn?«, fragte Kern.

Schuster machte eine bedauernde Handbewegung.

»Na ja, jetzt kommen wir zur schlechten Nachricht«, setzte er an. »Die E-Mail-Adresse, über die er sich angemeldet hat, lässt sich nicht zurückverfolgen. Wir kennen seine IP, aber wir wissen nicht, wem der Rechner dazu gehört.«

»Aber ihr könnt doch feststellen, von wo aus er sich ins Internet eingeloggt hat?«, fragte Meisner.

»Habe ich ja auch nicht bestritten. Also, euer Mann fährt gern durch die Gegend. Er hat sich fast jedes Mal von einem anderen öffentlichen Hotspot aus eingeloggt. Immer irgendwelche Cafés, Restaurants, Büchereien. Aber immer in Berlin! Und was besonders interessant ist: Am Tag nach den Morden hat er seinen jeweiligen Account gelöscht.«

»Er hat sich *fast* jedes Mal von woanders eingeloggt? Wie meinst du das?«, hakte Kern nach.

»Na, es gibt ein paar Orte, die mehrmals aufgetaucht sind. Am häufigsten dieser ätzende Szeneklub. Das *White*. Geht mir voll auf die Nüsse. Alle schreien immer: *Du musst nach Mitte gehen, da findet das Leben statt!* Und weil sich alle danach richten, findet es dann wirklich da statt. Scheiß sich selbst erfüllende Prophezeiung.«

»Die haben dich da nicht reingelassen, oder?«, scherzte Kern.

»Dirk, hast du eine Liste der Zeiten, wann er da online war?«, warf sich Meisner dazwischen, um am Ball zu bleiben.

»Kann ich dir fertig machen. Aber die haben im *White* keine Kameras installiert. Weiß ich, die haben mich nämlich sehr wohl reingelassen.«

»Vielleicht finden wir trotzdem jemanden, dem was aufgefallen ist«, sagte Kern. »Ich würde gern sofort los. Kannst du mir die Liste schnell fertig machen?«

»Zwanzig Minuten.«

Quirin wäre am liebsten selber ins *White* mitgekommen, aber seine Zeit erlaubte es ihm nicht. Er stellte Kern noch einmal Dennis Baum an die Seite, der eigentlich gerade Feierabend machen wollte. Zu einer Fahrt in den angesagtesten Klub der Stadt brauchte Meisner ihn aber nicht lange zu überreden.

»Was suchen wir denn?«, fragte Dennis.

»Wenn ich das wüsste. Wir müssen halt versuchen, jemanden zu finden, der zu diesen Zeiten da gearbeitet hat.« Kern gab Dennis die Liste. »Vielleicht ist ja jemandem was aufgefallen.«

Zu dieser Zeit war im *White* noch nicht viel los. Normalerweise begann das Hauptgeschäft nicht vor ein Uhr nachts. Wer wichtig sein wollte, besuchte den Klub erst spät. Und jeder wollte wichtig sein. Jetzt waren erst wenige Besucher sowie die Mitarbeiter des Klubs anwesend.

»Wenn Sie so was wissen wollen, müssen Sie unsere Barleute fragen. Die sind die Einzigen, die den ganzen Abend halbwegs nüchtern bleiben und immer alles im Blick haben. Die DJs haben nur Augen für ihre Mischpulte«, erklärte der Geschäftsführer des Klubs den Beamten, nachdem sie ihm ihr Anliegen vorgetragen hatten.

»Was ist mit der Klofrau?«, fragte Dennis. »Bei der kommt doch jeder irgendwann vorbei. Außerdem wissen die in den Klubs sowieso immer am besten, was los ist.«

»Da haben Sie schon recht, aber unsere Ella sieht nicht mehr so gut.«

Kern und Dennis gingen die Treppe hinauf bis zur Dachterrasse. Hier, so hatte der Geschäftsführer ihnen erklärt, befand sich der Internetzugang. Am Tresen standen zwei junge, makellos gekleidete Männer, die sich auf die Arbeiten des bevorstehenden Abends vorbereiteten.

»Wir suchen jemanden, der mehrmals auf Ihrer Terrasse ins Internet gegangen ist. Ist Ihnen da jemand aufgefallen?«, fragte Dennis Baum, nachdem er und Kern sich ausgewiesen hatten.

»Na, Sie sind gut«, antwortete einer der beiden. »Wissen Sie, was hier nachts los ist? Und alle sitzen mit ihren Laptops da. Total wichtig. Und trinken tun sie gar nichts. Sie besetzen einfach nur unsere Plätze.«

Kern fragte sich kurz, ob er jemals wieder den Klagen eines Dienstleisters würde zuhören können, ohne dabei an Tassilo denken zu müssen.

»Das letzte Mal ist er vor etwa drei Wochen hier gewesen. Wir haben die genauen Zeiten aufgelistet«, sagte er dann.

»Was soll denn das für einer gewesen sein? Und wie hat er ausgesehen?«, wollte der andere Barmann wissen.

»Wir wissen es leider nicht. Wir nehmen an, dass er männlich ist und unter vierzig.«

Die Angestellten konnten sich ein Lachen nicht verkneifen.

»Na, mit dieser Täterbeschreibung steht ja einer baldigen Festnahme nichts mehr im Weg«, sagte der eine.

Kern und Dennis wollten sich der Heiterkeit nicht anschließen.

»Hat sich hier irgendjemand merkwürdig verhalten? Hat sich jemand beschwert, dass es zu schmutzig ist? Oder hat jemand ständig die Stühle gerade gerückt oder so was?«, fragte Dennis.

»Sie suchen jemanden mit einem Tick? Na ja, also, ganz im Ernst. Wir sind ein Szeneklub in Mitte. Hier laufen mehr Leute mit Ticks rum als auf einer Kunsthochschule.«

Kern und Dennis wandten sich ab, um sich unter vier Augen zu beraten.

»Wir haben noch ein paar Läden, in denen er zwei- oder dreimal war. Vielleicht haben wir da ja mehr Glück«, sagte Kern.

»Und wenn nicht, überprüfen wir einfach alle Partnerseiten im Web auf seine IP«, schlug Dennis vor.

»Das sind bestimmt Hunderte. Na ja, dann haben wir wenigstens was zu tun«, antwortete Kern.

Sie gingen wieder zum Tresen hinüber, an dem die beiden Barleute noch immer warteten.

»Ich lasse Ihnen meine Karte hier. Wenn Ihnen noch was einfällt, melden Sie sich bitte«, sagte Kern und legte seine Karte auf den Tresen.

Der Barmann, der sie an sich nahm, wandte sich seinem Kollegen zu.

»Wir könnten doch Suzi mal fragen. Die quatscht doch immer so viel mit den Gästen. Vielleicht weiß die ja was.«

»Die arbeitet doch erst seit zwei Wochen hier. Wie soll die jemanden kennen, der vor drei Wochen da war?«, wandte sein Kollege ein.

»Ach so, stimmt. Also, tut uns leid, aber wir melden uns sofort, wenn uns ein Gast mit Laptop komisch vorkommt. Okay?«

»Okay.«

Kern war nicht besonders enttäuscht. Er wusste, dass er dem Putzteufel jetzt ganz dicht auf den Fersen war. Er benutzte jedes Mal denselben Rechner, und diesen Rechner würde er finden.

Für heute würden Dennis und er aber Feierabend machen. Sie wollten am nächsten Morgen fit sein, wenn die Jagd durch das Internet beginnen würde. Heute konnten sie ohnehin nichts mehr unternehmen.

38

Pünktlich auf die Minute klingelte es an Janthiengs Tür. Sie hatte nichts anderes von Angel erwartet. Deswegen war sie bereits vollständig mit ihren Vorbereitungen fertig und konnte es kaum erwarten, ihm zu öffnen. Sie warf noch einen Blick in den Spiegel, um den Sitz ihrer Haare zu überprüfen. Dann lief sie zur Tür und griff nach dem Knauf. Bevor sie ihn herumdrehte, hielt sie noch einmal kurz inne. Sie wusste nicht, was sie erwarten würde. Angel hatte sich wirklich geheimnisvoll ausgedrückt. Deswegen nahm sie sich vor, in jedem Fall die Fassung zu bewahren. Das Schlimmste, was ihr passieren konnte, war, dass sie bei seinem Anblick zusammenzucken würde. Sie warf zur Sicherheit noch einen kurzen Blick durch den Türspion, doch der Flur war vollkommen dunkel.

»Angel?«, fragte sie durch die Tür.

»Mayflower?«, erwiderte eine weiche, angenehme Stimme.

Janthieng holte tief Luft, dann öffnete sie ihrem Gast.

Sie sahen einander an. Für einen kurzen Augenblick schien die Erde stillzustehen.

Raphael war deutlich größer als Janthieng. Sie war eine zierliche Frau mit langen schwarzen Haaren und braunen Mandelaugen. Sie hatte einen leichten Silberblick, und ihre Haut war blass. Raphaels Erscheinung war dagegen atemberaubend. Groß, blond und in sein grünes Designergewand gehüllt, stand er mit seinem Gehstab im Türrahmen und blickte auf Mayflower hinunter. Er schien dabei von einem Lichtschimmer umgeben zu sein, doch es war nur die Einbildung, die Janthieng einen Streich spielte. Es mochten keine zwei Sekunden gewesen sein, die sie einander wortlos gegenüberstanden, doch der kleinen Frau kamen sie wie eine Ewigkeit vor. Raphael griff in seine Tasche. Mit einer eleganten Bewegung zog er etwas heraus.

»Für dich«, hauchte er leise, während er ihr die CD überreichte, die er ihr mitgebracht hatte.

Erst jetzt konnte Janthieng wieder klare Gedanken fassen.

»Danke«, brachte sie zögerlich hervor, bevor sie zur Seite trat, um Raphael in die Wohnung zu lassen.

»Ich hab mir dich ganz anders vorgestellt«, gab sie zu, nachdem sie Raphael ins Wohnzimmer geführt und ihm einen Platz angeboten hatte.

»Glaube ich dir nicht«, antwortete er lächelnd. »Du hast mit einem Engel gechattet. Und Engel stellt man sich doch so vor, oder?«

Janthieng strahlte über das ganze Gesicht.

»Stimmt auch wieder. Aber jetzt kannst du mir ja auch deinen richtigen Namen verraten. Ich bin Janthieng, aber alle nennen mich Jani.«

»Ich bin Raphael. Janthieng – ein schöner Name. Wie die Blume, die ihn trägt.«

»Möchtest du Tee?«, rettete sich die schüchterne Frau aus ihrer Verlegenheit.

»Gern.«

Während Janthieng in die Küche ging, sah Raphael sich um. Der Esstisch in der Ecke war groß genug, um sie daraufzulegen. Die Hemden, die er mitgenommen hatte, würden allerdings alle etwas zu groß ausfallen. Er hatte sich die Pilgerin nicht so schlank vorgestellt. Die ganze Wohnung war voller kleiner Figuren und Tassen, die sie anscheinend von Urlaubsreisen mitgebracht hatte. Sie hatte eine große Schrankwand mit vielen Bildern darauf. Leider Teppichboden. Egal, der Nasssauger, den er im Wagen hatte, arbeitete leise und gründlich.

Raphael ist neun Jahre alt. Er hört die Glasscheiben zerbrechen – gleich werden sie in den Raum stürmen und ihm seinen Vater nehmen. Er soll auch sich verstecken, nicht nur ihn. Die Stille bringt die Bilder zurück. Raphael hat Angst.

»Darf ich die CD einlegen?«, fragte Raphael in Richtung Küche.

»Ich mach schon«, erhielt er zur Antwort, bevor Mayflower Sekunden später mit einem Teetablett zurückkam.

»Du bist so jung. Du hast wie ein älterer Mann geschrieben. Mit so viel Weisheit und Lebenserfahrung«, sagte Janthieng.

»Deswegen bin ich auch lieber im Internet. Man wird sonst immer nur nach seinem Aussehen beurteilt.«

»Stimmt schon. Aber dass du so gut aussiehst. Jetzt komme ich mir komisch vor.«

»Du kommst dir schon lange komisch vor, oder? Hast du oft geschrieben. Du fühlst dich immer zu klein, zu alt, zu hässlich. Warum?«

Raphael stand auf und legte seine Hände mit leichtem Druck auf Janthiengs Wangen. Er hatte noch immer seine Sonnenbrille auf, als er sie ansah.

»Ich glaube, du fühlst dich einfach nicht zu Hause. Die Europäer sehen anders aus als du. Sie denken anders, sie handeln anders. Deswegen hast du das Gefühl, nicht dazuzugehören, oder?«

Raphaels Worte trafen Janthieng mitten ins Herz. Obwohl sie seit ihrer Kindheit in Berlin lebte, hatte sie sich tatsächlich nie wirklich zu Hause gefühlt.

»Trink doch erst mal«, sagte sie und goss ihm Tee ein.

Die Berührung tat ihr viel zu gut, als dass sie sie noch länger ausgehalten hätte. Die traurig-schöne Musik trug die beiden wie auf Schwingen.

Chopins Musik hat die Männer aufgehalten. Sie können nicht ins Zimmer kommen.

Eine halbe Stunde lang stellte Mayflower ihrem Gast eine Frage nach der anderen. Es war nicht nur, dass es so vieles gab, das sie von ihm wissen wollte. Es war vor allem ihre Angst, dass er noch mehr über ihre Geheimnisse in ihren Augen lesen würde, wenn sie zuließe, dass er das Gespräch führte. Raphael hörte ihr geduldig zu und beantwortete ihre Fragen so ehrlich, wie er konnte. Auch wenn er ihr noch nicht alles über seine wahre Bestimmung verraten wollte.

»Warum nimmst du nicht die Brille ab?«, fragte Mayflower schließlich.

»Später«, bekam sie ebenso zur Antwort wie vor ihr bereits der Dachdecker und die Apothekerin.

Raphael vergewisserte sich, dass seine Tasche in Reichweite lag.

»Du hast gesagt, du gehst nicht gern aus. Verstehe ich nicht, so wie du aussiehst«, sagte Janthieng ungläubig.

»Die Menschen starren mich an. Ich wecke Sehnsüchte in ihnen, aber das macht ihnen auch Angst. Deswegen lehnen sie mich ab.«

Raphael löste seinen Schal. Sein Hals und sein Kinn waren ebenso ebenmäßig und ideal proportioniert wie alles andere an ihm. Wenn er die Brille abnehmen würde, gäbe es kein Zurück mehr. Aber die Zeit war noch nicht gekommen.

»Wie oft warst du noch in Thailand, nachdem ihr hergezogen seid?«, kam er schließlich auf das Thema zurück, von dem Mayflower so eifrig hatte ablenken wollen.

»Nicht oft.«

»Und wie war es für dich?«

»Nicht so schön, wie ich es mir vorgestellt habe.«

»Warum?«

»Ich habe mich nicht so gefühlt, wie ich es erwartet hatte.«

»Was hattest du denn erwartet? Dass du da hingehörst? Dass du dich zu Hause fühlen würdest?«

»Irgendwie schon.«

Janthieng sprach immer leiser. Es war, als könnte Raphael direkt in ihre Seele blicken.

»Du fühlst dich wie eine Wanderin zwischen den Welten, stimmt's? Egal wo du hingehst, du bist nie zu Hause. Du fühlst dich überall fremd.«

Janthieng senkte den Kopf und verdrückte eine Träne.

»Ja«, flüsterte sie.

»Du bist eine Pilgerin. Unterwegs in der Fremde.«

Sie hatte Raphael wochenlang so viel von sich erzählt. Und er hatte es zu einem Bild zusammengefügt, das er ihr nun wie einen Spiegel vor Augen hielt.

»Das hat noch nie jemand so gesagt«, erwiderte sie. »Es hat sich auch noch nie jemand so in mich hineinversetzt. Wie machst du das?«

Sie war tief berührt. Die ganze triste Welt um sie herum war wie ausgeblendet. Die monotone Arbeit in der Wäscherei ihrer Eltern, das baufällige Haus, in dem sie lebte, sogar der Braten im Ofen.

»Mir ist auch mal jemand begegnet, der mir die Augen geöffnet hat. Er hieß August, ein sehr kluger Mann. Wir hatten gute Gespräche. Er hat mir meine Bestimmung gezeigt. Mein Ziel. Man muss es einfach kennen.«

»Sein Ziel?«

»Wir sind alle auf einer Wanderschaft. Aber bevor man seinen Weg gehen kann, muss man sein Ziel kennen. Kennst du deins?«

Janthieng dachte nach.

»Du bist eine Pilgerin«, wiederholte Raphael. »Was ist dein Ziel?«

»Die Fremde?«, fragte Mayflower.

»Das ist der Weg. Aber was ist das Ziel?«

Janthieng begann zu weinen. Raphael zog ein Taschentuch hervor, stand auf, reichte es ihr und stellte sich hinter sie.

»Was könnte es denn sein?«, fragte er.

Mayflower schluckte kräftig, wischte sich die Tränen aus dem Gesicht und drehte sich zu Raphael um.

»Ich weiß nicht«, gab sie zu. »Du hast schon irgendwie recht. Aber ich weiß es einfach nicht.«

Wieder liefen Tränen über Mayflowers Gesicht. Raphael reichte ihr ein zweites Taschentuch und begann, ihr mit leichtem Druck den Nacken zu massieren. Janthieng genoss seine Berührung. Nach einigen Sekunden ließ Raphael von ihr ab und griff in seine Tasche, um das Chloroform herauszuholen. Vorsichtig schraubte er die Flasche auf und stellte sie in Reichweite auf den kleinen Glastisch in der Ecke, auf dem seine Gastgeberin sie nicht sehen konnte. Dann lief er um ihren Sessel herum und ging vor ihr in die Hocke.

»Mayflower, meine Blume«, hauchte er weich und liebevoll. »Du hast mich gerufen. Jetzt sag mir, was ich für dich tun kann.«

Janthieng musste nicht lange überlegen. Sie war ihm verfallen.

»Hilf mir«, antwortete sie.

Der Zeitpunkt war gekommen. Raphael nahm seine Brille ab. Janthieng war sprachlos.

Seine blauen Augen schienen zu leuchten wie ein Licht in der dunklen Nacht. Seine Gesichtszüge waren absolut ebenmäßig. Die Größe seiner Nase im Verhältnis zum Mund, der Schwung seiner Lippen, der Abstand seiner Augen – alles harmonierte perfekt. Raphael war so unbeschreiblich schön, dass seine bloße Anwesenheit Euphorie, aber auch Sehnsüchte und Wehmut auslösen konnte. Sosehr Mayflower es auch versuchte, sie konnte ihren Blick nicht von ihm wenden. Er war wundervoll.

»Wenn du allein auf deiner Wanderschaft bist, wenn die Trauer dich einhüllt, wenn die Mutlosigkeit dich lähmt, dann komme ich zu dir hinunter auf die Erde. Wenn deine Seele krank ist, dann ruf nach mir. Ich kenne dein Ziel, Pilgerin.«

Raphael sprach, als zitiere er.

»Was?«, stammelte Mayflower.

»Erlösung«, hauchte Raphael.

Janthieng saß sprachlos da. Sie war mit der Flut der Eindrücke, die auf sie einprasselten, vollkommen überfordert.

»Hast du noch ein Taschentuch?«, stammelte sie schließlich.

»Ja. Ein ganz besonderes.«

Er stand auf, lief zu dem Tisch, zog ein grünes Seidentuch hervor, beträufelte es mit Chloroform und ging zurück zu Janthieng.

»Riech dran«, sagte er und hielt es ihr unter die Nase, während er sie mit dem strahlenden Blick seiner leuchtenden Augen zu hypnotisieren schien. Der süßliche Geruch der Lösung gefiel ihr. Die Dämpfe berauschten ihre Sinne.

»Steh auf«, sagte Raphael, nachdem er die schnell einsetzende Wirkung des Mittels bemerkte.

Janthieng erhob sich, wirkte schwindelig, sackte benebelt zusammen. Raphael fing sie auf. Sie war noch bei Bewusstsein.

»Denkst du, dass du hier Erlösung findest? In dieser Stadt? In diesem Haus? Du bist ein wundervolles Geschöpf. Du verdienst mehr als das hier.«

»Angel...«, hauchte die Frau, die sich plötzlich nur noch an den Chatnamen ihres Gegenübers erinnern konnte.

»Ich gebe dir, was du verdient hast«, hauchte er ihr liebevoll ins Ohr, während er mit seinen starken Armen ihren Stand stabilisierte. »Ich schenke dir Erlösung. Ich stehe im Westen vor Gottes Thron und wache über dich.«

Mit diesen Worten ließ er sie auf ihren Sessel sinken und griff wieder nach dem Chloroform. Er tränkte das Seidentuch noch einmal kräftig und führte es vor das Gesicht der Pilgerin. Dann presste er es gegen ihren Mund, bis sie kurz darauf das Bewusstsein verlor.

»Gott heilt die Seele. Ich heile die Seele. Ich bin Raphael.«

39

Jetzt klang allein die Musik durch den Raum. Die Pilgerin lag regungslos auf ihrem Sofa, während Raphael schweigend vor ihr stand und sie betrachtete. Chopins Klavierkonzert Nr. 5 bettete Mayflower wie auf eine Wiese der Geborgenheit und des tiefen Friedens. Lächelnd strich Raphael über ihre Wange. Dann kniete er nieder und gab ihr einen Kuss auf die Stirn.

»Gleich«, hauchte er.

Raphael erhob sich mit einer Bewegung, die voller Grazie und Eleganz war, um das Badezimmer zu suchen.

Mit geübten Griffen führte er den Stöpsel der Badewanne in

den Abfluss und drehte den Wasserhahn auf. Es würde etwa zehn Minuten dauern, bis die Wanne gefüllt war.

Er ging zurück ins Wohnzimmer und lief zum Esstisch. Damit er ihn im Zentrum des Raums positionieren konnte, musste er den Couchtisch, an dem die beiden Tee getrunken hatten, verschieben. Wahrscheinlich war es sogar erforderlich, die Möbel des Wohnzimmers komplett neu anzuordnen, damit sie auch nach der Reinigung ein stimmiges Gesamtbild ergaben. Aber zunächst war die Pilgerin wichtiger. Raphael fand im Badezimmerschrank ihre Kosmetikartikel. Das Hemd würde er später zusammen mit den notwendigen Putzmitteln aus dem Wagen holen. Er holte die Tüte mit den getrockneten Fischinnereien aus seiner Tasche und legte sie in die Porzellanschale. Sobald die Pilgerin gereinigt war, würde er das Herz und die Leber des Fisches verbrennen und die Pilgerin dadurch endgültig von dem Dämon befreien.

Raphael atmete noch einmal einen tiefen Zug der Musik ein, bevor er erneut vor der bewusstlosen Janthieng niederkniete, um sie hochzuheben. Sie wog gerade einmal fünfundvierzig Kilo, ein Leichtes für den großen, kräftigen Mann. Ganz behutsam, damit sie sich nur nicht den Kopf anstoßen würde, trug er ihren schlaffen Körper ins Badezimmer. Zunächst senkte er ihre Füße in das warme Wasser, bevor er langsam und bedächtig den Rest folgen ließ. Als Mayflower vollständig eingetaucht war, begann sie sich zu räkeln, als habe man sie in ein weiches Bett gelegt. Raphael betrachtete ihr friedliches Gesicht.

»Du hast meine Heilung erbeten, Pilgerin«, sagte er in einem klaren, ruhigen Ton. »Ich heile dich auf allen Ebenen, ich reinige deine Seele und führe dich ins Paradies.«

Raphael erhob sich, streifte sein Hemd ab und stellte sich mit freiem Oberkörper vor die Badewanne. Sein unbeschreiblicher Anblick ließ ihn in diesem Augenblick tatsächlich wie eine Engelsgestalt erscheinen, die einen Ort der Trauer und Mutlosigkeit aufgesucht hatte. Er legte seine großen Hände auf Janthiengs Schulter, damit er ihren Kopf unter Wasser drücken konnte.

»Ich bin der Regent der Sonne, der Hüter des Lebensbaums. Ich bin über alles Leid und alle Wunden gesetzt. Ich heile und erlöse dich.«

Mit sanftem Druck ließ er die Pilgerin unter Wasser gleiten, bis ihr Kopf vollständig untergetaucht war.

»Mama?«

Raphael wandte sofort den Blick zur Badezimmertür, als er die helle Kinderstimme hörte.

Ein kleiner Junge stand im Türrahmen. Er trug einen blauen Schlafanzug und hielt ein Kissen im Arm.

»Bist du Mamas Freund?«, fragte er Raphael, der sofort den Druck von Mayflowers Schultern nahm, damit sie wieder Luft bekommen konnte.

Janthieng hatte Raphael absichtlich nicht erzählt, dass sie aus einer früheren Beziehung einen Sohn hatte. Seine Fotos sowie andere Hinweise darauf, dass ein Kind mit ihr zusammenlebte, hatte sie vor seinem Besuch weggeräumt. Sie hatte schon oft die leidvolle Erfahrung gemacht, dass Männer in ihr nicht mehr die Frau, sondern nur noch die Mutter sahen, wenn sie ihnen von ihrem Sohn erzählt hatte. Natürlich hätte sie Raphael den Jungen vorgestellt. Aber erst etwas später, wenn sie ihn näher gekannt hätte.

»Deine Mama wollte noch baden, aber sie ist eingeschlafen«, sagte Raphael zu dem Kind mit den niedlichen Mandelaugen.

»Wolltest du auch baden?«, fragte er den halb entkleideten Raphael.

»Ich wollte nur nicht, dass meine Sachen nass werden. Wie heißt du denn?«

»Dominik.«

»Dominik, hilfst du mir, deine Mama ins Bett zu bringen?«

»Gut.«

Raphael nahm den Jungen an die Hand und ließ sich von ihm das Schlafzimmer seiner Mutter zeigen.

»Schlag schon mal die Decke auf. Ich trockne deine Mama ab und trage sie ins Bett. Sei bitte leise, sonst wacht sie noch auf.«

Der Junge tat, was Raphael ihm gesagt hatte, während dieser zurück ins Badezimmer ging, um Mayflower aus dem Wasser zu holen. Er zog sie aus und trocknete ihren Körper behutsam ab. Dann griff er das Nachthemd, das er aus dem Schlafzimmer mitgenommen hatte, und zog es der noch immer bewusstlosen Frau über. Danach trug er sie vorsichtig in ihr Bett.

»Ich glaube, deine Mama hat nichts dagegen, wenn du heute bei ihr schläfst«, sagte er zu Dominik.

»Gehst du jetzt nach Hause?«, fragte der Junge.

»Ja. Sag deiner Mama einen lieben Gruß von mir, wenn sie aufwacht.«

Raphael streichelte dem Kind durch die Haare und ging ins Wohnzimmer, um seine Tasche und den Gehstab zu holen. Er nahm die CD aus dem Player; seine Fingerabdrücke waren darauf. Dann steckte er die Tasse, aus der er getrunken hatte, in seine Tasche und wischte mit einem Tuch über die Klinken, Armaturen und Gegenstände, die er berührt hatte. Er packte die Schale mit den Fischinnereien wieder ein und ging danach in die Küche, um den Ofen auszustellen. Das Kind blieb im Schlafzimmer. Raphael kam noch einmal zu den beiden zurück.

»Wenn deine Mama aufwacht, beginnt für euch ein neues

Leben. Das verspreche ich dir, Dominik«, sagte er zu dem Jungen und sah ihn aus seinen leuchtenden Engelsaugen an, bevor er wieder seine Sonnenbrille aufsetzte, sich abwandte und so leise und elegant ging, wie er gekommen war.

Die Haustür war nicht abgeschlossen. Es war auch noch nicht sehr spät, als Raphael unverrichteter Dinge den trostlosen Neubau verließ. Die Mühen der vergangenen Wochen waren vergebens gewesen. Doch er war weder wütend noch enttäuscht. Er hatte die richtigen Entscheidungen getroffen, und die Stadt war voll von Menschen, die seine Hilfe brauchten. Beim nächsten Mal würde es anders laufen.

Es waren nur wenige Schritte bis zu Rons Wagen. Raphael griff in seine linke Hosentasche und holte sein Handy hervor, als eine Stimme aus einem Hauseingang ihn ablenkte.

»Ey, Alter! Was machst du hier?«

Raphael blieb stehen und blickte in die Richtung, aus der die Stimme gekommen war. Er konnte drei Silhouetten im Hauseingang erkennen.

»Ich hab dich was gefragt. Bist du taub, Alter?«

Offenbar handelte es sich um drei junge Männer, die hier herumlungerten.

»Es ist wohl besser, wenn ihr nach Hause geht«, antwortete Raphael ruhig und sachlich.

Die Musik ist nicht da. Sie sollten ihn nicht provozieren.

»Hast du das gehört, Alter? Der Hurensohn will uns vorschreiben, was wir machen sollen«, stieß der Zweite aus der Gruppe seinen Freund an.

Sie setzten sich in Bewegung und umringten Raphael. Im Licht der Straßenlaterne konnte er erkennen, dass die drei etwa zwischen zwanzig und fünfundzwanzig Jahre alt waren. Der

Wortführer war nicht so groß wie Raphael, aber sehr breit und kräftig gebaut.

»Pass auf, Schwuchtel, das ist unsere Straße. Hast du ein Problem damit?«

»Offen gestanden, sieht sie auch so aus. Wenn ihr nichts dagegen habt, würde ich jetzt gern in *meine* Straße zurück.« Ein kräftiger Hieb traf ihn im Rücken, sodass er nach vorn gegen den Anführer der Gruppe geschleudert wurde. Raphaels Knie knickten ein; er konnte sie aber stabilisieren und sich auf den Beinen halten.

»Hast du mich angerempelt, du Hurensohn?«

Raphael öffnete vorsichtig den Reißverschluss seiner Tasche. Womöglich würde er sich mit seiner Pistole Respekt verschaffen müssen.

»Ich bin nicht hier, um mich zu streiten. Also lasst mich in Ruhe«, redete er beschwichtigend auf die Gruppe ein.

»Du hast unsere Straße beleidigt, Schwuchtel. Wenn du unsere Straße beleidigst, beleidigst du uns. Hast du keinen Respekt, Hurensohn?«

»Geht mir aus dem Weg«, antwortete Raphael.

»Wenn du unsere Straße benutzen willst, musst du zahlen, Alter.«

Die beiden anderen der Gruppe standen jetzt so nah bei Raphael, dass er ihren Atem riechen konnte.

»Zum letzten Mal: Lasst mich durch.«

Raphael hielt den Griff seiner Waffe in der Tasche fest umklammert.

»Ich ficke deine Mutter, Hurensohn!«, sagte der Angesprochene und spuckte Raphael vor die Füße.

»Von mir aus«, antwortete er. »Wenn du einen hochkriegst.«

Die Ruhe, mit der Raphael auf die drei einredete, beeindruckte sie. Er war groß und kräftig und hatte offenbar keine Angst. Der Anführer trat einen Schritt zur Seite. Raphael nutzte die Lücke und eilte auf Rons Wagen zu.

»Ich kille deinen Vater!«, rief ihm einer aus der Gruppe hinterher.

Einen Moment lang überlegte Raphael, wie er reagieren sollte. Die Bilder von damals durchzuckten ihn. Er wandte sich um und lief zu den dreien zurück.

»Wie bitte?«, fragte er.

Der Anführer trat noch einmal ganz dicht an ihn heran und wiederholte ruhig und langsam: »Ich kille deinen Vater!«

Blitzschnell zog Raphael seine Pistole. Er trat einen Schritt zurück und richtete sie auf das Gesicht des jungen Mannes. Die erste Kugel schlug unterhalb seines linken Auges ein, die zweite ließ seine Zähne zersplittern und deren Bruchstücke zusammen mit dem Projektil hinten aus dem Hals austreten, wo sie das Gesicht des Zweiten beschmutzten. Die dritte Kugel drang weiter oberhalb in die Schädeldecke ein, bevor der Getroffene zusammensackte. Der Zweite stand regungslos daneben. Als Raphael die Waffe auf ihn richtete, streckte er seine Hand aus, als hätte sie die Kugel aufhalten können. Das Geschoss durchschlug sie und trat in seinen Hals ein, etwas oberhalb der Stelle, an der Raphael damals seine Klavierlehrerin erstochen hatte. Der Dritte hatte mit einem Fluchtreflex reagiert und war losgelaufen. Die Kugel traf ihn in die Wirbelsäule und durchtrennte sein Rückenmark. Er versuchte, mithilfe seiner Arme auf dem schmutzigen Bürgersteig davonzurobben. Raphael lief mit ruhigen Schritten zu ihm und stellte sich über ihn.

»Lass die Scheiße, Alter!«, rief sein Opfer, bevor das Geschoss von oben seinen Schädel durchschlug, auf das Bordsteinpflaster aufprallte, zersprang und sein Gesicht zerfetzte.

Der Schalldämpfer hatte zwar die Intensität des Mündungs-knalls verringert; trotzdem waren die Schüsse laut gewesen. Sie hatten mit Sicherheit Anwohner aufgeschreckt. Zügig, aber ohne Hektik verstaute Raphael die Waffe, ging zum Wagen, holte dabei sein Handy heraus und betätigte den Kurzwahlspei-cher. Nach wenigen Sekunden hob jemand ab.

»Bleib, wo du bist. Es ist schiefgegangen«, sagte er, bevor er den Wagen anließ und losfuhr.

40

Kern hatte es aus den Nachrichten erfahren, bevor er im LKA eingetroffen war. Er wusste, sie würden kopfstehen. Drei junge Männer, erschossen in einem der größten sozialen Brennpunkte der Stadt.

Tatsächlich herrschte reges Leben auf den Fluren, als Kern in Tempelhof eintraf. Daniela Castella lief ihm fast in die Arme, als er in den Fahrstuhl einsteigen wollte, aus dem sie zügig he-rauskam.

»Das klappt ja wie verabredet«, begrüßte sie Kern. »Ich muss mit Ihnen reden. Haben Sie schon gefrühstückt? Sie sehen nicht so aus.«

»Sie haben mich durchschaut.«

»Dann lade ich Sie auf eine Currywurst ein.«

»Currywurst? Haben Sie mal auf die Uhr geguckt?«

»Sie reden ja wie im Altersheim. *Kaffee und Kuchen um 16.30 Uhr.* Wissen Sie, seit wann ich heute hier bin?«

Sie verließen das Gebäude durch den Hintereingang, um nicht an den Journalisten vorbeizumüssen, die auf die angekündigte Pressekonferenz am Mittag warteten.

»Wovon gehen wir denn aus? Bandenrivalität?«, fragte Kern, während sie die Straße überquerten.

»Sieht so aus. Als ob wir in Mexiko City wären.«

»Wer waren denn die Opfer?«

»Ganz kleine Fische. Jede Menge Vorstrafen, aber alles nur Pipifax.«

»Wollte da jemand ein Exempel statuieren?«

»Was, wenn? Die Jungs sind geradezu hingerichtet worden. Das wäre eine völlig neue Dimension der Gewalt in Berlin. Ich weiß nicht – was tun wir uns da eigentlich jeden Tag freiwillig an? Ich hätte auf meinen Vater hören sollen. Der wollte, dass ich die Hauswirtschaftsschule besuche.«

Kern schmunzelte.

»Vermutlich hätten Sie das Essen dazu gebracht, sich selbst zu kochen.«

»Schon, es hätte nur nie so geschmeckt, wie ich es ihm gesagt hätte«, antwortete Castella augenzwinkernd.

»Weswegen wollten Sie mich denn sprechen?«, fragte Kern.

Sie erreichten die kleine Currywurstbude, die dem LKA direkt gegenüberlag. Es war einer der typischen Imbisse, die überall in Berlin zu finden waren. Selbst gebastelte Schilder, die vor Rechtschreibfehlern und absurden Apostrophen nur so strotzten, priesen Speisen wie *hausgemachten Kartoffelsalat* an, der aus gekauften Fünfzehn-Kilo-Eimern unter den Augen der Kunden in Salatschalen umgefüllt wurde. Ausgeglichen wurde es durch die lustige Verkäuferin mit der Berliner Schnauze, die für jeden Kunden einen eigenen Spruch auf Lager hatte. Castella bestellte eine Currywurst mit Pommes frites und einen Kaffee für Kern.

»Sie haben ihn also im Internet aufgespürt?«, fragte sie, während die Verkäuferin eine Wurst in mundgerechte Stücke schnitt.

»Nicht ihn. Aber wir haben die Kennung seiner Netzwerkkarte. Solange er sie benutzt, können wir ihn damit schnappen.«

»Wie stellen Sie sich das vor?«

»Wir müssen sämtliche Chatforen nach der Karte durchsuchen.«

»Und Sie sind sicher, dass er es ist?«

»Spricht alles dafür.«

»Schön, schön. Sieht ja wirklich so aus, als wären Sie an ihm dran.«

Castella steckte sich hungrig ein Stück Wurst in den Mund. Es war sehr heiß, sodass sie vorsichtig kauen musste.

»Das Problem ist, dass wir jetzt die größte Aufmerksamkeit auf die Schießerei in Neukölln richten müssen. Ich werde nicht umhinkönnen, Ihrem Team ein paar Leute abzuziehen.«

»Aber wir stehen kurz davor, ihn zu schnappen.«

Castella nickte, um nicht mit vollem Mund antworten zu müssen.

»Darüber wollte ich mit Ihnen reden«, sagte sie, als sie runtergeschluckt hatte. »Die Öffentlichkeit hat vom Putzteufel noch nichts mitbekommen. Ich weiß nicht, was für eine Sauerei das gestern Nacht war, aber wer auch immer diese Jungs erschossen hat, hat in zehn Sekunden genauso viele Menschen ermordet wie der Putzteufel in fast einem Jahr. Wir haben jetzt Verhöre zu führen, Wohnungen zu durchsuchen, das ganze Programm. Außerdem klebt uns die Presse an den Hacken.«

»Worauf wollen Sie hinaus?«, fragte Kern und trank den ersten Schluck von seinem Kaffee.

Er verzog das Gesicht.

»Schmeckt nicht?«, fragte Castella, als sie es bemerkte.

»Grünbergs war besser.«

»Julius, können Sie die Putzteufel-Sache ohne Quirin zu Ende führen?«

»Wie meinen Sie das?«

»Ich möchte ihn an den Neukölln-Fall setzen. Ihnen würde ich dann den Putzteufel übergeben. Allerdings mit verkleinertem Team. Wie sieht's aus?«

»Das kommt ein bisschen plötzlich.«

»Keine Ausreden. Sie haben in drei Wochen mehr rausgefunden als die anderen in acht Monaten. Außerdem stehen Sie ja anscheinend kurz vor dem Abschluss. Zumindest, wenn das mit Ihrer Internetrecherche kein Irrtum war. Wie wollen Sie denn jetzt vorgehen?«

»Wir müssen alle Chatforen auf seine IP absuchen. Er sucht seine Opfer in Berlin, also konzentrieren wir uns darauf. Vielleicht können wir ihn in eine Falle locken. Außerdem haben wir die Liste mit den Orten, von denen aus er gechattet hat. Die müssen alle abgefahren werden. Und dann will ich auch noch mal zu Grünberg.«

»Ist der Kaffee hier wirklich so schlecht?«

»Der Putzteufel hat den Chatnamen *Seraphim* benutzt. Ich hab das überprüft. Seraphim sind Engel mit sechs Flügeln. Vielleicht kann Grünberg damit was anfangen.«

»Dann können Sie ihn auch gleich nach der Bedeutung von Fischopfern fragen.«

»Wie kommen Sie darauf?«

»Das Labor ist sich jetzt ziemlich sicher, dass die Asche am Hemd der dritten Leiche von einem Fisch stammt.«

»Aber warum verbrennt er einen Fisch?«

»Fragen Sie ihn, wenn Sie ihm die Handschellen anlegen. Können Sie sich noch an unser Gespräch erinnern? Wir können

Tassilo immer noch benutzen, um auf den Putzteufel aufmerksam zu machen.«

»Ich glaube, wir haben bald was in der Hand. Aber solange die Chance besteht, ihn über das Internet zu finden, sollten wir unter keinen Umständen an die Öffentlichkeit gehen. Wenn der Putzteufel mitkriegt, dass wir ihm auf der Spur sind, vernichtet er garantiert seine Netzwerkkarte.«

»Verstehe. Also, jetzt mal geordnet: Im Moment interessieren sich die Medien sowieso nur für den Neukölln-Fall. Knien Sie sich rein und holen Sie sich den Putzteufel ohne großes Aufsehen. Und wenn das schiefgeht, können wir immer noch über die andere Sache nachdenken. Okay?«

Kerns Blick fiel auf eins der selbst gebastelten Schilder am Fenster der Würstchenbude. *Mit Kaffee fängt der Tag gut an.* Er sah skeptisch in seinen Becher und nahm noch einen Schluck. Dann sagte er: »Teilen Sie mir mit, wer im Team bleibt, dann fangen wir sofort an.«

Castella sah über die Straße zu dem Presseauflauf hinüber, der sich vor dem LKA gebildet hatte.

»Ehrlich gesagt, ich bin überrascht«, gab Castella zu.

»Überrascht?«

»Ich war nicht begeistert von der Idee, Sie einzusetzen. Ich war ziemlich sicher, dass Sie noch nicht wieder so weit sind.«

»Dann habe ich Sie wohl enttäuscht?«

»Wenn mich mal alle so enttäuschen würden. Und jetzt entschuldigen Sie mich. Ich habe eine Pressekonferenz vor mir. Sie haben keine Ahnung, wie viel Lust ich darauf habe.«

Kern lachte.

»Ich bin auch nicht scharf drauf, es rauszufinden.«

Jetzt lachte auch Castella.

41

Professor Grünberg freute sich über Kerns Besuch. Er stand in der großen, etwas altmodisch ausgestatteten Küche seines Hauses und wusch Salat.

»Meine Kinder kommen zum Mittagessen vorbei. Stört es Sie, wenn ich hier ein bisschen weitermache?«, fragte er Kern.

»Ich kann Ihnen auch helfen, wenn Sie möchten.«

»Sie können kochen?«, wunderte sich Grünberg.

»Das habe ich nicht gesagt.«

Grünberg winkte ab.

»Umso besser, dann habe ich einen Schuldigen, wenn es meinen Kindern nicht schmeckt. Was führt Sie zu mir?«

»Es gibt neue Spuren.«

»Ihr Saubermann?«

»Er nennt sich *Seraphim*.«

»Interessant. Wem gegenüber?«

»Wir haben seine Spur im Internet aufgenommen. Es war sein Chatname, zumindest einem der Opfer gegenüber.«

Kaum dass er das gesagt hatte, überlegte Kern, ob der Professor wohl wissen würde, was ein *Chatname* war. Noch bevor er dazu kommen konnte, es zu erklären, antwortete Grünberg: »Mein Enkel nennt sich immer *Player17*. Ich wünschte, er wäre mal so kultiviert wie Ihr Mann. Dann würde ich ihm vielleicht sogar mal einen Mord durchgehen lassen. Aber nur einen ganz kleinen.«

Grünberg warf den gewaschenen Rucola in eine Salatschleuder und drehte sie kräftig.

»Die Seraphim sind die höchste Instanz in der Engelslehre«,

erklärte er. »Engel haben nämlich eine strenge Hierarchie, ungefähr so wie beim Militär. Seraphim stehen über allen anderen Engeln und sind die Mittler zwischen Gott und den Menschen. Mit sechs Flügeln und von einem Lichtkranz umgeben.«

»Was ist mit der Vorgehensweise unseres Mörders? Können Sie die in einen Zusammenhang zu den Seraphim bringen?«

Grünberg dachte nach.

»Nein«, antwortete er schließlich. »Es ist ja nicht die Aufgabe der Engel zu töten. Sie sind nicht mal Todesbegleiter. Engel sind Boten, Übermittler von Lehren. Sie stehen Menschen zwar gelegentlich bei, aber sie töten sie nicht. Und ganz sicher putzen sie auch nicht ihre Wohnungen. Könnten Sie vielleicht die Strauchtomaten waschen? Dann kann ich schon mal die Zwiebel schneiden.«

Kern legte die Tomaten in die Spüle und ließ kaltes Wasser darüberlaufen.

»Sie haben neulich gesagt, dass es Menschen gibt, die sich ihre eigene Religion zusammenschustern. Wie könnte so einer den Mythos der Engel mit seinen Morden verbinden?«

»Da stehen wir wieder vor demselben Problem wie beim letzten Mal: Spinner können immer alles miteinander verbinden. Sie könnten sich zum Beispiel ausdenken, dass Gott die Menschheit vernichten will und nun seine Engel aussendet, um sie alle einzeln zu töten. Oder dass ein Engel eine schlechte Pizza gegessen hat und er sich deswegen an der Menschheit rächen will.«

Grünberg ergriff ein Wasserglas und hielt es an die Lippen.

»Wasser im Mund verhindert, dass man weint beim Zwiebelschneiden«, erklärte er und nahm einen Schluck in den Mund. Dann schnitt er mit einem großen, geriffelten Messer in die Zwiebel.

»Aber was ist mit dem Putzen der Räume? Gibt es so was wie einen *Engel der Reinheit*?«

Grünberg deutete an, dass er mit vollem Mund nicht antworten könne. Kern musste einige Sekunden warten, bis die Zwiebel gewürfelt und das Wasser in den Ausguss gespuckt war.

»Engel sind im Grunde schon an sich der Inbegriff der Reinheit«, erklärte der Professor dann. »Aber Sie sagten gerade, er habe sich *einem der Opfer* gegenüber *Seraphim* genannt. Kennen Sie denn noch einen zweiten Chatnamen?«

»Noch einen, aber der hat mit Engeln nichts zu tun.«

»Wie lautet er denn?«

»*Tobias.*«

Grünbergs freundliche Gesichtszüge drückten jetzt eine gespannte Nachdenklichkeit aus. Er ließ von seinem Salat ab und überlegte. Die kleine Glocke, die Kern bei seinem ersten Besuch angestoßen hatte, klang plötzlich lauter. Schließlich lief er in sein Arbeitszimmer, um ein dickes Buch zu holen.

»Jetzt wird es interessant«, sagte er, nachdem er zurück in der Küche war.

Er schlug eine Seite nach und überflog sie.

»Sie sagten, dass das erste Opfer Ihres Mörders Unternehmensberater war?«

»Das stimmt. Warum?«, fragte Kern.

»War er vielleicht krank? Oder ist er zur See gefahren?«

»Ja, er war ständig auf Kreuzfahrtschiffen unterwegs. Wie kommen Sie darauf?«

Grünberg schüttelte den Kopf über sich selbst. Warum hatte er das nicht gleich gemerkt?

»Die beiden anderen Opfer waren ein Dachdecker und eine Apothekerin. Der Erste war ein Reisender. Und Ihr Mörder befasst sich mit Engeln und nennt sich Tobias.«

Grünberg schlug die Hände über seinem Kopf zusammen.

»Was bedeutet das?«, fragte Kern gespannt.

»Der Erzengel Raphael«, antwortete Grünberg.

»Ich verstehe nicht.«

Grünberg holte aus.

»Raphael gilt im Christentum als Schutzpatron der Reisenden, der Dachdecker und der Apotheker. Außerdem noch der Bergleute, der Kranken, der Seefahrer und der Pilger. Und seine Figur ist eng an die Geschichte eines Jungen gebunden. Und jetzt dürfen Sie raten, wie dieser Junge heißt.«

»Tobias?«

»Genau!«, rief Grünberg und zeigte Kern die Buchseite, die er aufgeschlagen hatte. »Sehen Sie mal hier. Das ist ein Bild von Adam Elsheimer. Es zeigt den Erzengel Raphael auf seiner Wanderung mit dem Jungen Tobias.«

Ein Engel mit ausgebreiteten Flügeln lief darauf mit seinem Gehstab hinter einem Jungen her, der einen großen Fisch trug.

»Es gibt im Alten Testament das Buch Tobit«, erklärte Grünberg weiter. »Tobit erblindet darin und ruft Gott um Hilfe an. Und der schickt ihm den Erzengel Raphael. Daraufhin sendet Tobit seinen Sohn Tobias gemeinsam mit dem Erzengel auf eine Wanderschaft, von der die beiden am Ende mit einem Heilmittel für Tobits Blindheit zurückkehren.«

»Der Junge trägt einen Fisch bei sich«, stellte Kern fest, der das Gemälde fasziniert betrachtete.

»Ja, mit der Galle des Fisches heilt Tobias seinen Vater.«

»Indem er sie verbrennt?«, wollte Kern wissen.

Grünberg staunte.

»Sie spielen auf die Asche an, die am Hemd des Opfers war?«

»Genau. Wir wissen jetzt, dass sie von einem Fisch ist.«

»Das ist ja interessant, da hätte ich eigentlich draufkommen können. Ihr Mörder treibt Aschmedai aus.«

»Wen?«

»Aschmedai, auch Asmodis oder Asmodeus. Er hat viele Namen. Das ist ein Dämon. Er tötet im Buch Tobit alle sieben Männer der Sarah. Raphael erklärt Tobias dann, wie er ihn besiegen kann. Er muss die Leber und das Herz eines Fisches verbrennen. Das treibt den Dämon nach Ägypten, wo Engel ihn dann gefangen nehmen.«

»Sie glauben also, dass ich nach einem Mann suche, der sich für den Erzengel Raphael hält?«

»Wenn man alle Hinweise zusammennimmt? Überhaupt kein Zweifel.«

»Aber Sie sagen doch, dass Engel nicht töten.«

»Sogar im Gegenteil. Raphael ist der Erzengel der Heilung. Der Name bedeutet übersetzt: *Gott heilt*.«

»Wovon auch immer unser Mörder seine Opfer zu heilen glaubt…«, entgegnete Kern nachdenklich.

»Sie sind mir schon einer«, sagte Grünberg mit einem anerkennenden Lächeln. »Jeder, den Sie gefragt haben, hat einen religiösen Hintergrund ausgeschlossen. Ich auch. Die müssen Sie im LKA ganz schön hassen. Einer, der immer recht hat.«

Grünberg öffnete den Kühlschrank, nahm ein großes Stück Fleisch heraus und legte es auf ein Schneidebrett.

»Möchten Sie zum Essen bleiben? Ich habe zwar keinen Fisch, aber wir müssen ja auch nur satt werden, keine Dämonen austreiben.«

»Das ist nett, aber ich habe jetzt viel zu tun. Wie könnte ich ihn denn anlocken, wenn ich ihn im Internet aufspüre?«

Grünberg rührte noch einmal die Marinade um, die er zubereitet hatte, und pinselte das Fleisch damit ein.

»Indem Sie in sein Opferprofil passen. Er muss sich für Ihren Schutzpatron halten. Versuchen Sie es mal als Bergarbeiter oder Wanderer.«

»Haben Sie vielleicht eine Idee, wie er aussehen könnte? Ich meine, wenn er versucht, sich dem Erzengel optisch anzunähern.«

»Flügel wird er sich nicht umbinden. Höchstens zu Hause vielleicht. Aber Raphael werden die Farben Violett und Grün zugeordnet. Vielleicht kleidet er sich ja so. Außerdem wird er gern als Pilger dargestellt, mit Stab, Fisch und einer Flasche.«

Kern machte sich Notizen.

»Und warum reinigt er die Wohnungen? Steht darüber auch was in der Bibel?«, fragte er dann.

»Nein. Raphael verlässt Tobias' Familie, nachdem sein Vater geheilt ist. Ich befürchte, dass er nicht vorher noch sauber gemacht hat. Das wäre dann auch ein bisschen zu viel verlangt gewesen.«

Grünberg sah sich in seiner Küche um. Die Arbeit an seinem Essen hatte ihre Spuren hinterlassen.

»Möchten Sie nicht vielleicht noch mal seine Putzarbeit nachvollziehen?«, fragte er Kern schmunzelnd.

»Wenn ich ihn durch Ihre Hilfe schnappe, dann putze ich Ihnen das ganze Haus«, versprach er.

Grünberg lachte.

»Das würde ich mir aber noch mal genau überlegen. Übrigens, es gibt noch was.«

»Was?«

»Raphael kommt nicht einfach so zu den Menschen. Man muss seine Hilfe brauchen und sie ausdrücklich von ihm erbitten.«

Kern verstand.

»Deswegen haben sie ihn also alle reingelassen. Professor, ich kann Ihnen gar nicht sagen, wie sehr Sie mir geholfen haben.«

Grünberg sah die Tomaten noch immer im Waschbecken liegen.

»Das kann ich von Ihnen leider nicht behaupten. So, jetzt muss ich mal ranklotzen, gleich fällt meine Familie über mich her und verlangt ein Hammelopfer.«

»Dann hole ich unseren Engel jetzt mal von seiner Wolke runter«, kündigte Kern an.

»Ich bitte darum«, antwortete Grünberg. »Das wäre auch eine tolle Anekdote für meine Sammlung. Einen Erzengel hatte ich nämlich noch nie.«

42

Raphael wartete vor dem Fernseher. Die Pressekonferenz zu den Morden an den drei Jugendlichen würde gleich übertragen werden. Sie konnten eigentlich nichts gegen ihn in der Hand haben. Es sei denn, jemand hätte ihn gesehen. In wenigen Minuten würde er es wissen.

»Nach dem jetzigen Stand der Ermittlungen können wir nur sagen, dass alle Opfer mit derselben Waffe getötet worden sind. Nach Angaben von Anwohnern sind die tödlichen Schüsse innerhalb weniger Sekunden abgegeben worden. Die Opfer waren nicht bewaffnet. Über die Hintergründe der Tat ist uns bislang nichts bekannt«, sagte Castella in die Kameras.

»Halten Sie einen Bandenkrieg für möglich?«, fragte eine Reporterin.

»Wir ermitteln in alle Richtungen. Wir können allerdings sagen, dass die Opfer, soweit uns bekannt ist, keiner als aggressiv eingestuften Gruppierung angehört haben«, antwortete Castella.

Raphael lehnte sich entspannt zurück. Es lief gut für ihn.

»Erst Übergriffe von Schülern gegen ihre Lehrer, dann werden alte Menschen auf offener Straße zusammengeschlagen. Jetzt diese brutalen Morde. Eskaliert die Gewalt in Berlin?«, wollte ein Reporter wissen.

»Solange wir die Hintergründe dieser Tat nicht kennen, sollten wir mit solchen Parolen vorsichtig sein. Unsere Kriminalstatistik der vergangenen Jahre zeigt deutlich eine Abnahme der Straftaten in Berlin. Der Anteil der Tötungs- und Sexualdelikte lag im letzten Jahr bei null Komma sechs Prozent aller Straftaten. Wir haben hier einen in dieser Form noch nicht da gewesenen Einzelfall, den wir so schnell wie möglich aufklären werden.«

»Wie hoch sehen Sie die Gefahr von Vergeltungstaten, falls es sich doch um einen Bandenkrieg handelt?«, fragte der nächste Journalist.

»Wir sollten jetzt alle einen kühlen Kopf bewahren und die Ermittlungen abwarten. Ich erwarte sehr bald Ergebnisse«, antwortete Castella.

Raphael schaltete den Fernseher aus. Stattdessen stellte er die Musikanlage an, die wieder Chopin erklingen ließ. Danach stand er auf und schlenderte elegant in den Keller.

Er hätte das Gemälde von Mayflower ohne Weiteres fertigstellen können. Ihr Gesicht hatte sich wie ein Foto vor seinem geistigen Auge eingebrannt. Doch er nahm es von der Staffelei und hängte es auf die rechte Seite seiner Galerie. Die Seite, auf die er die anderen Bilder hängte. Die Bilder ohne Gesichter.

43

»Wir sind jetzt ganz nah an ihm dran«, eröffnete Kern die erste Teamsitzung unter seiner Leitung. »Unsere Internetleute suchen das Web schon nach seiner IP ab. Das kann aber dauern. Solange meldet ihr euch bitte alle mit Lockvogelprofilen an. Und zwar auf jeder verdammten Chatseite, die ihr finden könnt.«

»Aber das sind Hunderte«, wandte Dennis ein.

»Wir fangen mit den kostenlosen an. Bei den anderen müsste er seine Bankverbindung angeben, dafür ist er viel zu vorsichtig. Jeder nimmt sich erst mal zehn Seiten vor. Meldet euch mit Namen an, die durchblicken lassen, dass ihr Bergarbeiter, Seefahrer, Dachdecker oder Apotheker seid.«

»Gibt's dafür auch einen Grund?«, fragte Judith Beer.

»Allerdings! Unser Putzteufel ist nämlich kein Teufel, sondern ein Engel.«

Kern sah fragende Blicke.

»Also, Grünberg ist sich sicher, dass er sich für den Erzengel Raphael hält. Und der ist der Schutzpatron dieser Berufsgruppen. Das ist seine Masche. Er sucht die, für die er zuständig ist, und bringt sie um.«

»Was für ein Schutz soll denn das sein?«, warf Dennis ein.

»Er will seine Opfer offenbar von einem Dämon befreien. Deswegen auch die Asche. Er verbrennt Fischinnereien.«

»Was redest du denn da?«, wunderte sich Judith.

»Ich habe euch das alles in einer Mappe zusammengestellt. Ihr müsst euch darin unbedingt einlesen. Alles, was ihr über den Erzengel Raphael wissen müsst. Zum Beispiel, dass er höchstwahrscheinlich erst um seine Hilfe gebeten werden will. Wenn ihr also von einem Typen angeschrieben werdet, der irgendwas von *Engeln* und *Erlösung* faselt, dann gebt ihm zu verstehen, dass ihr Hilfe braucht. Aber verplappert euch nicht. Ihr dürft kein Wort von Erzengeln erwähnen.«

Dennis meldete sich wieder zu Wort.

»Ich chatte auch manchmal. Da schreibt einem andauernd irgendeiner. Wenn wir auf zehn Seiten online sind, kriegen wir locker tausend Mails in der Stunde. Wir brauchen viel mehr Leute.«

»Haben wir aber nicht. Ihr schreibt erst mal nur Männern. Und nur Berliner. Sucht gezielt nach Usern, deren Namen mit der Geschichte der Erzengel zu tun haben. Stichwörter sind in der Mappe. Wenn sich ein Verdächtiger meldet, geht auf ihn ein. Versucht, ein Treffen mit ihm zu vereinbaren. Ich weiß, das ist jetzt echt viel Arbeit, aber wir haben endlich eine heiße Spur von ihm. Schnappen wir ihn uns!«

Dann wandte Kern sich Dennis zu.

»Dennis, nimm dir noch mal die Läden vor, von denen aus er mit den Opfern gechattet hat. Frag noch mal nach jemandem, der grüne oder violette Kleidung anhatte. In der Mappe sind Darstellungen des Erzengels Raphael. Zeig sie den Ladenbesitzern. Es ist gut möglich, dass er versucht, so auszusehen.«

»Geht klar. Ich kann ja auch gleich mal fragen, ob einer mit Laptop aufs Dach geflattert ist«, antwortete Dennis zur allgemeinen Erheiterung.

»Ich weiß ja auch, dass das komisch klingt«, entgegnete Kern. »Aber ihr dürft in keinem Fall vergessen, dass wir einen irren Serienmörder suchen. Also keine Alleingänge. Wenn ihr auf einen Verdächtigen stoßt, informiert mich sofort.«

Kern verteilte die Mappen, in denen er zusammengefasst hatte, was er in der Kürze der Zeit recherchieren konnte.

»Judith, du teilst die Chatseiten unter euch auf. Setzt euch dann bitte gleich an die Rechner. Und Dennis, informier mich sofort über alles, was du rauskriegst.«

»Geht klar, Chef.«

»Also dann viel Glück, Leute. Hoffen wir, dass wir schneller sind als er.«

44

Es war kurz vor Mitternacht. Nur noch das Flimmern des Computermonitors erhellte Kerns Büro, in dem er seit mehr als zehn Stunden online gewesen war. Er hatte so viele Nachrichten beantwortet, dass er mit seiner Konzentration fast völlig am Ende war. Und genauso wie bei seinen Kollegen gab es bislang nicht ein einziges verwertbares Ergebnis.

»Na, auch noch hier?«

Zum ersten Mal seit über einer Stunde blickte Kern von seinem Monitor auf, als Quirin den Raum betrat.

»Du machst dir kein Bild«, antwortete er müde. »Und über die Betreiber der Seiten kriegen wir auch nichts raus. Wie läuft's denn bei dir?«

Meisner setzte sich. Auch er war mit seinen Kräften völlig am Ende.

»Die Kugeln sind wahrscheinlich aus Südamerika. Militärbestände. Und die Opfer hatten alle mit Drogen zu tun, kleine Dealer. Ich gehe davon aus, dass es die Kolumbianer waren.«

»Also doch Bandenkrieg?«

»Was denn sonst? Die Jungs sind regelrecht hingerichtet worden. Das machen keine Schüler, die sich um ein Mädchen streiten. Sag mal, was hat mir Dennis vorhin erzählt? Unser Putzteufel hat Flügel bekommen?«

»Komisch, oder? Weißt du noch, wie ich damals mit Woelkes Leiche allein sein wollte?«

»Klar.«

»Ich hatte das Gefühl, dass er mir etwas zugeflüstert hat, kannst du dich erinnern? Aber ich konnte ihn nicht verstehen. Jetzt habe ich ihn endlich verstanden. Er hat immer und immer wieder das eine Wort zu mir gesagt.«

»Welches Wort?«

»*Reinheit.* Das war es, was er seinen Opfern schenken wollte. Die Reinheit des Todes.«

Sekundenlang herrschte nachdenkliche Stille. Selbst um diese Zeit konnte man noch das beruhigende Rauschen der Autos hören, die unter Kerns Fenster vorbeifuhren. Schließlich brach Meisner das Schweigen.

»Julius, du hast neulich gesagt, dass du Tassilo getroffen hast. Was wollte er denn von dir?«

»Das war sehr merkwürdig. Er hat alles zugegeben. Er hat mich zu seinem Haus gebracht, makabre Andeutungen gemacht und sich mit seinen *Heldentaten* gerühmt.«

Meisner verzog verwundert das Gesicht.

»Warum tut er das?«

»Das ist das Komische. Er will, dass ich ihm bei seinem Buch helfe. Er sagt, er sei pleite. Verrückt, oder?«

»Was soll das denn? Und jetzt?«

»Na, nichts. Aber er hat Dinge gesagt, die mich beschäftigen. Über die Opfer. Und dann hat er noch was gesagt.«

»Was denn?«

»Die Idee mit den Hemden, die der Putzteufel nicht zubekommen hat.«

»Die kam von ihm?«, wunderte sich Meisner. Dann blickte er sich um.

»Du hast Tassilo von dem Fall erzählt? Das kann dich den Kopf kosten«, flüsterte er so leise, dass es niemand hören konnte.

»Quatsch. Er hat die Bilder bei mir liegen sehen. Mehr nicht. Er hat nur einen kurzen Blick draufgeworfen, aber das hat ihm gereicht.«

Meisner bemerkte den Unterton in Kerns Stimme.

»Du bewunderst ihn?«

Kern dachte kurz nach.

»Irgendwie schon«, antwortete er schließlich. »Ich meine, er ist ein brutaler Sadist. Aber er hat was Faszinierendes, ich kann's nicht beschreiben.«

»Muss ich mir Sorgen um dich machen?«

»Keine Angst. Aber er weiß, wie man Menschen manipuliert, das muss man ihm lassen.«

Meisner schwieg einige Sekunden lang. Es gab etwas, das ihm seit Tagen auf dem Herzen lag. Aber er wusste nicht, wie er beginnen sollte. Er entschied, es einfach hinter sich zu bringen.

»Julius, mir ist aufgefallen, dass du wieder trinkst. Wie damals. Lass Tassilo nicht wieder alles kaputtmachen.«

»Nicht im Dienst.«

»Weiß ich. Aber darum geht's ja auch nicht. Du machst dich einfach fertig. Ich habe nach der Verurteilung von meinem Sohn auch jeden Tag getrunken. Weil er sich alles zerstört hat, wäre ich auch fast kaputtgegangen.«

»Ich steh das schon durch.«

»Ich habe Angst, dass ich dieselben Fehler mit dir mache wie mit meinem Jungen.«

»Wie?«

»Ich habe immer zu viel von ihm erwartet. Als er auf die Realschule wollte, habe ich ihn gedrängt, aufs Gymnasium zu gehen. Als er eine Ausbildung machen wollte, habe ich gesagt, er soll studieren. Aber das war nicht sein Weg. Ich habe einfach gedacht, was in meinen Augen gut war, würde auch für ihn gut sein.«

»Bis er dran zerbrochen ist?«

»Diese Gang hat ihn so genommen, wie er war. Deswegen hat er alles gemacht, was sie von ihm wollten.«

»Sogar einen Raubüberfall.«

»Ich glaube, dass er mich damit bestrafen wollte. Irgendwie. Ich hätte dich nicht in so einen schweren Fall reinziehen sollen.«

Meisners Sorge war so aufrichtig, dass sie Kern tief berührte.

»Da, die Palme«, sagte er. »Sie blüht immer noch. Und wenn wir den Putzteufel haben, schenkst du sie deinem Sohn.«

Immer mehr Nachrichten sammelten sich auf Kerns Monitor, während die beiden miteinander sprachen.

»Glaubst du wirklich, du kriegst ihn, indem du darauf wartest, dass er sich bei dir meldet?«, fragte Meisner, als sein Blick auf die Nachrichtenflut fiel.

»Hast du eine bessere Idee?«

»Weißt du, warum ich dich aus Brandenburg geholt habe? Weil du um die Ecke denkst. Du bist wie eine Kugel in einem Flipperautomaten. Du lässt dich so lange rollen, bis du von irgendwoher einen neuen Anstoß kriegst. Das hier ist nicht dein Ding – am Rechner sitzen und warten, dass er dir in die Arme läuft.«

Kern verstand, was sein Freund ihm sagen wollte.

»Ich soll in die Offensive gehen? Aber dann vernichtet er

seine Netzwerkkarte, und wir können wieder von vorn anfangen.«

»Ich bin noch nie einem Polizisten begegnet, der so ermittelt wie du. Ich kann dir auch nicht sagen, was du jetzt machen sollst. Aber eins weiß ich: Wenn du einfach machst, was du für das Richtige hältst, wirst du ihn kriegen.«

Kerns Mundwinkel verformten sich zu einem kaum sichtbaren Lächeln.

»Ich muss jetzt ein paar Stunden schlafen«, sagte Meisner und stand auf. »Und du solltest das auch. Wir haben morgen viel zu tun. Versprich mir, dass du nicht mehr so lange bleibst.«

Kern genoss Meisners Fürsorge. Seit Nathalie ihn verlassen hatte, kam es nicht mehr oft vor, dass sich jemand Gedanken um ihn machte.

»Versprochen«, antwortete er.

Als Meisner gegangen war, kehrte wieder Stille ein. Kern lehnte sich erschöpft zurück. Bevor er sich wieder seiner Arbeit widmen würde, wollte er noch einen Augenblick lang die Ruhe genießen.

Du hast die Ruhe auch genossen, oder? Wenn sie tot waren. Wenn du sie reinigen konntest. Wie ein Engel bist du durch ihre Wohnungen gegangen. Du hast sie angelächelt, oder? Du hast gewusst, dass es perfekt war. Jedes Mal. Aber woher? Was hat dir die Sicherheit gegeben, dass dir nichts in die Quere kommen würde?

Kern erschrak. Die Idee, die ihm gekommen war, schien so simpel. Und doch hatte keiner daran gedacht. Nicht einmal die Psychologen. Er sprang auf, stürmte auf den Flur und lief so schnell er konnte zum Treppenhaus.

»Quirin!«, rief er hinunter.

Niemand antwortete. Er rannte die Treppen nach unten, bis

er zur Eingangshalle kam, die Meisner gerade in Richtung Parkplatz verlassen wollte.

»Ich weiß jetzt, warum er immer perfekt war!«, rief Kern ihm nach.

Meisner drehte sich um.

»Was ist los?«, fragte er verwundert.

»Wir sind fast verzweifelt, weil er einfach keinen Fehler gemacht hat. Verdammt, er wird auch in Zukunft keinen machen. Er wird *nie* einen Fehler machen!«

Meisner stand verdutzt vor seinem Freund, der wie ausgewechselt war.

»Er macht keine Fehler, weil er es sonst gar nicht durchziehen würde!«

Noch verstand Meisner nicht, worauf Kern hinauswollte.

»Alle seine Morde sind absolut perfekt, weil er einen Mord, der nicht perfekt werden würde, erst gar nicht begeht!«, setzte Kern fort. »Er geht in ihre Wohnungen. Er sieht sich um. Hat ihn jemand im Hausflur gesehen? Gibt es vor der Tür Überwachungskameras? Sind unerwartete Personen anwesend? Er versichert sich, dass ihm nichts in die Quere kommt, dass ihn niemand stören wird. Nur wenn alles perfekt ist, zieht er es durch. Und *nur* dann!«

Meisner verstand.

»Wenn du damit recht hast, dann würde das bedeuten...«

»...dass es da draußen vielleicht Dutzende gibt, die ihn in ihrer Wohnung hatten. Sie haben mit ihm gechattet, sie haben ihn zu sich eingeladen, er ist erschienen, hat sich alles angeguckt – und ist wieder abgezogen.«

»Weil ihm irgendwas nicht gepasst hat. Nicht schlecht. In dem Fall müsstest du dich sofort an die Öffentlichkeit wenden.«

»Verdammt, ja. Aber dafür brauche ich Presse. Und zwar im

großen Stil. Und ich habe nur einen Versuch. Wenn der daneben-geht, hat er alle Zeit der Welt, abzuhauen.«

In dem Augenblick, in dem Meisner Kern in die Augen sah, hatten sie einander verstanden.

»Ich rufe sofort Tassilos Anwältin an. Hoffentlich ist sie noch wach«, sagte Kern.

Meisner antwortete nicht darauf. Er nickte nur.

45

Das Treffen war streng geheim. Kern und Castella waren ge-trennt zur Villa von Dr. Weissdorn gefahren. Die Presse durfte unter keinen Umständen zu früh davon Wind bekommen.

»Er wartet schon«, begrüßte Weissdorn ihre Gäste vom LKA.

In dem großen Büro waren allerlei Aktenordner auf dem Bo-den ausgebreitet, daneben juristische Fachbücher.

»Verzeihen Sie die Unordnung, ich ersticke in Arbeit«, ent-schuldigte sich die Rechtsanwältin.

Tassilo wartete elegant gekleidet auf einem der Besucher-stühle und trank Kaffee. Es war noch nicht einmal neun Uhr, doch er wirkte bereits erholt und ausgeschlafen.

»Es ist mir ein Fest, Sie zu sehen«, warf er Kern entgegen. Dann wandte er sich Castella zu. »Und meine liebe Daniela. Wir hatten lange nicht mehr das Vergnügen.«

»Sie haben ja auch lange niemanden mehr umgebracht«, ant-wortete sie trocken.

»Bitte setzen Sie sich doch«, entschärfte Weissdorn die Situation. »Sie haben um dieses Treffen gebeten. Also, worum geht's?«

Kern kam sofort zum Punkt.

»Tassilo, ich bin bereit, eine Pressekonferenz mit Ihnen zu geben. Ich werde meinen Standpunkt zu dem Fall von damals klarmachen und meine Meinung zu Ihrem Buch äußern. Sie dürfen diesen Auftritt als Werbung nutzen.«

»Donnerwetter«, erwiderte Tassilo. »Was hat denn diesen Sinneswandel bewirkt?«

Castella ergriff das Wort.

»Also: Das LKA unterstützt diese Farce nicht, um Ihnen einen Gefallen zu tun. Wir brauchen in einer Ermittlung große Medienaufmerksamkeit. Aber die Presse interessiert sich im Moment nur für die Morde in Neukölln.«

»Was für eine Ermittlung?«, wollte Dr. Weissdorn wissen.

»Wir müssen die Bevölkerung zur Mithilfe aufrufen. Es geht um eine Mordserie. Wir brauchen so viele Zuschauer wie möglich, und wenn Herr Kern und Herr Michaelis gemeinsam vor die Kameras treten, werden wir sie bekommen. Zuerst kommt der Aufruf, danach Ihr Buch. Das ist der Deal«, antwortete Castella.

»Verstehe«, sagte Tassilo. »Klingt nach guter Publicity.«

Jetzt mischte sich Dr. Weissdorn ein.

»Wenn mein Mandant bei der Ergreifung eines Serienmörders behilflich ist, wird er das möglicherweise für ein weiteres Buchprojekt verwenden können. Würden Sie ihn dabei unterstützen?«

Kern sah Castella an. Nach einigen Sekunden nickte sie.

»Vorausgesetzt, die Aktion führt zum Erfolg.«

»Was ist mit meinem anderen Vorschlag?«, fragte Tassilo und sah zu Kern hinüber.

»Vergessen Sie's.«

Tassilo zog die linke Augenbraue hoch. Dann hakte er nach:

»Und die Informationen?«

Kern sah ihm tief in die Augen.

»Die können Sie behalten.«

Castella stand auf.

»Sind wir uns einig?«, fragte sie Dr. Weissdorn.

»Ich bespreche es mit meinem Mandanten. Sie bekommen in spätestens zwei Stunden Bescheid. Wenn wir zustimmen, können Sie sofort loslegen.«

Kern stand ebenfalls auf und folgte Castella nach draußen. Tassilo blieb ruhig sitzen, nahm noch einen Schluck Kaffee und rief ihm hinterher:

»Es gehört mehr Mut dazu, seine Meinung zu ändern, als ihr treu zu bleiben. – Friedrich Hebbel.«

»Tun wir das Richtige?«, fragte Kern seine Vorgesetzte, nachdem sie das Grundstück verlassen hatten.

»Na ja. Wir können die Konferenz sowieso frühestens übermorgen geben. Nutzen Sie die Zeit, den Putzteufel vielleicht doch noch übers Internet zu schnappen. Ich hätte nichts dagegen, diesen Murks hier abzublasen.«

»Okay.«

Kern stieg ins Auto. Er blickte noch einmal zu Weissdorns Villa hinüber.

Und die Informationen?

Kern hatte sich entschieden. Er würde die Hintergründe des Massakers wohl nie erfahren. Umso mehr musste er sich schütteln, als ihm Tassilos Worte einfielen.

Kleine, feuchte Mädchenmuschis.

46

»Sie haben ihn also wirklich gefragt, ob er Ihr Buch zu Ende schreibt?«, schmunzelte Weissdorn.

»Sie hätten ihn sehen sollen. Aber es hat ja funktioniert. Plötzlich findet er eine gemeinsame Pressekonferenz okay. Man muss einfach nur die Maßstäbe verändern«, strahlte er zurück. »Das wird ein Knaller. Der böse Scheunenmörder verbrüdert sich im Kampf gegen einen Serienkiller mit seinem Gegenspieler.«

»Damit kommen Sie in die Bestsellerlisten, vom Merchandising ganz zu schweigen. Aber was sollte das mit den Informationen? Haben Sie etwa irgendwas ausgeplaudert?«

»Keine Panik. Jonathan wird bezeugen, dass ich's nicht getan habe. Ein paar Brocken habe ich ihm zugeworfen, nichts Wichtiges.«

»Bleiben Sie bloß vorsichtig. Kern gibt Ihnen die Schuld an seinen privaten Problemen. Der hört nie auf, Sie zu jagen. Und diese Pressekonferenz macht er ganz bestimmt auch nicht aus Spaß.«

»Er kann mir nichts. Und wie er über mich denkt, kann mir egal sein.«

»Und, ist es das?«

Tassilo setzte seine Tasse ab. Kurz erinnerte er sich an das Lächeln, das Kern ihm damals bei ihrer ersten Begegnung zugeworfen hatte.

»Wann geben wir unser Okay?«, lenkte er dann ab.

»In drei Stunden. Wir lassen sie noch ein bisschen zappeln.«

»Dann werde ich mal losfahren und mir ein neues Hemd kaufen. Was meinen Sie, welche Farbe sieht auf dem Bildschirm am besten aus?«

47

Nathalie hatte das Autoradio bis zum Anschlag aufgedreht. Sie war auf dem Weg zu Sophies Schule, den Salon hatte sie für den ganzen Tag ihren Mitarbeiterinnen überlassen. Sie hatte aus der Zeitung von der Pressekonferenz erfahren und befürchtete, ihre Tochter würde von ihren Mitschülern gehänselt werden. Die Fahrt würde durch den Berufsverkehr vielleicht zwanzig Minuten dauern. Genug Zeit, um ihre Gedanken zu ordnen.

Es hatte ihr damals fast das Herz gebrochen, Julius zu verlassen. Sie hatte ihm in seiner schwersten Zeit wirklich beistehen wollen, aber es gab eben auch noch ihre Tochter. Die Wutausbrüche, das Streiten, der Alkohol, das alles hätte Nathalie sicher noch eine Weile ertragen können. Aber dem Kind wollte sie es nicht länger zumuten.

Nach ihrem Auszug war wieder Ruhe in ihr Leben gekommen. In der ersten Zeit hatte sie Julius von seiner Tochter noch so gut es ging ferngehalten. Später, nachdem sich die Wogen geglättet hatten, war das nicht mehr nötig gewesen. Er hatte sowieso kaum Zeit für Sophie. Schon deswegen, weil er sich nach der Trennung immer tiefer in seine Arbeit gestürzt hatte.

Warum kann er Tassilo nicht widerstehen?, fragte sie sich. Was zieht ihn so sehr an? Das Böse? Ist Tassilo vielleicht der Spiegel, der Julius seine eigene dunkle Seite vor Augen führt?

Es ging Nathalie eigentlich gar nicht darum, Sophie vor dem Spott ihrer Klassenkameraden zu schützen. Ihre Mitarbeiterinnen hatten ihr gesagt, dass die Kinder das alles gar nicht mitbekommen würden, und sie hatten sicher recht damit gehabt. Nathalie wollte an diesem Tag einfach nicht allein sein. Nicht in dem Augenblick, in dem sie Julius Seite an Seite mit Tassilo vor die Presse treten sehen würde. Und das, obwohl sie ihm ausdrücklich davon abgeraten hatte.

Tassilo hat mehr Macht über Julius als ich, dachte sie.

Und während sie unter dem Dröhnen der Radiomusik Sophies Schule erreicht hatte, fragte sie sich, was sie an dieser Tatsache am meisten störte. Vollkommen ehrlich zu sich selbst, erkannte Nathalie, was es war. Sie war eifersüchtig. Und es gab keinen Zweifel daran, was das zu bedeuten hatte.

Verdammt, ich liebe ihn immer noch.

48

»Wenn das mal gut geht«, sagte Castella, nachdem sie noch einmal die Vorgehensweise in der Pressekonferenz mit Kern besprochen hatte.

»Was sollen wir denn sonst machen?«, entgegnete Kern. »Im Internet ist keine Spur von ihm. Eine Nadel im Heuhaufen.«

»Also, kein Wort von den Hemden, von der Asche und von der Netzwerkkarte. Sonst können Sie erzählen, was Sie wollen. Und lassen Sie Tassilo in Gottes Namen ein bisschen Werbung für sein Buch machen, sonst steigt uns diese Weissdorn aufs Dach.«

Kern war sichtlich nervös. Er wusste, welcher Druck auf seinen Schultern lastete. Was er vorhatte, war objektiv gesehen absoluter Wahnsinn, und genauso fühlte es sich auch an.

»Ich hab mich neulich mit ihm unterhalten. Auge in Auge. Irgendwie komisch, ich fand ihn auf eine gewisse Weise faszinierend. Verrückt, oder?«

Castella blickte skeptisch.

»Großartig. Dann klingen ja wohl bald die Hochzeitsglocken.«

»Keine Angst. Bringen wir es einfach hinter uns. Wo bleibt er denn?«

»Wahrscheinlich will unsere Diva einen großen Auftritt vor dem Haupteingang«, vermutete Castella. »Ist mir egal. Muss ich auf einen Massenmörder warten? Wohl kaum. In zehn Minuten fangen wir an. Mit oder ohne Tassilo.«

»Dann komme ich ja gerade noch rechtzeitig, wie mir scheint«, tönte es von weiter hinten durch den Raum.

Überraschend dezent gekleidet trat Tassilo in Begleitung seiner Rechtsanwältin in den Flur.

»Haben Ihre fünf Gäste Sie damals auch so lange warten lassen?«, fragte Castella zynisch.

»Meine liebe Daniela. Immer noch eine Zunge wie ein Samuraischwert«, erwiderte Tassilo. »Ich schlage vor, Sie informieren mich, was Sie heute zu verkünden beabsichtigen. Danach können wir uns dann hinsichtlich meiner Anliegen verständigen.«

»Das können die Herren ja untereinander machen. Sie werden Verständnis dafür haben, dass ich mich lieber um unsere Gäste von der Presse kümmere«, antwortete Castella.

Dann wandte sie sich Tassilo noch einmal direkt zu.

»Und übertreiben Sie es nicht.«

Sie verließ den Flur, um die Journalisten in den Konferenzsaal zu bitten. Dr. Weissdorn folgte, nachdem Tassilo ihr ein entsprechendes Zeichen gegeben hatte.

»Also, es läuft so: Erst kommt mein Aufruf, danach Sie. Sie werden nichts tun, was diese Konferenz zur Farce macht, nichts, was meine Autorität untergräbt, und ganz sicher nichts, was Ihre Opfer oder deren Angehörige verhöhnt. Ist das klar?«

Anstatt darauf einzugehen lächelte Tassilo freundlich und fragte: »Können Sie sich noch an unser Gespräch im Auto erinnern? Sie wollten wissen, welche Schwäche Sie mir durch Ihr Verhalten verraten. Sind Sie schon draufgekommen?«

»Ich war mit anderen Dingen beschäftigt.«

»Sehen Sie, genau das ist Ihr Eichenblatt. Sie können einfach nicht verlieren.«

Kern legte seine Hand auf Tassilos Schulter und beugte sich zu ihm vor. Ganz leise antwortete er: »Das habe ich auch nicht vor.«

49

Es herrschte keine Aufregung im Konferenzraum des LKA. Pressetermine sind nicht spektakulär. Wenn überhaupt, dann sind es die Berichte, die aus ihnen gemacht werden. Mit professioneller Gelassenheit warteten die Journalisten auf die Dinge, die passieren würden.

Immerhin, das Eintreten von Kern und Tassilo wurde von einem regelrechten Blitzlichtgewitter begleitet. Schließlich waren es die ersten Fotos seit Tassilos Freispruch, die die einstigen Kontrahenten gemeinsam zeigten.

»So, dann begrüße ich Sie zu unserem heutigen Pressetermin«, eröffnete Kern die Konferenz nüchtern und sachlich. »Wie Sie der Ankündigung ja bereits entnommen haben, werden Sie heute Gelegenheit bekommen, Herrn Michaelis und mir Fragen zu stellen. Viele von Ihnen haben ja darum gebeten.«

Tassilo saß in eleganter Pose neben Kern. Er verhielt sich zurückhaltend und unaffektiert.

»Das LKA Berlin verbindet mit dem heutigen Pressetermin aber noch ein anderes Anliegen. Bevor Sie deshalb gleich Ihre Fragen stellen können, möchte ich die Gelegenheit nutzen, in dieser Angelegenheit zu Ihnen zu sprechen. Herr Michaelis hat sich freundlicherweise bereit erklärt, die Polizei von Berlin darin zu unterstützen.«

Tassilo nickte mit ernster Mine. Die Medienvertreter waren jetzt noch aufmerksamer geworden, als sie es ohnehin schon waren.

»Ich komme am besten gleich zur Sache«, fuhr Kern daher fort. »Sie alle haben ja in den vergangenen Tagen über die Morde in Neukölln berichtet. Leider handelt es sich dabei nicht um die einzigen unaufgeklärten Mordfälle, die uns beschäftigen. Seit einiger Zeit geht in Berlin ein Serienmörder um. Wir haben die Öffentlichkeit bisher aus ermittlungstaktischen Gründen herausgehalten. Heute ändern wir das.«

Castella, die in der ersten Reihe Platz genommen hatte, drehte sich unauffällig zu den Reportern um. Sie konnte in ihren Gesichtern lesen, dass keiner von ihnen mit dieser Wendung gerechnet hatte. Die reißerischsten Schlagzeilen schienen sich wie Dollarzeichen in ihren Augen widerzuspiegeln, als sie sich eifrig ihre Notizen machten. Was auch immer von nun an passieren würde, das ganze Land würde davon erfahren. Zufrieden wandte sie ihren Blick wieder Kern und Tassilo zu.

»Der Täter, den wir suchen, hat in den vergangenen Monaten drei Menschen getötet. Beim jetzigen Stand der Ermittlungen gehen wir davon aus, dass es Zeugen gibt, die mit ihm in Kontakt getreten sind. Wir möchten die Zuschauer und Ihre Leser deshalb heute zur Mithilfe aufrufen. Bitte helfen Sie uns dabei, diesen Serienmörder zu fassen.«

Ein ungeduldiger Reporter fiel Kern mit einer Zwischenfrage ins Wort.

»Warum unterstützen Sie die Polizei in dieser Sache, Herr Michaelis? Wollen Sie Ihre eigenen Taten dadurch wiedergutmachen?«

»Mein lieber Herr Bittrich. Es ist mir ein Fest, Sie zu sehen«, entgegnete Tassilo.

Jan Bittrich schrieb für das *Fadenkreuz*, ein auf Massenabsatz angelegtes Blatt, das nicht durch seine journalistische Qualität, sondern durch seine kommerzielle Aufmachung hervorstach. Bittrich hatte den Fall Tassilo von Anfang an im großen Stil begleitet und dadurch erheblich zu dessen Popularität beigetragen. Er war auch der Erfinder des *Tassilo-Tages*.

»Aber sosehr ich Sie schätze – ich muss Sie bitten, Herrn Kern nicht zu unterbrechen. Was wir hier tun, kann Leben retten. Vielleicht sogar Ihres.«

Bittrich verzichtete auf einen Kommentar, sodass Kern fortfahren konnte.

»Wir haben allen Grund zu der Annahme, dass sich der Gesuchte seinen Opfern über das Internet nähert. Wir gehen davon aus, dass er mit vielen Menschen gechattet, einige davon möglicherweise auch zu Hause besucht hat. Wir wissen, dass er seine Opfer nur innerhalb eines eingegrenzten Personenkreises sucht.

Es handelt sich dabei um Kranke, Apotheker, Reisende, Pilger, Auswanderer, Seeleute, Dachdecker und Bergleute. Außerdem vermuten wir, dass er vom Glauben an Engel besessen ist. Es ist möglich, dass er dieses Thema auffallend häufig einbringt.«

Jetzt war die anfängliche Ruhe vollkommen gewichen. Kern war sich bewusst, dass ab sofort kaum mehr über den Fall seines Freundes Quirin berichtet werden würde. Aber er hatte kein schlechtes Gewissen dabei. Im Neukölln-Fall war die Presse ohnehin nur in der Rolle des Gaffers, in der Putzteufel-Ermittlung konnte sie sich dagegen als Helfer nützlich machen. Also fuhr er fort:

»Wer hat im Internet Kontakt zu einer Person aufgenommen, die gezielt nach Angehörigen dieser Personenkreise gesucht hat? Wer hatte Kontakt mit jemandem, der sich auffallend oft zu den Themen *Engel* oder *Heilung* geäußert hat? Und wer hatte möglicherweise sogar Besuch von ihm? Alle bisherigen Opfer haben in ihrer Vergangenheit Todesfälle oder Trennungen im engsten Familienkreis erlitten. Wir vermuten, dass der Mann, den wir suchen, in der Rolle des Trösters auftritt. Vermutlich verfügt er über psychologische Fähigkeiten. Wir vermuten außerdem, dass er sich überwiegend violett oder grün kleidet. Möglicherweise hat er auch einen Gehstab, eine Flasche oder einen Fisch bei sich. In welcher Form auch immer.«

Die Reporter kamen kaum mit ihren Notizen hinterher. Bittrich, der trotz des zweifelhaften Rufes seiner Zeitung als erstklassiger Journalist galt, bastelte im Hinterkopf schon an einer griffigen Schlagzeile.

»Außerdem ist der Täter sehr ordnungsliebend«, fuhr Kern fort. »Er könnte sich über Schmutz beklagt haben. Wenn er bei jemandem zu Hause war, dann hat er sich höchstwahrscheinlich vergewissern wollen, dass er ungestört sein würde. Hatte jemand Besuch von einer Internetbekanntschaft, die spontan aufgebrochen ist, als Dritte hinzugekommen sind? Bitte melden Sie uns alles, was uns weiterhelfen könnte. Selbst wenn es Ihnen unwichtig erscheint.«

Jetzt waren die Reporter nicht mehr zu bremsen.

»Warum informieren Sie die Öffentlichkeit erst nach dem dritten Mord? Wie viele Serienmörder sind denn noch in Berlin unterwegs, von denen die Bevölkerung nichts weiß?«, wollte ein Reporter wissen.

»Panik zu verbreiten ist Ihre Aufgabe, werte Herrschaften, nicht die der Polizei«, antwortete Tassilo so schnell, dass Kern gar nicht zum Zuge kam.

Castella schmunzelte, wenn auch kaum sichtbar.

»Was haben Sie denn nun mit dieser Angelegenheit zu tun, Herr Michaelis?«, rief eine Journalistin.

»So traurig es auch ist, meine Teuerste. Säße ich nicht hier, wäre diese Pressekonferenz nicht einmal halb so gut besucht. Es geht mir genauso wie Hauptkommissar Kern darum, dass dieser Serienmörder gefasst wird. Und wenn ich ihn dabei unterstützen kann, und sei es auch nur durch meine Anwesenheit, dann tue ich es.«

»Herr Kern, Sie haben Herrn Michaelis damals verhaftet und waren vor Gericht Hauptbelastungszeuge. Warum treten Sie heute gemeinsam mit ihm auf? Haben Sie sich etwa versöhnt?«, wollte Bittrich wissen.

»Sie sollten sich für den Mann interessieren, den wir suchen. Vielleicht bereitet er gerade jetzt seinen vierten Mord vor.«

»Das war keine Antwort«, setzte Bittrich nach.

»Dann tun Sie doch das, was Sie sonst auch immer machen: Erfinden Sie einfach eine«, mischte sich Tassilo ein.

»Sie halten sich für wahnsinnig schlau, oder?«, versuchte Bittrich darauf, Tassilo zu provozieren. »Sitzen da, geben sich als Gönner und halten sich für den Größten.«

»Entschuldigung?«, fragte Tassilo pikiert.

»Was wären Sie denn ohne die Presse? Wer hat Sie denn so bekannt gemacht, dass Sie heute eine Pressekonferenz zu einem Buch geben können, mit dem Sie die Angehörigen der Menschen verhöhnen, die Sie ermordet haben?«

Kern betrachtete das Spiel von Bittrich, der Tassilo ganz offensichtlich aus der Reserve locken wollte, ebenso interessiert wie besorgt. Die übrigen Reporter waren in heller Aufregung. Sie erwarteten einen Schlagabtausch, der ihnen wundervolle Artikel liefern würde.

»Sie, mein guter Bittrich, haben lediglich das wiedergutgemacht, was Sie zuvor verbockt haben. Sie haben mich in aller Öffentlichkeit zum Massenmörder gestempelt, obwohl keinerlei Beweise gegen mich vorlagen. Sie haben meinen Ruf und meine Existenz zerstört, damit Sie viele bunte Zeitungen verkaufen konnten. Und jetzt tue ich nichts anderes, als aus dem Kainsmal, das Sie mir aufgedrückt haben, Profit zu schlagen. Immerhin, ich war doch auch sehr lukrativ für Sie, oder?«

»Also bestreiten Sie die Taten weiterhin? Auch in Ihrem Buch?«

»Wenn Sie das wissen wollen, dann lesen Sie es. Falls Sie lesen können.«

Unter dem Gelächter der Reporter erhob sich Kern.

»Ich schulde Ihnen noch eine Antwort, Herr Bittrich«, sagte er so laut, dass das Gelächter verstummte. »Nein, ich habe mich mit Herrn Michaelis nicht versöhnt. Ich bin zweifelsfrei davon überzeugt, dass er fünf Menschen brutal ermordet hat. Und dass ich ihn heute ins Boot holen musste, ist das Traurigste, zu dem ich seit Langem gezwungen war.«

Castella senkte ihren Blick. Sie hatte gehofft, dass Kern professionell bleiben würde. Aber offenbar hatte sie die Notlage, in die sie ihn gebracht hatte, unterschätzt.

»Wenn Sie Tassilo Michaelis wirklich bestrafen wollen, dann bitte ich Sie, ihn in Zukunft zu boykottieren. Lassen Sie nicht zu, dass er von Menschen, die nicht einschätzen können, was sie tun, als Held gesehen wird. Mit dem Mythos eines Massenmörders lässt sich Geld verdienen, sicher. Aber es klebt Blut an diesem Geld. Hören Sie bitte auf damit.«

»Sie werden mich nicht boykottieren«, warf Tassilo dazwischen. »Weil Sie mich brauchen. Thomas Stearns Eliot hat einmal gesagt: *In einer Welt ohne Böses würde das Leben nicht lebenswert sein*. Im Grunde sind Sie doch auch alle nicht besser als die, über die Sie berichten. Mörder, Betrüger, Lügner. Nur dass Ihre Waffe nicht das Schwert ist, sondern die Feder. Und über deren Macht muss ich Ihnen ja nichts erzählen.«

»Sie vergleichen Journalisten mit Mördern?«, fragte ein Reporter nach.

»Wie viele Menschen haben sich das Leben genommen, nachdem die Medien sie mit Rufmordkampagnen ruiniert haben? Wie viele Existenzen haben Sie zerstört, weil Sie nicht sorgfältig recherchiert, sondern einfach das Spektakulärste behauptet haben, das Ihnen eingefallen ist? Glauben Sie nicht auch, dass viele Menschen Sie alle gern mal in eine Scheune einladen würden?«

Jetzt hielt es keinen der Reporter mehr auf seinem Platz. Die Kamerateams der Nachrichtensender telefonierten schon mit den Kollegen, die sofort die Aufnahmen schneiden und innerhalb einer Stunde senden sollten.

»Ich denke, wir sollten die Konferenz an dieser Stelle beenden«, sagte Kern.

Castella atmete auf.

»Ist es wahr, dass Ihre Frau Sie nach Tassilos Freispruch verlassen hat? Ist das der Grund, weswegen Sie ihn hassen?«, fragte eine Reporterin.

»In den Unterlagen, die Sie gleich erhalten werden, befindet sich das Täterprofil des Mörders, den wir suchen. Dazu eine Liste der Zeiten und Orte, an denen er nachweislich im Internet gewesen ist. Bitte unterstützen Sie meine Arbeit.«

Tassilo flüsterte Kern etwas zu.

»Nicht so schnell, Julius. Wir haben eine Abmachung, schon vergessen?«

»Dann treffen wir jetzt eine neue: Ich werde Sie hinter Gitter bringen. Ich weiß noch nicht, wann und wie, aber glauben Sie bloß nicht, dass ich schon mit Ihnen fertig wäre.«

Tassilo schmunzelte diabolisch.

»Ich mag Ihren Blick, wenn Sie sauer sind.«

»Meine Herrschaften, ich danke Ihnen, dass Sie hergekommen sind, und wünsche Ihnen noch einen schönen Tag«, rief Kern in die Runde, bevor er aufstand und den Konferenzraum verließ.

Bevor die Journalisten Tassilo noch weiter befragen konnten, wurde er von Mitarbeitern der Pressestelle nach draußen begleitet. Wenig später gingen die Bilder auf Sendung.

50

Janthieng schaltete den Fernseher ab. Sie wusste, dass sie sich an die Polizei wenden sollte. Aber andererseits – wie konnte sie den Mann belasten, der ihr mehr Gutes getan hatte als jeder andere Mensch zuvor?

»Hast du dich schon entschieden, Dominik?«, fragte sie ihren Sohn, der auf ihrem Schoß saß. »Zehlendorf oder Charlottenburg?«

Sie hatte in den vergangenen Tagen viele Anzeigen gelesen. Die beiden Wohnungen in den bürgerlichen Bezirken Berlins gefielen ihr am besten.

»Müssen wir wirklich umziehen?«, fragte der Junge.

»Ja, Schatz. Es wird Zeit. Ab jetzt fängt ein neues Leben an.«

»Wie es der Engel versprochen hat?«, fragte Dominik.

Janthieng kämpfte mit den Tränen. Dann gab sie ihrem Sohn einen Kuss auf die Stirn und antwortete: »Ja, Schatz, wie es der Engel versprochen hat.«

51

Es waren etwa zwei Stunden vergangen, bevor Raphael aus den Nachrichten von der Pressekonferenz erfahren hatte. Er war sofort an seinen Rechner gegangen, um sie sich im Internet anzusehen.

Danach saß er noch einige Minuten regungslos vor dem Monitor. Was konnten sie in der Hand haben? Zweifellos gab es keine Beweise, die ihn mit den Erlösungen des Reisenden, des Dachdeckers und der Apothekerin in Verbindung brachten. Sicher, es waren einige gewesen, die er wieder verlassen musste. So wie Mayflower. Aber würden sie sich melden? Und wenn ja, was könnten sie sagen?

Seine Mission war zu bedeutsam, er konnte kein Risiko eingehen. Raphael musste seine Wanderschaft an einem anderen Ort fortsetzen. Vielleicht in Mexiko oder Südafrika. Und er musste für eine Weile seine Identität ändern. Die Papiere hatte er schon vor einiger Zeit anfertigen lassen. Schließlich musste er immer damit rechnen, dass die weltliche Justiz ihm irgendwann einmal Schwierigkeiten machen würde. Sie konnten unmöglich begreifen, wie wertvoll seine Arbeit war.

Wie hatte dieser Kern das alles nur herausgefunden? Wer war er überhaupt? Und wer war dieser Tassilo Michaelis?

Raphael gab Kerns Namen in eine Internetsuchmaschine ein. Fast alle Treffer brachten Kern mit Tassilo in Verbindung. Raphael las aufmerksam alles, was über das Scheunenmassaker zu finden war. Über Kerns Jagd nach dem Täter, Tassilos Verhaftung und letztlich dessen Freispruch. Ganz zum Schluss stieß Raphael auf ein Bild, vor dem die Besucher der Website ausdrücklich gewarnt wurden. Als er es anklickte, stockte ihm der Atem. Das Foto, das ein Journalist von den Leichen in der Scheune gemacht hatte, war an Grausamkeit kaum zu überbieten. Raphael schossen die Erinnerungen an den schlimmsten Tag seines Lebens durch den Kopf. Es konnte kein Zufall sein, wie die Bilder aus der Scheune denen aus dem Landhaus glichen.

»Asmodeus«, hauchte er leise, während sich seine Augen zu schmalen Schlitzen verengten. »Du bist also zurück.«

Er stand entschlossen auf und griff nach seinem Gehstab. Nach kurzem Nachdenken lehnte er ihn wieder zurück an den Schreibtisch. Nicht nur auf den Stab würde er in den kommenden Tagen verzichten müssen.

Raphael ging in sein Zimmer und zog eines seiner wenigen Ensembles an, das nicht grün war. Dann nahm er seine Tasche, verstaute ein paar Tausend Euro, das Chloroform sowie seine Pistole darin. Danach ergriff er sein Handy.

»Ron, komm her«, sagte er klar und schnörkellos. »Wir müssen nach Hamburg, die Papiere holen.«

Raphael hatte seinen schwedischen Reisepass, der auf den Namen Björn Billström ausgestellt war, in dem kleinen Landhaus versteckt, in dem sein Vater damals ums Leben gekommen war. Das Haus hatte Raphael schon vor vielen Jahren auf Ron überschrieben, damit es im Notfall nicht mit ihm in Verbindung gebracht werden konnte.

»Den Rest erkläre ich dir dann«, beendete Raphael das Gespräch.

Er dachte weiter an Tassilo, als er die Treppe hinunter in die Eingangshalle lief. Wie lange hatte er darauf gewartet, dass der Dämon sich ihm wieder zeigen würde? Und wie viel Kraft musste es Kern gekostet haben, ihn zu bekämpfen?

Die Musik ist nicht da. Raphael ist neun und steht im Landhaus. Der Dämon grinst ihn durch das Blut hindurch an. Plötzlich ist er in seiner Gegenwart und sieht, wie ihn Tassilo durch den Bildschirm hindurch angrinst. Dieselbe Fratze.

Raphael wusste, was er zu tun hatte. Er lief zurück an seinen Rechner, rief noch einmal das Foto aus der Scheune auf und druckte es aus. Dann wählte er noch einmal Rons Nummer.

»Ruf zwei deiner Männer«, sagte er. »Ich brauche was. Und der, der es hat, wird es nicht hergeben wollen.«

52

Die Telefone standen nicht still. Hunderte Hinweise waren bereits innerhalb der ersten Stunden nach der Pressekonferenz im LKA eingegangen. Die meisten davon waren zwar vollkommen unbrauchbar, trotzdem erschien der eine oder andere interessant.

»Wenn ich noch einmal höre: *Mein Nachbar kommt mir schon lange verdächtig vor!*, drehe ich durch«, beklagte sich Dennis.

»Hat auch schon einer was Brauchbares gemeldet?«, wollte Kern wissen.

»Klar, unser Putzteufel hat sich gestellt. Schon dreißigmal.«

»Hat einer von den Hemden gewusst?«

»Rate mal.«

Kern war nicht überrascht.

»Wäre ja auch zu schön gewesen«, sagte er.

»Du warst übrigens nicht schlecht vorhin«, sagte Dennis anerkennend. »Dieser Lackaffe hat schön blöd geguckt. Respekt!«

Kern bedankte sich mit einem Lächeln und ging in sein Büro. Ein Stapel Unterlagen lag auf seinem Schreibtisch, daran klebte ein Zettel: *Passagierlisten Schiffe/Danner.*

»Endlich«, hauchte Kern, der seit Tagen darauf wartete.

Was, wenn der Putzteufel sein erstes Opfer tatsächlich auf einer seiner Kreuzfahrten kennengelernt hatte? Sein Name wäre auf der Passagierliste verzeichnet. Vielleicht lag die Identität des Mörders jetzt direkt vor Kerns Nase. Gerade als Kern beginnen wollte, die Namen abzugleichen, klingelte sein Handy.

»Spreche ich mit Herrn Kern von der Kripo?«, fragte eine Männerstimme.

»Ja, worum geht's?«, entgegnete er kurz angebunden.

»Ich bin einer der Barleute im *White*. Sie waren doch neulich bei uns. Und, na ja, Sie haben Ihre Karte dagelassen. Wenn was ist, Sie wissen schon.«

»Das ist richtig. Ist Ihnen noch was eingefallen?«

»Na ja, mir nicht. Aber meiner Kollegin Suzi. Sie hat das aus den Nachrichten gehört. Und da hat sie gesagt, dass sie den Typen wahrscheinlich getroffen hat. Neulich bei uns.«

Kern hoffte nicht ernsthaft auf eine echte Spur. Es war absolut üblich, dass Aufrufe an die Öffentlichkeit zu Tausenden wertloser Hinweise führten.

»Wann war das?«, fragte er deshalb ohne besondere Aufregung.

»Na, an dem letzten Tag, als der hier online war. Sie haben uns doch die Liste dagelassen. Soll ich Ihnen meine Kollegin mal geben?«

»Bitte, sehr gern«, antwortete Kern.

Es dauerte einige Sekunden, bis sich eine weibliche Stimme meldete.

»Ist da die Polizei?«, fragte Suzi.

»Ja. Ich habe gehört, Sie haben eine verdächtige Person getroffen?«

»Na, verdächtig ist gut. Der war völlig daneben, also, wenn der das war...«

»Wie kommen Sie darauf, dass es der Mann gewesen sein könnte, den wir suchen?«

»Weil der an seinem Laptop saß. Um die Zeit, die Sie aufgeschrieben haben. Und weil er einen Stock hatte und grüne Kleidung, wie Sie im Fernsehen gesagt haben. Und weil der halt extrem merkwürdig war.«

Langsam begann Kern sich Hoffnungen zu machen.

»Wie hieß der Mann denn? Wissen Sie das zufällig?«, fragte er gespannt.

»Er hat gesagt *Tobias*.«

Kern sprang auf.

»Wo sind Sie jetzt? Ich komme mit einem Kollegen zu Ihnen.«

»Na, im *White*. Ich arbeite hier.«

»Bleiben Sie bitte dort; wir sind in zwanzig Minuten da.«

Kern beendete das Gespräch, verstaute die Unterlagen der Reederei in seiner Aktentasche und lief zu Dennis, der die Aufregung in Kerns Blick sofort bemerkte.

»Was ist denn?«, fragte er überrascht.

»Wir müssen sofort los«, antwortete Kern. »Ich glaube, wir haben ihn.«

53

Der Himmel war wolkenlos blau und die Luft angenehm mild, als der schwarze Wagen vor der Villa von Dr. Weissdorn vorfuhr. Raphael wartete bereits in seinem Wiesmann auf der gegenüberliegenden Straßenseite.

»Bleibt hier«, zischte Ron seine beiden Begleiter an, bevor er ausstieg und zu Raphael hinüberlief.

Er musste sich tief hinunterbeugen, um durch das Fenster des Sportwagens sehen zu können. Raphael ließ die Scheibe hinunter.

»Sie ist zu Hause. Allein«, sagte er, ohne sich Ron zuzuwenden.

»Kameras?«

»Eine vor dem Haus. Vielleicht noch eine hinten, keine Ahnung.«

»Muy bien. Was brauchst du?«

»Eine Adresse.«

»Wer?«

Raphael streckte Ron einen Zettel entgegen. Der las ihn und nickte, bevor er ohne ein weiteres Wort zu seinem Wagen zurücklief. Er setzte sich auf den Rücksitz neben Carlos. Robert saß vorn.

Carlos war einer von Rons gefährlichsten Männern. Er hatte sich immer wieder blutig gegen Konkurrenten aus Asien und der ehemaligen Sowjetunion behauptet und sich so eine Vormachtstellung in der Berliner Drogenszene erkämpft. Carlos war in Deutschland aufgewachsen, aber seine Familie stammte aus derselben Gegend Guatemalas wie Ron. Schon deshalb fühlte sich Ron für ihn verantwortlich. Robert war einundzwanzig Jahre alt und in Berlin geboren. Nach verschiedenen Jugendstrafen und erfolglosen Aufenthalten in Erziehungscamps war er in einer Bar an Carlos geraten. Carlos schätzte zwar nicht die Intelligenz des stämmigen Jungen, sehr wohl aber dessen Kraft und Skrupellosigkeit. Er stellte keine Fragen, sondern tat, was man ihm sagte.

»Ihr geht da rein und holt eine Adresse. Und passt auf, dass sie ist richtig, Amigos«, sagte Ron.

»Keine Angst«, versprach Carlos.

»Wie viele sind drin?«, fragte Robert.

»Nur eine Frau. Ganz einfach. Sie hat die Adresse. Aber es gibt Kameras«, warnte Ron.

»Kein Problem. Was machen wir mit der Frau?«

»Wenn sie erkennt euch nicht, dann fesseln. Sie darf nicht warnen den Mann, den wir suchen.«

»Und wenn doch?«, fragte Robert.

»Hoffen wir für sie, dass sie es nicht tut«, sagte Carlos und überprüfte das Magazin seiner Pistole, bevor er sie zurück in sein Schulterholster steckte.

»Wie ist der Name?«, fragte er.

Ron zögerte einen Augenblick. Er wusste, dass die beiden überrascht sein würden.

»Tassilo Michaelis.«

Jetzt hatten die Männer verstanden, weshalb Ron gleich zwei Leute angefordert hatte. Carlos zog eine Strumpfmaske über seinen Kopf, öffnete die Wagentür und rief Robert zu: »Vamos, amigo!«

Nachdem Robert seinen Revolver überprüft und sich ebenfalls maskiert hatte, folgte er ihm.

Raphael saß nur wenige Meter entfernt in seinem Wagen, aber er sah nicht zu Weissdorns Villa hinüber. Mit geschlossenen Augen lauschte er der Musik.

Dr. Weissdorn war in ihrem Arbeitszimmer und versuchte, die Anrufe und E-Mails zu bearbeiten, die seit der Pressekonferenz ununterbrochen bei ihr eingingen. Sie war viel zu beschäftigt, um die beiden Männer zu bemerken, die sich ihrem Haus näherten.

»Es ist mir vollkommen egal, wie Sie es machen. Die Leute bestellen wie verrückt, dann drucken Sie halt in zwei Schichten und machen die Nächte durch«, rief sie ins Telefon.

Die Rechtsanwältin war viel zu aufgeregt, um ruhig in ihrem Sessel zu sitzen. Sie lief mit dem Telefon in der Hand auf und ab. Mit einem unbedachten Schritt stieß sie einen großen Aktenstapel um, der auf dem Fußboden lag.

»Also, klären Sie das bitte schnell und rufen Sie mich zurück«, sagte sie, bevor sie auflegte und sich verärgert zu den verstreuten Ordnern hinunterbeugte.

Sie hatte kaum zwei davon aufgehoben, als sie etwas Kaltes in ihrem Nacken spürte.

»Ein Mucks und du bist tot«, flüsterte Carlos, der Weissdorn von hinten seine Pistole ins Genick drückte.

Dr. Weissdorn war eine beherrschte Frau. Sie war schon aufgrund ihres Berufes daran gewöhnt, mit Stresssituationen umzugehen.

»Wie sind Sie hereingekommen?«, fragte sie.

»Fragen Sie lieber, was erforderlich ist, damit ich wieder gehe.«

»Und?«

»Nur eine Information.«

»Welche?«

»Eine Adresse. Tassilo Michaelis.«

Weissdorn durfte sich nicht anmerken lassen, dass der Mann, der ihr Leben bedrohte, eine Information haben wollte, die sie absolut nicht preisgeben konnte.

»Die ist geheim, auch für mich.«

Carlos antwortete nicht darauf. Stattdessen spannte er den Hahn seiner Waffe. Weissdorn hörte das Einrasten und verstand.

»Ich habe nur seine Telefonnummer. Wenn wir uns treffen müssen, dann rufe ich ihn an, und er kommt her.«

»Dann soll sie ihn herlocken«, schlug Robert vor, der aufpasste, dass sich niemand dem Haus näherte.

»Ich denke nicht«, fauchte Carlos und drückte ab.

Ron zuckte nicht einmal, als er den Schuss aus der Villa hörte. Er sah zu Raphael hinüber und stellte fest, dass auch er keine Reaktion zeigte.

Weissdorn hatte sich fallen lassen. Durch den Schuss, den Carlos unmittelbar neben ihrem Ohr abgefeuert hatte, war ihr rechtes Trommelfell geplatzt.

»Also?«, sagte Carlos drohend.

»Ich habe sie nicht!«, wiederholte Weissdorn.

Sie konnte Tassilo nicht verraten. Während des Prozesses hatte die Anwältin Einblick in die Ermittlungsakten gehabt. Seitdem machte Tassilo ihr Angst. Er war brutal, sadistisch und gefährlich. Nur sie kannte seine Adresse, und würden die Männer bei ihm auftauchen, wüsste er sofort, wer ihn verraten hatte.

»Also auf die Harte«, sagte Carlos, der mit Widerstand gerechnet hatte.

Er beugte sich zu Dr. Weissdorn hinunter und verpasste ihr einen kräftigen Schlag auf den Kopf, um ihre Gegenwehr zu brechen.

»Sie gehört dir«, sagte er zu Robert.

Robert verließ seinen Posten und lief zu der wehrlosen Frau hinüber. Seine Blicke prüften dabei den Raum. Schließlich blieben sie an einer Holzstatue hängen, die Weissdorn von einer Afrikareise mitgebracht hatte. Er nahm sie vom Regal und zeigte sie ihr.

»Soll ich dir damit deine hübsche Fresse einschlagen?«, fragte er.

»Ich habe die Adresse nicht!«, wiederholte sie flehend.

Ihre Angst vor Tassilo war noch immer stärker.

»Probier an ihrem Gesicht aus, wie stabil das Ding ist. Und wenn sie dann nicht redet, verschönerst du sie hiermit«, sagte Carlos und zog ein schweres Jagdmesser aus seiner Gürteltasche. Weissdorn sah es erst, als Robert es in die Hand genommen hatte.

»Hilfe!«, schrie sie, so laut sie konnte.

Ein kräftiger Tritt in die Rippen brachte sie zum Schweigen.

»Ich suche das Band von der Überwachungskamera. Nimm dir Zeit. Aber versau es nicht wieder. Tot ist sie wertlos«, sagte Carlos und verließ den Raum.

»Bitte nicht«, flehte Weissdorn. »Gehen Sie einfach, ich habe Sie nicht gesehen.«

»Halt's Maul, Schlampe«, antwortete Robert, der in der einen Hand die Holzstatue und in der anderen das Jagdmesser hielt.

»Womit soll ich anfangen? Statue oder Messer? Messer oder Statue? Na?«

»Ich gebe Ihnen seine Handynummer. Dann können Sie versuchen, mit ihm zu reden«, schlug Weissdorn vor.

»Ich denke, erst die Statue«, entschied Robert und holte zum Schlag aus.

Weissdorn musste handeln. Entschlossen rollte sie sich so auf den Rücken, dass sie Robert einen kräftigen Tritt zwischen die Beine verpassen konnte. Als der bullige Mann aufschrie, sprang sie mit dem Mut der Verzweiflung auf, entriss ihm die Statue und schlug so kräftig mit ihr auf seinen Kopf ein, dass sie dabei zerbrach. Als Robert vor Schmerz das Messer fallen ließ, stürzte sich Dr. Weissdorn darauf.

Als Carlos Roberts Schreie gehört hatte, war er aus dem Keller, in dem er nach dem Rekorder der Überwachungskamera gesucht hatte, nach oben gelaufen. Es wäre nicht das erste Mal gewesen, dass Robert versagt hätte. Als er ins Arbeitszimmer kam, fand er Weissdorn und Robert auf dem Fußboden vor. Sie kämpften um das Messer. Carlos zog seine Pistole und zielte auf die Anwältin.

»Sofort aufhören!«, befahl er.

Die beiden beendeten ihren Kampf augenblicklich.

»Die Schlampe hat sich gewehrt«, verteidigte sich Robert, dessen Blut durch die Nylonmaske über sein Gesicht lief.

Carlos war sauer. Dass Robert nicht schlau war, wusste er. Dass er sich aber von einer Frau würde überwältigen lassen, hatte er nicht erwartet. Und jetzt verteilte er auch noch seine DNA im ganzen Raum.

»Waffe weg, oder er ist tot«, rief Weissdorn plötzlich.

Sie hatte die Verwirrung genutzt, um das Messer in ihre Gewalt zu bringen. Jetzt hielt sie es Robert an die Kehle.

»Glauben Sie bloß nicht, dass ich bluffe«, fügte sie hinzu.

Es reichte Carlos endgültig.

»Nein, Sie bluffen nicht«, antwortete er trocken.

Dann sah er Robert an.

»Idiot.«

Noch bevor Robert verstand, was vor sich ging, traf ihn der Schuss aus Carlos' Pistole. Weissdorn schrie laut auf, bevor der leblose Körper aus ihren Händen glitt.

»So viel dazu«, sagte Carlos, bevor er zu Dr. Weissdorn hinüberlief und sie mit einem kräftigen Hieb niederschlug.

»Qué onda? Was macht ihr so lange?«, fragte Ron, als Carlos zu seinem Wagen kam.

»Sie will nicht reden. Ich muss das Spiel spielen.«

»Mierda! Immer das Spiel. Aber mach schnell, amigo. Wir haben keine Zeit.«

»Zehn Minuten.«

Carlos öffnete den Kofferraum und nahm einen Benzinkanister und eine kleine Tüte heraus. Dann ging er zurück in die Villa.

»Sie halten sich für mutig, wie?«, sagte Carlos, als er wieder in Weissdorns Arbeitszimmer kam. »Aber Sie verwechseln Mut mit Dummheit.«

Weissdorn saß gefesselt auf ihrem Sessel. In ihrem Gesicht klafften offene Wunden, und Blut lief aus ihrem Ohr. Carlos öffnete den Benzinkanister und verschüttete den Inhalt im ganzen Zimmer. Dann zog er einen Plastikbecher und eine dünne Kerze aus der Tüte. Er füllte den Rest des Benzins in den Becher und stellte die Kerze hinein. Dann zündete er sie an.

»Ich schätze, in zwei Minuten hat die Flamme das Benzin erreicht. Dann schmilzt der Becher, und der Inhalt läuft aus. Den Rest können Sie sich vorstellen. Also bitte. Die Adresse.«

Weissdorn sah Robert auf dem Boden liegen. Sie wusste, dass sie keine andere Wahl hatte. Die Kerze brannte schnell herunter, die Flamme würde gleich das Benzin erreichen.

»Sie müssen versprechen, dass sie ihn umbringen«, sagte sie schließlich. »Wenn ich ihn verrate und er es überlebt, dann wird er Dinge mit mir tun, die selbst Sie sich nicht ausdenken können.«

»Ich soll seine Adresse holen. Alles andere interessiert mich nicht«, antwortete Carlos.

»Das sollte es Sie aber, glauben Sie mir. Sie steht in meinem Notizbuch. Da, das braune. Unter dem Namen *Jana Binder*.«

»Na bitte«, sagte Carlos und stand auf, um das Buch zu nehmen, das auf dem Schreibtisch lag.

»Sie haben keine Ahnung, mit wem Sie sich da anlegen.«

»Soviel man hört, mit einer kleinen Kellnerschwuchtel.«

Gerade, als er das Notizbuch greifen wollte, erschütterte ein Ruck den Schreibtisch.

»Scheißlatinowichser!«, keuchte Robert, der seinen Revolver auf Carlos gerichtet hatte.

Noch bevor die Schüsse ihn treffen konnten, sprang Carlos zur Seite. Das Notizbuch fiel dabei zu Boden. Die Erschütterung des Tisches hatte die Kerze zum Umfallen gebracht und das Benzin entzündet. Sofort loderten Flammen auf und setzten den Schreibtisch in Brand.

»Mierda!«, schrie Carlos auf.

Als er wieder nach dem Notizbuch greifen wollte, traf ihn ein weiterer Schuss aus Roberts Waffe am Oberarm. Weissdorn starrte stumm vor Entsetzen auf die Flammen. Die Fesseln zwängten sie in ihren Sessel.

Carlos konnte das Notizbuch nicht erreichen, ohne in Roberts Schussbahn zu geraten. Mit einem Sprung gelang es ihm, sich im Flur in Sicherheit zu bringen. Er ergriff sein Handy und rief Ron an.

»Hast du sie?«, wollte Ron wissen.

»In ihrem Notizbuch. Aber es ist überall Feuer.«

»Ob du sie hast?«

»Gleich fackelt hier alles ab. Wir müssen weg!«

»Die Adresse!«, wiederholte Ron.

»Es gibt Probleme, ich bin verletzt«, sagte Carlos.

»Bien, ich komme rein.«

Die Flammen hatten noch nicht vom Schreibtisch auf den Rest des Raums übergegriffen, als Ron den Flur betrat, in dem Carlos gerade seine Waffe nachlud.

»Warte«, sagte er zu Ron.

Dann sprang er in den Türrahmen und feuerte fünf Schüsse auf den am Boden liegenden Robert, der mit letzter Kraft versucht hatte, aus dem Zimmer zu kriechen.

»Da liegt es«, sagte Carlos dann.

In diesem Augenblick fiel ein brennendes Buch vom Schreibtisch und setzte den Teppich in Brand. Die herumliegenden Akten beschleunigten die Ausbreitung des Feuers zusätzlich. Als Ron sich nach dem Buch bückte, schoss ihm eine Stichflamme entgegen. Er zuckte kurz zurück, dann packte er es und sprang auf. Er hatte sich Verbrennungen an der rechten Hand zugezogen, aber die bemerkte er jetzt noch nicht.

»Vamos, raus hier!«, rief er.

»Und die Frau?«, fragte Carlos hustend.

Der Rauch wurde immer dichter. Ron sah die verzweifelt um Hilfe rufende Weissdorn an, die inmitten immer höher schlagender Flammen in dichtem Rauch saß.

»Lass die Hexe brennen«, entschied er und lief aus dem Zimmer.

»Hier«, sagte Ron, als er Raphael die Adresse gab.

»Steig ein«, antwortete er.

»Was hast du vor, mi hijito?«

»Wir besuchen ihn. Danach fahren wir nach Hamburg, die Papiere holen.«

»Du willst verlassen Berlin?«

»Und du kommst mit.«

»Warum? Und was ist mit Martha?«

Raphael zögerte, bevor er antwortete.

»Wir holen sie später nach.«

Ron wusste sofort, dass Raphael gelogen hatte. Das hatte er ihm schon ansehen können, als er noch ein kleiner Junge war.

»Ich muss noch zu Carlos schnell, mach schon an den Motor, guapo«, sagte er und lief zu seinem Mann, der ungeduldig im Wagen wartete, während die Flammen in der Villa langsam auf die anderen Räume übergriffen.

»Fahr zu Martha, amigo. Warte da, bis ich melde mich. Vamos!«, sagte Ron und lief zu Raphael zurück.

Als die beiden Autos in entgegengesetzte Richtungen davonfuhren, hatte das Feuer schon fast das gesamte untere Stockwerk erfasst. Die Kisten mit den Tassilo-Fanartikeln brannten besonders schnell. Erst langsam bemerkten die Anwohner das Feuer und liefen auf die Straße.

Die Schreie aus der Villa waren verstummt.

54

»Also, was war los?«, fragte Kern.

Das *White* hatte noch nicht geöffnet, sodass Kern und Dennis sich in Ruhe mit Suzi unterhalten konnten, die erst langsam zu verstehen begann, in welcher Gefahr sie geschwebt hatte.

»Na ja, ich war halt als Gast hier. Und der sah total gut aus. Groß, blond, Sie wissen schon. Sexy halt. Aber hat die ganze Zeit an seinem Laptop gesessen.«

»Können Sie ihn genauer beschreiben?«, fragte Dennis.

»Ich hatte ganz schön was getrunken an dem Abend, aber doch, schon. Er war halt wahnsinnig attraktiv.«

»Jetzt mal der Reihe nach«, sagte Kern in ruhigem Ton, um die wichtige Zeugin nicht zu verunsichern. »Was ist passiert? Sie haben ihn angesprochen, ja?«

»Er wollte mich die ganze Zeit loswerden. Ich weiß nicht, das fand ich irgendwie komisch. Ich hab ihn wohl ein bisschen genervt. Aber er ist trotzdem mit zu mir gekommen. Und da hat er sich dann total seltsam aufgeführt. Er hat mir Klassik vorgespielt, und knutschen wollte er auch nicht. Sehe ich so furchtbar aus?«

Dennis musste sich beherrschen. Suzi war genau sein Typ, aber er war im Dienst. Also verkniff er sich eine Antwort, auch wenn es ihm schwerfiel.

»Was war noch?«, fragte Kern.

»Na, wir haben Prosecco getrunken, und ich … äh, na ja, ich weiß ja nicht, ob ich das sagen kann …«

»Sie hatten Sex?«, half Kern nach.

»Ich hab ihm halt einen – na, Sie wissen schon. Und dann ist er plötzlich aufgesprungen und hat durchgedreht.«

»Warum denn?«, wunderte sich Dennis.

»Er hatte die ganze Zeit eine Sonnenbrille auf. Ich konnte ihm nie in die Augen sehen. Darum hab ich sie ihm abgenommen. Da ist der völlig ausgerastet.«

»War denn was mit seinen Augen?«, fragte Kern.

»Na ja, wie man's nimmt.«

»Was meinen Sie?«

»Die waren unglaublich. So was habe ich noch nie gesehen. Ich habe plötzlich rumgestottert, glaube ich.«

»Und dann?«

»Ist er aufgesprungen und abgehauen. Das war's.«

Kern und Dennis sahen einander an. Dann hakte Kern nach:

»Sie haben am Telefon gesagt, er war grün gekleidet und hatte einen Stock.«

»Genau. Ich habe ihn noch gefragt, ob er schwul ist. Na ja, wegen seiner Kleidung. Sie wissen schon. Ich war halt betrunken. Und ob er was mit den Beinen hat. Wegen des Stocks.«

»Und?«

»Jedenfalls hatte er nichts am Bein. Und er hat auch gesagt, dass er nicht schwul wäre.«

»Der Mann, den wir suchen, war hier exakt zu der Zeit online, als Sie diese Begegnung hatten. Und Ihre Beschreibung stimmt mit unserem Täterprofil überein. Würden Sie mit uns aufs Revier kommen? Wir müssen ein Phantombild machen«, fragte Kern dann.

»Klar. Aber ich kann irgendwie nicht glauben, dass der ein Serienmörder sein soll. Der war doch total schön.«

»Wenn's danach ginge … Und er hat sich Tobias genannt?«, hakte Dennis noch einmal nach.

»Ja, das weiß ich noch.«

»Dann mal los«, sagte Kern und stand auf.

Dennis und Suzi folgten ihm.

»Machen Sie das öfter, dass Sie fremde Männer mit nach Hause nehmen?«, fragte Dennis, als er annahm, dass Kern die beiden nicht hören konnte.

»Na ja, kommt darauf an«, antwortete Suzi und musterte den sportlichen jungen Mann mit vielsagenden Blicken. »Hast du denn auch mal Feierabend?«

»Kann schon sein«, antwortete Dennis, bevor Kern sich den beiden wieder zuwandte.

»Sagen Sie, hat er in Ihrer Wohnung irgendwas angefasst, auf dem noch seine Fingerabdrücke sein könnten?«

»Hm, weiß nicht. Möglich, aber fragen Sie mich nicht, was.«

Die drei wollten gerade in Kerns Dienstwagen einsteigen, als Suzi noch etwas einfiel.

»Ach so, ich weiß noch was. Der hatte einen witzigen Schlüsselanhänger.«

»Wie, witzig?«, fragte Dennis.

»Als er aufgesprungen ist, ist er ihm runtergefallen.«

»Was meinen Sie mit *witzig*?«, fragte Kern nach.

»Na, da war ein Feuersalamander drauf. Das weiß ich noch, weil wir in der Grundschule mal einen hatten, im Terrarium.«

Dennis dachte nach. Dann fragte er:

»War das vielleicht ein Autoschlüssel?«

»Ja, könnte fürs Auto gewesen sein. Auf jeden Fall hat er gesagt, dass er mit dem Wagen da ist.«

»Warum fragst du, Dennis?«, wollte Kern wissen.

»Autos sind mein Fachgebiet«, antwortete er und wandte sich wieder Suzi zu. »Könnte der Feuersalamander auch ein Gecko gewesen sein?«

»Keine Ahnung, kann schon sein. War silbern. Da sehen die Viecher ja alle gleich aus.«

»Gibt es hier Internet?«, fragte Dennis.

»Klar, im Büro«, antwortete Suzi.

Die drei gingen so schnell sie konnten zu dem Rechner. Dennis rief das Logo eines Fahrzeugherstellers auf.

»Sah der Anhänger so aus?«, fragte er Suzi.

Sie lachte.

»Genau, das war er. Flipsi!«

»Ich glaub's nicht«, sagte Dennis. »Ein Wiesmann.«

»Ein was?«, fragte Suzi, bevor Kern dazu kam.

»Der Gecko ist das Logo von Wiesmann. Ein Traum von einem Auto. BMW-Motor. Und jeder einzelne wird von Hand gebaut. Der hat wirklich Stil.«

Kern wurde plötzlich ganz ruhig.

»Die bauen jeden einzelnen Wagen von Hand?«, fragte er Dennis noch einmal.

»Ja, da geht nichts unter hunderttausend. Eher mehr.«

Kern griff sofort zu seinem Handy.

»Ich brauche eine Information. Dringend. Wie viele Fahrzeuge der Marke Wiesmann sind in Berlin zugelassen? Und auf wen?«, fragte er seinen Gesprächspartner.

Es dauerte einige Sekunden, bis er eine Antwort bekam.

»Und die Namen?«

Kern griff einen Zettel und machte sich Notizen. Dann legte er auf.

»Und, wie viele?«, fragte Dennis aufgeregt.

»Fünf«, antwortete Kern.

»Jetzt wird's ernst.«

»Ich werde Sie von einem Streifenwagen aufs Revier bringen lassen, okay?«, sagte Kern dann zu Suzi.

»Schade«, antwortete sie und ließ ihre Blicke zu Dennis hinüberschweifen, der sich mit den Namen der Fahrzeughalter befasste.

»Die sind fast alle auf Firmen angemeldet«, stellte er fest. »Hast du die Passagierlisten dabei?«

Wortlos öffnete Kern seine Tasche und zog die Unterlagen heraus. Dennis überflog sie.

»Das ist ja fast zu schön«, sagte er nach wenigen Sekunden. »Einer von den Wagen ist auf die Reederei angemeldet. Und das Schiff von denen heißt MS *Raphael*. Volltreffer, würde ich mal sagen.«

»Wir müssen sofort los, vielen Dank! Sie werden gleich abgeholt«, sagte Kern zu Suzi, bevor er sich mit Dennis auf den Weg machte.

Noch aus dem Wagen benachrichtigte Kern die Kollegen im LKA, während Dennis mit der Reederei telefonierte.

»Ja, ein Wiesmann. Ein grüner Wiesmann GT«, wiederholte er für die freundliche Dame, die er in der Leitung hatte. »Wie bitte? Sind Sie absolut sicher? Gut, vielen Dank, wir melden uns später noch mal.«

Kern sah Dennis sofort an, dass er etwas Entscheidendes herausgefunden hatte.

»Und?«, fragte er gespannt.

»Tritt aufs Gas«, antwortete er und ergriff das Blaulicht vom Rücksitz, um es auf dem Fahrzeugdach zu befestigen. Dann sagte er: »Der Putzteufel heißt Raphael. Raphael von Bergen. Und wir beide kaufen ihn uns jetzt!«

55

»Warum sollte er sein zu Hause? Um diese Zeit?«, fragte Ron, als sie sich Tassilos Haus näherten.

»Kein guter Tag, um in der Stadt rumzulaufen. Nicht für ihn«, antwortete Raphael.

»Ich verstehe nicht, was du hast. Warum diese Mann? Und warum willst du weg?«

»Psssst«, machte Raphael und legte Ron seinen Zeigefinger auf die Lippen. »Es dauert nicht lange.«

Raphael parkte seinen auffälligen Wagen nicht direkt vor Tassilos Haus.

»Was hast du zu tun mit diese Typ? Ich verstehe nicht«, setzte Ron nach.

»Das kannst du nicht verstehen. Das ist was zwischen ihm und mir«, antwortete Raphael.

Dann stieg er aus. Während er zu Tassilos Haustür lief, vergewisserte er sich noch einmal, dass er seine Waffe dabeihatte. Ron folgte in angemessenem Abstand.

Tassilo schnitt gerade frischen Knoblauch in hauchdünne Scheiben, bevor er sie in die Sauce gab, die er gerade zubereitete. Die Ereignisse auf der Pressekonferenz beschäftigten ihn noch immer. Es war trotz allem ein guter Tag für ihn. Er würde in keiner Nachrichtensendung fehlen, und je größer die Ablehnung gegen ihn wurde, umso stärker stieg die Zahl seiner Anhänger. Er wollte gerade Petersilie hacken, als es an der Tür klingelte. Niemand kannte Tassilos Adresse. Vorsichtig schlich er deshalb zur Tür und sah durch den Spion.

»Wow«, flüsterte er sich selber zu, als er Raphael sah.

»Ist das Ihr Wagen in der Auffahrt? Ich habe ihn beim Wenden geschrammt«, rief Raphael durch die Tür, als er die Geräusche dahinter bemerkt hatte.

Raphael nahm seine Sonnenbrille ab. Als Tassilo seine leuchtenden Augen sah, durchzuckte ihn für einen kurzen Moment die Regung zu öffnen. Aber das kam natürlich nicht infrage.

»Shit«, sagte Raphael und zog sein Handy hervor.

Nur scheinbar wählte er eine Nummer und tat so, als würde er telefonieren.

»Ja, Polizei? Ich habe ein Fahrzeug beschädigt. Könnten Sie bitte jemanden herschicken? ... Moment, wie heißt das hier ...?« Er suchte nach einem Straßenschild. Tassilo konnte unmöglich zulassen, dass die Polizei auf seinen Aufenthaltsort aufmerksam gemacht wurde. Notgedrungen öffnete er.

»Was ...«, setzte er an.

Die Tür schlug Tassilo mehrfach gegen den Kopf, eine Hand packte seine Kehle, drückte ihn in den Flur, stieß ihn zu Boden. Er wurde auf den Bauch gewendet, sein Arm auf den Rücken gedreht, weitere Schläge. Erst dann wurde es schwarz.

Als Tassilo wenige Minuten später wieder zu sich kam, hörte er leises Tuscheln. Er saß inmitten seiner Fanbriefe im Esszimmer. Die Tafel war aber nicht mehr so festlich gedeckt wie für Kern. Zu seiner eigenen Überraschung war er nicht gefesselt. Raphael bemerkte, dass Tassilo wieder zu sich gekommen war, und nahm am anderen Ende der Tafel Platz.

»Dann mal los«, sagte Tassilo.

Raphael zog seine Pistole und befestigte mit ruhigen Bewegungen den Schalldämpfer darauf.

»Du warst lange weg. Blut, Gewalt, Hass. Warum vergiftest du die Welt damit?«, fragte er.

»Ach, Kleiner. Solltest du nicht am Strand liegen und die Sonne genießen?«

»Das ist ein bemerkenswerter Raum. Voller Anbetung für dich und deine Morde. Hast du ihn einen Tempel für dich errichten lassen?«

Tassilo lachte, wenn auch nur leise.

»Wer bist du, Klugscheißer?«

Raphael, der bisher zu Asmodeus gesprochen hatte, wandte sich jetzt Tassilo zu.

»Der Dämon ergreift Besitz von schwachen Menschen, damit sie ihm dienen. Er macht sie zu seinem Werkzeug. Menschen wie Sie.«

Tassilo war verunsichert. Er konnte die Situation nicht einschätzen. Er schwieg lieber.

»Was ist mit Kern? Wollen Sie auch nach ihm greifen?«, fragte Raphael dann.

»Hast du ihm was getan?«, entgegnete Tassilo.

»Warum sollte ich denn?«

»Verdammt, wer bist du?«

»Erkennen Sie mich denn nicht?«

»Hat Kern dir gesagt, wo ich wohne?«

»Die Kräfte schaffen sich ihr Gleichgewicht selbst. Das Böse erschafft das Gute. Und umgekehrt. Du bist also aus der Verbannung zurückgekehrt, Asmodeus. Ich denke, es ist an der Zeit, dich endgültig in die Hölle zurückzuschicken.«

Sollte Tassilo versuchen, die Eindringlinge anzugreifen? Sie waren zu zweit. Und bewaffnet. Man muss wissen, wann man verloren hat, dachte er und schloss die Augen.

Da betrat Ron den Raum.

»Wir sind nicht allein«, sagte er zu Raphael und deutete auf die Schuhablage im Flur.

Neben Tassilos ordentlich aneinandergereihten Lederschuhen lag ein Paar weiße, unachtsam hingeworfene Turnschuhe. Jetzt bemerkte Raphael auch die beiden Teetassen, die auf der Kommode in der Ecke standen.

»Lass ihn nicht aus den Augen«, sagte er zu Ron, erhob sich und verließ den Raum.

»Lassen Sie ihn in Ruhe!«, rief Tassilo ihm hinterher.

Ron kühlte seine Verbrennungen mit Eiswürfeln, die er in Tassilos Gefrierschrank gefunden hatte.

Mit der Waffe in der Hand überprüfte Raphael das Erdgeschoss. Mit seinen leisen, fast schwebenden Schritten ging er von Raum zu Raum, dann nach oben. Die Tür zum Schlafzimmer war nur angelehnt. Raphael öffnete sie vorsichtig. Als er sah, was sich dahinter verbarg, senkte er seine Pistole.

»Was hat er dir angetan?«, fragte er Jonathan, der in seiner englischen Schuluniform an einen Stuhl gefesselt war.

Jonathan konnte nicht antworten; er war geknebelt. Auch seine Augen waren verbunden. Raphael setzte sich auf den Rand des Bettes und legte seine Hand auf Jonathans Schulter. Dann horchte er tief in sich hinein, nahm einen kräftigen Atemzug und begann mit sanfter Stimme zu sprechen.

»Ich heile deine Schmerzen und nehme das Leid von dir. Ich bin gekommen, dich von deinem Dämon zu befreien. Er wird dir nichts mehr tun, das verspreche ich dir.«

Raphael löste Jonathans Knebel. Der junge Mann war zu fest an den Stuhl gebunden, als dass Raphael die Fesseln schnell hätte lösen können. Jonathans Gesicht war schmerzverzerrt, als er es mit noch immer verbundenen Augen in die Richtung drehte, aus der die Stimme gekommen war.

»Misch dich nicht ein, Arschloch!«, zischte er.

Raphael erschrak. Für einen Augenblick wusste er nicht, wie er reagieren sollte. Dann sprang er auf und richtete seine Waffe auf Jonathan. Noch einmal atmete er tief ein. Dann senkte er die Waffe wieder. Überfordert von der Situation, verließ er den Raum und lief die Treppe hinunter.

»Was ist?«, wollte Ron wissen.

Raphael sah zu Tassilo hinüber, der leidenschaftslos auf seinem Stuhl saß.

»Nicht hier«, entschied er dann. »Heute werde ich den Kreis schließen. Wir nehmen ihn mit.«

56

»Wir sind in einer Minute da«, gab Dennis den Kollegen durch. »Schickt Verstärkung.«

Dann wandte er sich Kern zu.

»Also, die Flughäfen sind informiert, weg kommt er nicht mehr.«

Kern schmunzelte.

»Er hat doch Flügel.«

Carlos war schon eingetroffen. Er hatte Martha Rons Nachricht übermittelt. Jetzt saßen die beiden im Wohnzimmer und warteten.

»Verstehst du Raphael? Er ist kein guter Junge, schon lange nicht mehr.«

»Ron wird sich bald melden. Er sagt uns, wie es weitergeht.«

»Hast du Hunger? Ich mache dir was.«

Martha ließ sich nicht anmerken, was in diesem Moment in ihr vorging. Sie wollte in Carlos' Beisein nicht in die Kapsel zu Sigrid flüchten, die sie in die Arme genommen hätte, um ihr Trost zu spenden. So war sie der Realität schutzlos ausgesetzt.

Sie hatte immer geahnt, dass der Tag kommen würde, an dem Raphael würde fliehen müssen. Sie hatte sich keine Illusionen gemacht, dass er sie mitnehmen würde. Sie dachte lange, dass Raphael ein Fehler gewesen war, aber je älter und kränker sie wurde, umso mehr war sie von dieser Meinung abgekommen. Doch erst jetzt, als es zu spät war, begann sie langsam wieder, ihren kleinen Jungen lieb zu haben. Vielleicht auch, weil sie den kalten Hauch ihres herannahenden Todes immer deutlicher spüren konnte.

Endlich klingelte Carlos' Handy. Er telefonierte etwa eine Minute lang auf Spanisch. Dann legte er auf und sagte: »Wie's aussieht, dreht Raphael durch. Er hat diesen schwulen Penner in den Kofferraum geschmissen und will ihn mit nach Hamburg nehmen. Und er will sich absetzen. Ron glaubt, er will dich zurücklassen.«

»Ja?«

»Er konnte nicht lange reden. Verstehst du das alles?«

»Das musste so kommen. Er hat vieles falsch gemacht.«

»Und jetzt?«

»Er hat nie auf mich gehört. Weiß nicht.«

Carlos hörte einen Wagen auf dem Hof vorfahren.

»Erwartest du jemanden?«, fragte er Martha.

»Ich?«, antwortete sie verständnislos.

Carlos sah durch das Küchenfenster nach draußen.

»Bullen!«

»Sie haben ihn gefunden«, seufzte Martha und fügte erleichtert hinzu: »Endlich.«

»Das Haus ist zu groß und verwinkelt. Viel zu unsicher. Wir warten auf die Kollegen«, sagte Kern.

»Egal. Ich geh da jetzt rein und schnappe ihn mir«, entgegnete Dennis.

»Was könnten die hier finden?«, wollte Carlos von Martha wissen.

»Weiß nicht. Ich kenne Raphaels Räume nicht.«

»Hast du Stoff im Haus?«

»Ein bisschen.«

Carlos dachte nach. Schnell, aber besonnen. Irgendetwas Großes ging hier vor, wenn er auch nicht wusste, was. Jemand könnte Raphaels Wagen am Haus der Anwältin gesehen haben. Aber die Polizisten waren nur zu zweit. Vielleicht hatten sie ja auch nur ein paar Fragen. Konnten sie Roberts Leiche schon identifiziert haben? Verdammt, Robert! Die Kugeln in seinem Körper stammten aus der Waffe, die Carlos noch bei sich trug.

»Wir müssen weg, schnell«, entschied er und lud seine Waffe durch.

»Wenn er wirklich noch da ist, dann ist er vorbereitet. Wir warten«, wiederholte Kern, als überraschend die Haustür aufsprang und Carlos zügig heraustrat.

Dennis öffnete die Wagentür und stieg aus. Kern konnte ihn nicht zurückhalten.

»Guten Tag«, begann Dennis, als Carlos ohne Vorwarnung das Feuer eröffnete.

Dennis sackte sofort zusammen. Kern duckte sich weg und versuchte, den Wagen über den Rücksitz zu verlassen. Als er dabei aus der geöffneten Beifahrertür sah, bemerkte er, dass Dennis reglos im Kiesbett lag. Sein Gesicht war blutüberströmt. Weitere Schüsse schlugen durch die Frontscheibe ein. Kern stieß die hintere Tür auf der Beifahrerseite auf, während Carlos sich aus der anderen Richtung dem Fahrzeug näherte. Kern legte sich mit dem Bauch nach unten auf die Rückbank, streckte beide Arme aus der offenen Tür und ließ sich so fallen, dass er unter dem Wagen hindurch Carlos' Füße sehen konnte. Er feuerte drei Schüsse ab, bevor der Getroffene zu Boden sackte. Als Kern weiterfeuern wollte, schoss Carlos, sodass er sich wieder in den Wagen zurückziehen musste. Während Kern aus dem Wagen in Carlos' Richtung feuerte, schlugen dessen Geschosse von der anderen Seite durch die Tür.

Dann war Ruhe.

Es dauerte endlose Sekunden, bis Kern davon überzeugt war, unverletzt zu sein. Carlos' Schusswinkel war zu steil gewesen, um ihn zu treffen. Mit geübten Griffen lud er seine Waffe nach und bereitete sich darauf vor, aus dem Wagen zu steigen. Sein Gegner konnte unmöglich aufstehen; er war an den Knöcheln getroffen worden. War er noch am Leben, musste Kern seine momentane Überlegenheit nutzen. Er sprang so gut es ging aus dem Wagen und suchte dahinter Deckung.

»Werfen Sie die Waffe weg und bleiben Sie liegen!«, rief er. »Gleich wird ein Rettungswagen eintreffen.«

Kern sah Dennis noch immer reglos auf dem Boden liegen. Er glaubte, eine leichte Zuckung bemerkt zu haben. Vielleicht lebte er noch.

»Halt durch«, flüsterte er ihm zu.

Dann sprang er hinter dem Fahrzeugheck hervor und zielte

auf Carlos. Der rührte sich nicht. Carlos' Waffe fest im Blick, lief Kern langsam zu ihm hinüber. Als er ihn erreicht hatte, stieß er dessen Pistole mit dem Fuß weg und griff nach seinen Handschellen. Carlos war getroffen, lebte aber noch.

»Versuchen Sie ganz ruhig zu atmen«, sagte Kern und beugte sich zu ihm hinunter.

Plötzlich packte Carlos Kerns Handgelenk und versuchte, ihm seine Waffe zu entreißen. Kern war im Nahkampf ausgebildet und hätte die Situation normalerweise schnell unter Kontrolle bringen können. Doch ein weiterer Schuss aus unbekannter Richtung zwang ihn, sich auf den Boden zu werfen.

Martha stand auf der Treppe zur Villa. Sie hatte eine kleinkalibrige Pistole in der Hand, die Ron ihr einmal geschenkt hatte. Carlos konnte jetzt Kerns Waffe packen. Als er damit auf ihn anlegte, traf ihn ein Schuss von der Seite in den Kopf. Dennis. Er zwinkerte Kern noch einmal zu, bevor er endgültig zusammensackte.

»Alles ist gut!«, rief Martha.

Der Anblick der abgemagerten Frau mit den eingefallenen Gesichtszügen erschreckte Kern.

»Aufstehen. In den Wagen«, rief sie weiter und deutete auf den Bentley, der in der geöffneten Garage stand.

»Ich glaube, wir haben dasselbe Ziel«, sagte sie dann. »Aber wir müssen uns beeilen. Er hat einen großen Vorsprung.«

57

In weniger als einer Stunde würde es endlich vorbei sein. So oder so. Während die Flammen kaum gelöscht und die Toten noch nicht geborgen waren, raste der Bentley unaufhaltsam seinem Ziel entgegen. Es hätte der Waffe, die Martha auf Kern gerichtet hatte, nicht bedurft. Er wäre an seiner Jagd nach dem Putzteufel fast verzweifelt. Dennis war schwer verletzt, womöglich sogar tot. Allein der Wunsch, dem Killer endlich Auge in Auge gegenüberzustehen, brachte ihn dazu, das Gaspedal durchzutreten. Während er den Anweisungen folgte, die Martha mit kalter, nüchterner Stimme vom Rücksitz aus gab, versuchte er, sich auf jedes nur vorstellbare Szenario vorzubereiten, das ihn nun erwarten konnte. Doch obwohl Kern sich dem Putzteufel auf eine eigenartige Weise nah gefühlt hatte, erschien ihm dieser Mensch jetzt, da die Begegnung mit ihm unmittelbar bevorstand, so fern wie nie zuvor.

Die Wirkung des Chloroforms hatte bereits nachgelassen, bevor Ron und Raphael das kleine Landhaus bei Hamburg erreicht hatten. Um nicht aufzufallen, waren sie mit Tassilos Wagen gefahren. Ihr Opfer war schon wieder bei Bewusstsein, als die Männer den Kofferraum öffneten, in dem sie ihn verstaut hatten. Da Rons verbrannte Hand noch immer schmerzte, schleppte Raphael den gefesselten Tassilo ins Haus.

Das Landhaus war klein, aber wunderschön in die ländliche Idylle integriert. Richard von Bergen hatte einen sicheren Geschmack gehabt. Die Ziegel waren mit ruhigen Farben gestrichen, und die großen Fenster ließen das Haus mit warmem

Licht durchfluten. Seit von Bergens Tod war es aber so gut wie gar nicht mehr genutzt worden. Trotzdem legte Raphael Wert darauf, dass es regelmäßig instand gehalten und gereinigt wurde.

Jetzt waren sie dort draußen vollkommen ungestört.

»Was für eine Scheiße, diesen Kerl zu nehmen mit. Was soll das, pequeño angel?«, sagte Ron ungeduldig.

Er konnte noch immer nicht verstehen, weswegen Raphael so schlagartig das Land verlassen wollte.

»Wissen Sie, wo Sie hier sind?«, fragte Raphael Tassilo, nachdem er ihn ins Wohnzimmer geschleppt und an den Heizkörper gefesselt hatte.

»Disneyland?«, entgegnete er trocken.

»Hier ist mir vor vielen Jahren Asmodeus begegnet. Wann hat er von Ihnen Besitz ergriffen?«

»Wovon redest du eigentlich, Spinner?«

Tassilo war sich der Gefahr bewusst, in der er sich befand. Aber wenn das hier schon sein Ende sein sollte, so würde er seinem Entführer wenigstens nicht noch den Gefallen tun, Angst zu zeigen. Bei seinen eigenen Opfern hatte Tassilo genau das am meisten angewidert. Hier galt es, Haltung zu bewahren. So, wie es sein Lehrmeister, der ihm damals die Welt der gehobenen Gastronomie eröffnete, beigebracht hatte.

»Im Augenblick des größten Leids hat Gott mir seinen großen Erzengel Raphael geschickt. Er hat mir gesagt, wie ich den Dämon bannen kann. Und er hat mich auf meine Wanderschaft geführt. Aber ich habe lange gebraucht, es zu begreifen.«

Jetzt endlich verstand Tassilo.

»Ach du Scheiße. Du bist dieser Spinner, den Kern sucht?«

»*Wer aus Barmherzigkeit hilft, der bringt dem Höchsten eine Gabe dar, die ihm gefällt.* Der Erzengel ist in mich gefahren und hat mir einen Auftrag erteilt. Denen, die voll Leid und Kummer sind, die ewige Wärme des Paradieses zu schenken.«

Ron mischte sich ein.

»Was redet ihr denn da? Knall ab den Typen und dann weg.«

Raphael sah ihn an.

»Weißt du noch, was du mir damals versprochen hast? Dass du sie finden wirst. Alle. Und dass sie bezahlen würden, jeder Einzelne.«

Ron wurde still.

»Und, hast du sie gefunden? Haben sie bezahlt? Lass uns allein.«

Mit gesenktem Blick verließ Ron den Raum.

»Okay, Hübscher«, sagte Tassilo, nachdem die beiden allein waren. »Was soll das hier werden? Ist es, weil ich Kern geholfen habe, dich zu schnappen? Weißt du, ich kann dir eine gute Anwältin empfehlen.«

Raphael schüttelte den Kopf.

»Nicht mehr.«

Tassilo verstand sofort.

»Daher also die Adresse.«

»Sie haben diese Briefe an Ihre Wände geklebt. Es war, als ob Sie wollten, dass die Wände bewundernd zu Ihnen sprechen. Was ist mit diesen Wänden hier? Sprechen sie auch zu Ihnen?«

Tassilo sah sich um. Die Möbel waren mit Laken abgedeckt, die Wände weiß gestrichen. Alles war sehr ordentlich, auch wenn der Geruch verriet, dass dieses Haus lange nicht mehr bewohnt worden war.

»Weißt du, Kleiner, wenn du mir was sagen willst, dann tu es. Aber nerv mich nicht mit deinen blöden Spielchen.«

»Der große Erzengel hat mich an die Hand genommen. Er hat mich geleitet, denen zu begegnen, die ihn genauso sehr brauchen, wie ich ihn gebraucht habe. Und er hat mir Kern geschickt, mich zu Asmodeus zu führen. Du hast Tassilo verführt, wie du damals die Männer verführt hast, die in dieses Haus eingedrungen sind. Aber wenn der Erzengel zweimal in sein Horn stößt, dann werden die Toten auferstehen und Rechenschaft ablegen.«

Tassilo hatte nicht mehr den geringsten Zweifel. Sein Entführer war vollkommen wahnsinnig. *Immerhin – ich werde eine saubere Leiche abgeben*, dachte er. *Vielleicht wird mir ja sogar das weiße Hemd passen. Das wird Kern sicher witzig finden.*

Raphael schloss die Augen. Für einen Moment war es vollkommen still. Kein Wort, kein Geräusch, kein Chopin.

Die Stille bringt die anderen Erinnerungen zurück. Die bösen.

58

19 Jahre zuvor.

Richard von Bergen war mit Raphael in den Vergnügungspark gefahren, von dem die anderen Kinder mit leuchtenden Augen erzählt hatten.

Die beiden erlebten einen wunderschönen Tag miteinander. Endlich konnte der Junge Martha und Sigrid für eine Weile vergessen. Er hatte schon lange nicht mehr so gelacht wie in der Achterbahn, vor der er geduldig über eine Stunde angestanden hatte. Die Wildwasserfahrt und das Kettenkarussell hatten ihm genauso viel Spaß gemacht.

»So was müssen wir viel öfter machen, kleiner Engel«, hatte

Raphaels Vater gesagt, als sie in dem kleinen Café auf dem Gelände Eis aßen.

Raphael strahlte über das ganze Gesicht.

»Gleich fängt die Piratenshow an!«, rief er.

Auf einem kleinen Schiff, das fest in einen künstlich angelegten See gebaut war, spielten sich vor den Augen der Parkbesucher die absurdesten Abenteuer ab. Der dicke, betrunkene Kapitän musste seine Beute vor einer grotesken Mannschaft aus Piraten, Clowns und trainierten Tieren verteidigen. Am Ende landeten die meisten Akteure dabei im Wasser. Es war ein Riesenspaß.

»Ich nehme dich bald mal wieder mit«, hatte Richard von Bergen seinem Sohn versprochen. »Dann bist du der Piratenkapitän. Aber auf einem echten Schiff.«

»Aber nur wir beide, ohne Mama.«

Es tat Raphaels Vater in der Seele weh zu erleben, wie unglücklich sein Sohn bei seiner Mutter war. *Vielleicht werde ich mich ihm zuliebe früher als geplant zur Ruhe setzen,* überlegte er. Bemüht, sich seinen Konflikt nicht anmerken zu lassen, versprach er: »Ja, nur wir beide.«

Der Tag war sehr anstrengend für Raphael gewesen. Er war stundenlang ausgelassen zwischen den Fahrgeschäften hin und her gelaufen, um immer wieder mit ihnen fahren zu können. So war er sehr müde, als er mit seinem Vater im Auto saß, um zurück nach Hause zu fahren. Plötzlich klingelte das Autotelefon.

»Was ist los? Warum denn?«, fragte Richard aufgebracht. »Das geht nicht, bin unterwegs. Nein, eine Stunde.«

»Was ist denn?«, wollte Raphael wissen.

»Nichts, mein Engel.«

Einen Moment lang hörte von Bergen mit angespannter Miene zu. Dann sagte er:

»Also gut, dann im Landhaus. Zwanzig Minuten.«

Richard von Bergen setzte den Blinker und fuhr von der Autobahn ab.

»Bleib einfach im Wagen, es wird nicht lange dauern«, sagte er zu Raphael, nachdem sie angekommen waren.

»Was machst du denn?«, wollte der Junge wissen, der bemerkte, dass sein Vater in großer Sorge war.

»Geschäftlich. Ich treffe mich kurz mit ein paar Männern. Schlaf einfach ein bisschen.«

Er drückte seinem Sohn einen liebevollen Kuss auf die Stirn und lief zum Haus.

Von Bergen bemerkte nicht, dass Raphael ihm folgte.

»Es ist wegen der Lieferungen. Die Kolumbianer. Sie kommen her«, sagte von Bergen nervös in den Telefonhörer, als Raphael ins Wohnzimmer kam.

Der Junge, der schon immer über ein besonderes Einfühlungsvermögen verfügte, spürte, dass sein Vater in großen Schwierigkeiten war.

»Was machst du denn hier?«, flüsterte von Bergen seinem Sohn zu, während er die Sprechmuschel abdeckte.

»Ich habe Angst.«

Richard legte auf. Aber noch bevor er auf den Jungen eingehen konnte, hörten sie das gewaltige Klirren, mit dem die Glasfront zum Garten eingeschlagen wurde.

»Verdammt, versteck dich!«, zischte von Bergen hektisch.

Raphael erstarrte. Er spürte die Bedrohung, die mit dem gewaltigen Schlag über das kleine Haus hereingebrochen war.

»Da drunter!«

Richard von Bergen packte seinen Sohn und drückte ihn unter das Sofa, das ihm in diesem Augenblick den bestmöglichen Schutz zu bieten schien.

Kaum dass der Junge versteckt war, stürmten drei maskierte Männer in den Raum. Raphael konnte die Geschehnisse nur durch den schmalen Spalt verfolgen, durch den er unter der Couch hinaussehen konnte.

»Schöne Grüße von Juan!«, rief einer der Männer, bevor er ohne Ankündigung auf von Bergen einzuschlagen begann.

Raphael hörte das dumpfe Geräusch, mit dem der Knüppel gegen den Schädel seines Vaters schlug. Er konnte es nicht sehen, aber er spürte, dass sich etwas unvorstellbar Grauenhaftes abspielte, keine zwei Meter von ihm entfernt. Raphaels Vater versuchte sich zu wehren, aber der Übermacht seiner Angreifer war er unterlegen. Immer wieder schlugen die Männer auf ihn ein. Raphael zitterte am ganzen Leib.

Es war wie damals, als er nicht einschlafen konnte, weil er ein Knarren gehört hatte. Er war fünf Jahre alt gewesen und vermutete ein Monster in seinem Kleiderschrank. Raphael konnte damals die Stimme seines Vaters hören, ganz leise aus dem Untergeschoss. Und er wusste, dass das Monster ihm nichts anhaben konnte, solange sein Vater da war.

Aber jetzt war es anders. Raphael wusste, dass er seinem Vater zu Hilfe kommen musste, aber er konnte nicht. Er war erstarrt vor Angst. Als Richard von Bergen nach scheinbar endlosen Sekunden eines ungleichen Kampfes zu Boden ging, konnte Raphael zum letzten Mal in das lebende Gesicht seines Vaters sehen. Richard sah nicht zu seinem Sohn hinüber. Er hatte Angst, seine Angreifer dadurch auf den Jungen aufmerksam zu machen. Aber er wusste, dass Raphael ihn sehen konnte. Deswegen lächelte er sanft, in dem Wissen, dass sein kleiner Engel es als einen letzten liebevollen Gruß verstehen würde.

»Was hast du zu grinsen?«, schrie ihn einer der Männer mit starkem Akzent an, bevor er mit seinem Knüppel so lange auf von Bergen einschlug, bis er sich schließlich nicht mehr rührte. Dann war es vorbei.

Die Männer unterhielten sich in aufgebrachtem Tonfall auf Spanisch. Raphael konnte sie nicht verstehen. Für ihn war es, als vergingen Stunden, den Blick fest auf das zerschlagene Gesicht seines Vaters gerichtet. Unter Schock hoffte er entgegen aller Vernunft, dass sein Vater wieder aufstehen, sich das Blut abwischen und seinen kleinen Engel unter der Couch hervorziehen würde. Aber es rührte sich nichts. Irgendwann glaubte Raphael, dass die Männer gegangen waren. Aber er war sich nicht sicher und traute sich nicht, aus seinem Versteck herauszukommen. Sie konnten dort stehen und auf ihn lauern.

Erst nach fast zwei Stunden kroch er schließlich doch unter der Couch hervor, ganz leise. Es war längst dunkel geworden.

Der Anblick, der sich ihm im Mondlicht bot, war grauenvoll. Der ganze Raum war verwüstet, überall Blut. Auf dem Boden, an den Wänden, überall. Im Kampf hatten die Männer Richard von Bergen auf einen Glastisch fallen lassen, der dabei zerbrochen war und ihm das Gesicht und den Oberkörper zerschnitten hatte. Raphael fand eine kleine Schreibtischlampe auf dem Boden, die er sich traute anzuschalten. Obwohl er noch ein Kind war, erkannte er im faden Licht, dass sein Vater tot war. Er hatte noch keine wirkliche Vorstellung davon, was es bedeutete, tot zu sein. Aber sein Vater war es, das wusste er. Richards Schädel war deformiert, sein linkes Auge ausgelaufen.

Bald würde er Martha anrufen müssen. Aber so durfte sie ihn nicht finden. Diesen Gefallen würde er ihr nicht tun. Sie würde nicht darüber triumphieren, was es ihm eingebracht hatte, sich Sigrids Willen zu widersetzen.

Niemand würde seinen geliebten Vater so finden. Vielleicht konnte Raphael ihn ja auch wieder gesund machen, die Uhr zurückdrehen.

Raphael stellte die Lampe auf den Tisch zurück, von dem sie heruntergefallen war. Dann begann er, die Scherben einzusammeln, ganz vorsichtig. Danach stellte er die umgefallenen Stühle wieder auf und schob sie an ihre Plätze zurück. So sah es schon viel besser aus, glaubte er. Dann zog er sein Hemd aus, um seinem Vater damit das Blut aus dem Gesicht zu wischen. Die Leiche konnte er nicht bewegen, sie war viel zu schwer. Aber Raphael wusste von der Sonnenbrille, die in der Jackentasche seines Vaters steckte. Er benutzte sie dazu, die furchtbar entstellte Augenpartie des Toten zu bedecken. Er räumte noch eine ganze Weile auf, bevor er schließlich der Meinung war, Martha anrufen zu können.

Er lief in den Flur, in dem das Telefon stand. Als er dabei einen Blick in den Spiegel warf, zuckte er zusammen. Überall war Blut. Der Tod hatte seine dreckigen Spuren hinterlassen. Nur dieser kleine Junge im Spiegel war sauber geblieben. Mit nacktem Oberkörper stand er da, sein blondes Haar noch immer zu einem ordentlichen Scheitel frisiert. Seine blauen Augen strahlten noch immer voll Glanz und Reinheit. Er wusste nicht, warum, aber kein Schmutz war an seiner Hose, nicht ein einziger Blutfleck auf seinem Körper. Irritiert ließ er seinen Blick zwischen dem Wohnzimmer und seinem Spiegelbild hin und her wandern. Er hatte keine Erklärung dafür, aber der Dämon, der hier gewütet hatte, hatte ihm nichts anhaben können. Jemand hatte seine schützende Hand über ihn gehalten.

Erst Jahre später verstand Raphael, wer es gewesen war.

59

»Da vorn«, sagte Martha, als sie das Haus endlich erreicht hatten.

Kern hatte während der Fahrt einige Male versucht, mit ihr zu sprechen. Vergeblich. Sie hatte sich in ihre Kapsel zurückgezogen, in der Sigrid sie darin bestätigte, dass es das einzig Richtige war, was sie gerade tat.

»Anhalten.«

Kern parkte den Bentley am Straßenrand und stellte den Motor aus. Dann blieb er so lange schweigend sitzen, bis Martha endlich zu ihm sprach.

»Er will mich zurücklassen. Aber da mache ich nicht mit. Hat ihn nie interessiert, wie's mir geht.«

»Ist er der Mann, den ich suche?«

»Er ist kein guter Junge. Daran ist sein Vater schuld.«

»Lassen Sie mich ihn festnehmen. Bitte, er braucht Hilfe.«

Martha zischte heiser. Kern erkannte, dass es ein Lachen sein sollte.

»Psychofritzen. Alle Versager.«

»Bitte geben Sie mir die Waffe. Ich verspreche Ihnen, dass ich Ihrem Sohn nichts tun werde.«

»Sie können ihm sowieso nichts beweisen. Er hat alles geputzt. Das geht genauso aus wie bei den anderen.«

Kern dachte nach. Was hatte er gegen den Putzteufel in der Hand? Es gab keine Fingerabdrücke, DNA-Spuren oder Zeugen. Und er war sehr reich. Er würde eine großartige Verteidigung bekommen.

Nicht noch mal. Noch mal stehe ich das nicht durch.

»Die Jungs«, sagte Martha dann. »In Neukölln.«

Kern horchte überrascht auf.

»Was ist mit denen?«

»Er hat sie erschossen. Ist kein guter Junge.«

»Das war *er*?«

»Die Waffe. Er hat sie dabei.«

Wenn ich die Tatwaffe bei ihm finde, ist er geliefert.

»Er ist Ihr Sohn, warum helfen Sie mir?«

»Ich?«, fragte Martha. »Halten Sie ihn auf. Bevor …«

Sie stockte.

»Bevor was?«, hakte Kern nach.

»Es geht mir nicht gut«, gab sie kleinlaut zu. »Ich mache es nicht mehr lange. Und dann?«

Kern bemerkte einen Schatten, der hinter einem der Fenster des Landhauses vorbeihuschte. War er das? Der Putzteufel?

»Aussteigen«, befahl Martha plötzlich, die noch immer ihre Waffe auf Kern gerichtet hatte. »Wir gehen jetzt zu ihm.«

Vorsichtig näherte Kern sich dem Grundstückszaun. Martha folgte ihm mit gerade so viel Abstand, dass er sie nicht überwältigen konnte.

»Rechnet er mit uns?«, flüsterte Kern, als sie die Haustür erreicht hatten.

»Er hat keine Ahnung. Er will sich absetzen, ohne mich.«

Eine Falle? Nein, warum? Sie hätte mich längst erschießen können.

Martha reichte Kern den Schlüssel. Vorsichtig führte er ihn ins Schloss.

Plötzlich riss jemand völlig überraschend von innen die Tür auf. Ehe Kern begriff, was geschah, war eine zweite Waffe auf ihn gerichtet.

»Leise!«, zischte Ron, der die beiden hatte kommen sehen.

»Warum hast du gebraucht so lang, Marthita? Und wer ist er?«

»Polizist. Er will Raphael festnehmen.«

»Qué mierda! Warum bringst du her die Bullen? Und wo ist Carlos?«

»Lange Geschichte. Lass uns rein.«

Ron, der darauf bedacht war, dass Raphael nichts bemerkte, sah Kern an.

»Bien, Bulle. Eine Wort, und bist du tot.«

»Haben Sie ihn gequält?«, fragte Raphael Tassilo.

»Wen? Ach, du meinst Jonathan? Na ja, gequält trifft es nicht ganz. Der braucht das so.«

Raphael entgegnete nichts.

»Und jetzt komm mal wieder runter von deinem Trip, Kleiner. Die Welt ist nicht groß, blond und blauäugig. Das Leben fährt keinen schicken Sportwagen und wohnt nicht in einer Villa. Du solltest rausgehen und dein Leben genießen. Stattdessen läufst du rum und redest von Dämonen und Racheengeln.«

Raphael hob die Waffe und zielte mitten in Tassilos Gesicht. Dann sagte er schnell und konzentriert:

»Ich stehe im Westen vor Gottes Thron und wache über die, die voll Trauer und Schmerz sind. Gott heilt die Seele, ich heile die Seele.«

»Mann, bist du fertig«, entgegnete Tassilo.

»Ich erlöse Tassilo von dir und stoße dich zurück in die ewigen Feuer der Hölle, Asmodeus. Ich bin Raphael!«

Tassilo schmunzelte, als er in die Mündung des Schalldämpfers sah.

Da, im Flur. Ein Schrei, etwas fiel scheppernd zu Boden. Es gab Kampfgeräusche, lautes Stimmengewirr. Ein Schuss fiel. Die

Tür sprang auf, Ron stürzte mit dem Rücken voran auf den Boden, Kern klammerte sich an ihn. Raphael sah zu den Kämpfenden, als ihm ein Tritt von Tassilo seine Waffe aus der Hand schlug. Ein weiterer traf seine Magengrube. Raphael sank zusammen, während Ron es schaffte, sich aufzurichten. Martha stand regungslos. Ron griff nach seiner Waffe.

»Seine rechte Hand ist verletzt!«, rief Tassilo.

Obwohl vollkommen von Tassilos Anwesenheit überrascht, packte Kern instinktiv an Rons Brandwunde. Dieser schrie vor Schmerzen auf und ließ die Waffe fallen. Irgendwie schaffte es Tassilo im Gerangel, sie mit dem Fuß zu Kern zu schieben.

»Fallen lassen!«, schrie Kern Raphael an, als dieser gerade auf ihn anlegen wollte.

Ein dumpfer Schuss; die Kugel flog ganz nah an Kerns Kopf vorbei. Ein lauterer Schuss auf Raphael, der nur seine Hüfte streifte. Ron sprang auf und stieß Kern zu Boden. Dann wurde er von einem Geschoss getroffen und brach zusammen.

»Sieh mich an, Raphael!«, rief Tassilo.

Wie erhofft, drehte sich Raphael zu ihm um. Kern nutzte die Gelegenheit, sprang auf, riss ihn zu Boden, entwaffnete ihn und sicherte ihn am Boden.

»Das war's. Sie sind verhaftet.«

Ich habe dich. Endlich. Nathalie wird …

»Die Frau!«, rief Tassilo, bevor ein dumpfer Schlag von hinten Kerns Bewusstsein ausschaltete.

60

Martha und Raphael hatten sich in den Garten zurückgezogen, um ungestört reden zu können.

»Woher wusstest du, wo ich bin?«, wollte Raphael wissen.

»Wolltest du ohne mich weg?«

»Und warum hast du den Polizisten hergebracht? Was soll das?«

»Du musst sie töten, beide.«

»Nein, nicht Kern.«

»Er will dich einsperren.«

Raphael dachte nach.

»Warum hast du Ron erschossen?«, fragte er dann.

»Wollte ich nicht. Ich wollte den Polizisten treffen.«

Raphael kannte Martha viel zu gut, um ihr zu glauben.

»Wirklich?«, fragte er deshalb. »Oder vielleicht doch eher mich?«

Kern und Tassilo waren jetzt beide an den Heizkörper gefesselt.

»Ironie des Schicksals. Im Leben Rivalen, im Sterben vereint«, sagte Tassilo.

»Hat er Sie entführt?«

»Offenbar hat unsere kleine Konversation mit den Medien seine Aufmerksamkeit auf mich gelenkt. Wissen Sie, er scheint mental nicht ganz auf der Höhe zu sein. Er fantasiert von Dämonen und großen Engeln, die in ihn fahren und ihm den Weg weisen. Aber ein hübscher Kerl.«

»Seine Mutter hat mich hergebracht. Sie wollte, dass ich ihn aufhalte. Aber warum schlägt sie mich dann nieder?«

»André Gide hat einmal gesagt: *Es sind gerade die Inkonse-quenzen des Lebens, welche die größten Konsequenzen haben.* Glauben Sie, wir können die Heizung aus der Wand reißen?«

Kern überprüfte, wie fest der Heizkörper installiert war. Dann sagte er:

»Auf drei.«

Raphael sprach noch immer mit Martha.

»Ron hat mich verraten, oder? Er ist weich geworden. Muss das Alter sein.«

»Du kannst nicht ohne mich gehen. Du brauchst mich doch.«

Raphael lächelte.

»Das ist doch Unsinn. Sieh dich mal an. Wo willst du denn noch hin? Behalt die Villa in Berlin, ich schicke dir Geld. Sie werden dir schon nichts tun.«

Während der Fahrt nach Hamburg hatte sich Martha aus-führlich mit Sigrid beraten. Unten, in ihrer Kapsel auf dem Mee-resgrund.

»Wenn der Bulle ihn verhaftet, bist du ihn los«, hatte Sigrid gesagt.

»Aber ich bin die Einzige, die er hat. Ich kann ihn nicht ver-raten«, wandte Martha ein.

»Aber er ist verrückt. Und wenn du ihn nicht aufhältst, dann bringt er dich am Ende auch noch um. Das ist deine letzte Chance, also los!«

»Aber er ist doch mein kleiner Junge.«

»Widersprich mir nicht!«

Martha war sich unsicher. Sie hatte sich ihrem Schicksal schon vor langer Zeit ergeben. Jetzt hatte es ihr aber noch ein-mal die Zügel in die Hand gegeben. Es war vielleicht das letzte Mal, dass sie die Macht hatte, die Dinge zu beeinflussen. Sie dachte noch einmal kurz über Sigrids Worte nach, bevor sie zu Raphael sagte:

»Gut, aber du musst sie beide töten. Auch den Bullen. Er weiß zu viel.«

Raphael war klar, dass sie sich Martha vornehmen würden. Spätestens morgen. Und sie würde reden. Raphael musste jetzt handeln, und zwar schnell und konsequent.

»Na gut«, entschied er also.

»Keine Chance ... «

Kern und Tassilo hatten es nicht geschafft, sich zu befreien.

»Wissen Ihre Kollegen, wo wir sind?«

»Sie wissen, wer *er* ist. Wenn wir Glück haben, finden sie uns.«

Tassilo war klar, dass die Polizei nicht rechtzeitig kommen würde.

»Ich habe es Ihnen noch nicht gesagt«, begann er deshalb.

»Gesagt?«

»Ob ich weitergemacht hätte.«

»Dafür haben wir jetzt keine Zeit.«

Tassilo wurde ernst.

»Mein Lieber, wir haben *nur noch* jetzt dafür Zeit«, sagte er.
»Sie haben mich nicht ins Gefängnis gebracht. Das hat Sie richtig fertiggemacht. Aber Sie hatten trotzdem Erfolg. Nach dem Prozess konnte ich mir ja nichts mehr erlauben.«

»Sie haben den Hass mit den Morden nicht besiegt, oder?«

Tassilo schloss die Augen und versetzte sich noch einmal in die Scheune zurück. Steinbrecher, der Idiot, kurz bevor sein Kopf das letzte Mal auf die Tischplatte schlug. Christensen, die Zicke, kurz bevor er ihre Pulsadern durchtrennte, um ihr das eigene Blut mit einem Trichter einzuflößen. Die Dosanders, kurz bevor er ihre Schädel so lange gegeneinanderschlug, bis sie völlig zerfetzt waren.

»Es war der Ausdruck in ihren Gesichtern«, sagte er dann. »Als sie wussten, dass es ihr Ende war. Ich habe es genossen. Irgendwann hätte ich es wieder getan.«

»Kleine, feuchte Mädchenmuschis ...«

Der Satz weckte Erinnerungen in Tassilo.

»Dieter Wagner«, seufzte er. »Dieses Schwein ...«

61

Drei Jahre zuvor.

»Mein lieber Dieter. Nur noch wir beide, ganz allein im Kerzenlicht. Ist das nicht wundervoll?«

Nachdem die Dosanders aufgehört hatten zu zucken, war es endlich wieder ruhig in der Scheune geworden.

»Wissen Sie, warum ich Sie mir für den Schluss aufgehoben habe?«, fragte Tassilo höflich.

Wagner schüttelte entkräftet den Kopf.

»Jedes Mal. Jedes gottverdammte Mal sind Sie kurz vor Feierabend gekommen. Es war Ihnen völlig egal, wie lange und hart ich vorher gearbeitet habe. Können Sie sich noch erinnern, was Sie mal gesagt haben, als ich Sie darauf hingewiesen habe, dass wir schließen wollen?«

Wagner reagierte nicht. Mit weit aufgerissenen Augen starrte er Tassilo an, der langsam zu ihm herübergeschlendert war und neben ihm Platz genommen hatte.

»*Wann du Feierabend hast, sage ich dir*. Waren das Ihre Worte?«

Wagner konnte sich nicht erinnern. Tassilo erhob sich und verschwand ein weiteres Mal im Dunkel. Wagner hoffte inzwischen nur noch, dass es schnell gehen würde. Und er hatte unbeschreibliche Angst. Vor einer Bestie, die keinen Zweifel daran gelassen hatte, dass es nichts gab, zu dem sie nicht fähig war. Mit welchen Folterinstrumenten würde Tassilo zurückkehren?

Wagner war überrascht, als es bloß ein Glas Wein war.

»Jetzt drehen wir den Spieß mal um, mein Lieber«, sagte Tassilo, als er sich wieder gesetzt hatte. »Dieses Mal trinke ich gemütlich ein Gläschen. Und Sie hören zu. Sind Sie damit einverstanden?«

Wagner nickte eifrig.

»Ich liebe meinen Beruf«, begann Tassilo. »Es ist etwas unwahrscheinlich Schönes, Menschen einen unvergesslichen Abend bereiten zu dürfen. Sie zu verwöhnen, für sie da zu sein. Ihnen jeden Wunsch von den Augen abzulesen. Sie an ihren Tischen sitzen zu sehen, sie zu beobachten, wie sie strahlen, lachen, einen Abend genießen, der für sie etwas ganz Besonderes ist. Sie machen einander Heiratsanträge oder verlieben sich. Und ich bin dabei. Ich stehe still und unauffällig im Hintergrund und darf sie in diesen wundervollen Momenten begleiten.«

Tassilo erhob sein Glas.

»Auf die, die ihr Leben dem Wohl der anderen gewidmet haben«, prostete er Wagner zu, zog seinen Mundschutz hinunter und trank einen Schluck.

»Haben Sie geglaubt, dass ich Sie mag?«, fragte er Wagner dann.

Er reagierte nicht.

»Sie haben sich die Frage nie gestellt. Oder? Sie haben in

mir gar keinen Menschen gesehen. Niemanden, der denkt und fühlt. Ich war eher so was wie ein Gegenstand, nicht wahr? Der Oberkellner. Inventar, das zum Restaurant gehört. Jemand, den Sie benutzen können. Jederzeit. Und am liebsten dann, wenn er Feierabend machen will. Das hat Ihnen ein Gefühl von Macht gegeben, oder? Der Letzte zu sein. Zu entscheiden, wann Feierabend ist.«

Wagner erkannte, dass Tassilo recht hatte.

»Kleine, feuchte Mädchenmuschis«, sagte Tassilo, nachdem er einen weiteren Schluck getrunken hatte. »Davon haben Sie mir immer vorgeschwärmt, wenn Sie betrunken waren. Sie haben geglaubt, ich sei so was wie ein Therapeut. Jemand, dem man alles anvertrauen kann. Vielleicht sogar ein Freund, wer weiß?«

Tassilo genoss den Moment der absoluten Macht.

»*Alles ab zwölf ist okay*. Wissen Sie noch? Sie haben mir Volksreden gehalten, dass Pädophilie in anderen Kulturen ganz normal sei. Und wie aufgeklärt die Mädchen heutzutage doch sind. Und dass sie sich sowieso alle reife Männer wünschen, die Geld und Einfluss haben. Sie haben mir sogar das Geräusch beschrieben, mit dem die Jungfernhaut eines kleinen Mädchens reißt. Und was habe ich getan? Ich habe höflich zugehört und mir meinen Teil gedacht. Soll ich Ihnen verraten, was ich mir gedacht habe? Ich habe mir vorgestellt, was es wohl für ein Geräusch gäbe, wenn ich *Sie* entjungfern würde.«

Wagner riss schockiert die Augen auf.

»Nein, nein«, beruhigte ihn Tassilo. »Nicht Ihren alten, schlaffen Hintern. Keine Sorge. Ich habe mir vorgestellt, wie es wohl klingt, wenn ich Ihren dummen kahlen Kopf in eine Schraubzwinge klemme und sie so lange zudrehe, bis Ihre Schädeldecke platzt. Jedes Mal, wenn Sie von Ihren widerlichen Muschis geschwärmt haben. Glauben Sie, das würde funktionieren?«

Die Kerzen waren fast heruntergebrannt.

»Wir müssen zum Ende kommen, so leid es mir tut«, sagte Tassilo, als er es bemerkte.

Dann erhob er sich und verschwand ein letztes Mal im Dunkel. Wagner wusste, womit er zurückkommen würde.

»Wie viele Umdrehungen werde ich wohl brauchen, was glauben Sie?«, fragte Tassilo, während Wagner den kalten Stahl an seinem Hinterkopf spürte.

»Es ist komisch. Frau Christensen musste mich pausenlos kritisieren. Meine Schürze war schmutzig, meine Hose zu lang, ich sei nicht ordentlich rasiert. Das Essen dauerte zu lange, der Kaffee war nicht heiß genug, die Musik zu laut. Ich habe sie gehasst. Ich habe alle gehasst, die heute Abend meine Gäste waren. Aber keinen so sehr wie Sie. Ich glaube, wenn Sie nicht gewesen wären, hätte diese kleine Abendgesellschaft nie stattgefunden.«

Tassilo drehte die Schraubzwinge eine Umdrehung fester.

»Bedauerlicherweise können sich die anderen Herrschaften nicht mehr bei Ihnen bedanken.«

Der Druck auf Wagners Schädel wurde immer stärker.

»Immerhin. Sie haben es wieder einmal geschafft, der Letzte zu sein«, sagte Tassilo mit bittersüßem Unterton.

Und während er unaufhörlich fester zog, fügte er noch hinzu:

»Was meinen Sie, Dieter? Habe ich jetzt Feierabend?«

62

»Ein bemerkenswertes Geräusch. Ein stumpfes, hohles Platzen«, sagte Tassilo.

Kern hatte schweigend zugehört.

»Und sein Gehirn?«

»Ich fand, in seiner Hose sei es am besten aufgehoben. Er hat es ja sowieso immer dort getragen.«

Die beiden wurden abrupt unterbrochen, als Martha und Raphael zurückkamen.

»Lass Wasser ein, ich mache den Rest«, sagte Martha.

Kern und Tassilo sahen einander an. Sie wussten, dass gerade das Todesurteil über sie gefällt worden war. Raphael neigte sich zu Kern hinunter.

»Sie haben nichts zu befürchten«, sagte er sanft.

»Ich brauche Ihre Hilfe nicht«, antwortete Kern.

Raphael strich ihm durchs Haar. Dann deutete er auf Tassilo.

»Er hat Ihre Seele krank gemacht. Ich komme zu den Kranken und heile ihr Leid. Und ich erlöse sie von dem Dämon.«

»Lass das«, unterbrach Martha die beiden. »Wir haben wenig Zeit.«

Raphael stand auf und ging in einen Nebenraum, den Kern und Tassilo nicht einsehen konnten. Nach wenigen Minuten kam er mit einem alten Kassettenradio zurück. Er ging damit ins Badezimmer, steckte es in die Steckdose und schaltete es ein. Chopins Nocturne in g-Moll erklang. Dann drehte Raphael den Wasserhahn der Badewanne auf und verschwand in der Küche. Martha stand den Gefesselten gegenüber und starrte sie aus leeren, eingefallenen Augen an.

»Er wird Sie beide umbringen«, sagte sie, nachdem sie sich vergewissert hatte, dass Raphael außer Hörweite war. »Er ist kein guter Junge.«

»Machen Sie mich los. Ich kann ihn immer noch aufhalten. Das wollten Sie doch«, beschwor Kern sie.

»Ich will nicht. Ich muss«, antwortete sie kühl.

»Dann binden Sie ihn schon los«, mischte sich Tassilo ein.

Martha wollte gerade ansetzen, Kerns Fesseln zu lösen, als ihr Blick auf Tassilo fiel.

»Ihn haben sie freigesprochen«, sagte sie.

»Geht es darum?«, fragte Kern. »Haben Sie Angst, dass man ihn wieder laufen lässt? Ich verspreche Ihnen, wenn Sie mich losmachen, wird er Ihnen nie wieder was tun können.«

Martha ließ wieder von Kerns Fesseln ab.

»Er wird nicht ins Gefängnis kommen. Er ist zu schlau. Und zu reich«, sagte sie.

»Er hat auf mich geschossen. Allein dafür bekommt er zehn Jahre«, sagte Kern.

»Zehn Jahre?«, entgegnete Martha. Dann sah sie Tassilo an. »Und was bekommt er, wenn ich *Sie* befreie?«

»Was stellen Sie sich denn vor?«, fragte Tassilo.

»In ein paar Minuten sind Sie tot. Außer...«

»Verdammt, was soll das hier werden?«, mischte sich Kern ein.

»Warum eigentlich nicht?«, sagte Tassilo und lächelte überlegen.

Martha schloss die Augen, um noch einmal zu Sigrid abzutauchen.

»Soll ich das wirklich tun?«, fragte sie.

»Der Tod ist nicht das Ende. Wer weiß das besser als ich?«, antwortete Sigrid. »Wenn du bald zu mir kommst, bleibt er allein zurück. Und er wird weiter töten. Da, wo ich bin, wird er frei sein.«

Martha öffnete die Augen wieder und lief entschlossen zu Raphaels Tasche. Sie nahm das Chloroform und ein Tuch heraus. Dann ging sie zu den Gefesselten zurück.

»Ich bitte Sie, das kann hier immer noch ein gutes Ende nehmen!«, sagte Kern.

»Gut?«, erwiderte Martha.

Kern sah ihren Blick. Es waren die Augen eines Menschen, der jeden Lebenswillen verloren hatte. Ihr einziger Antrieb war die verzweifelte Hoffnung, nur noch einmal im Leben das Richtige zu tun. Sie tränkte das Tuch großzügig.

»Vertrauen Sie mir«, flüsterte Tassilo Kern zu und zwinkerte.

Dann presste Martha das Chloroform so lange in Kerns Gesicht, bis er sich schließlich nicht mehr rührte.

Raphael hatte in der Küche so viele Putzmittel zusammengesucht, wie er finden konnte. Als er in den Flur kam, sah er sich in dem Spiegel, vor dem er als kleiner Junge gestanden hatte. Er schloss die Augen und lauschte der Musik, die vom Badezimmer her durch das Rauschen des Wasserhahns zu ihm vordrang.

Raphael weint. Er ist auf dem Spielplatz auf das Klettergerüst gestiegen und kommt nicht wieder runter. Martha springt von der Bank auf und läuft zu ihrem vierjährigen Sohn. Sie hebt ihn ganz behutsam herunter. Dann streicht sie ihm die Tränen aus dem Gesicht und gibt ihm einen Kuss.

Er zog sein Hemd aus. Er war groß und stark, nicht einmal seine Schussverletzung konnte ihm etwas anhaben. Heute würde er unter der Couch hervorkommen und sich den Männern in den Weg stellen. Zufrieden ging er ins Badezimmer. Der Kranke war schwer, vielleicht würde Martha mit anpacken müssen. Wie bei Danner und Mankwitz. Die Wanne war fast voll.

»Wolltest du ein kleines Bad nehmen?«, hörte er plötzlich eine Stimme.

Als er sich überrascht umdrehte, sah er Tassilo. Direkt hinter sich. Es waren nur Sekundenbruchteile, aber Raphael hatte die Situation erfasst. Er sah den kleinen, jämmerlichen Schatten im Flur. Ausdruckslos und starr stand Martha da und sah aus kalten, glanzlosen Augen mit an, wie Tassilo sich in den Haaren ihres Sohnes verkrallte. Mit einem kräftigen Hieb schlug er Raphaels Kopf gegen die blau gefliese Wand. Raphael war deutlich größer und kräftiger als er, doch er wehrte sich nicht. Er sah nur die kalten, glanzlosen Augen seiner Mutter.

»Ich hab dich gesehen. Damals auf dem Schiff«, sagte sie. »Du hast Sigrid umgebracht.«

Noch einmal schlug sein Kopf gegen die Fliesen. Dann zog Tassilo ihn ganz nah an sich heran, musterte seinen durchtrainierten Körper und lächelte.

»Ein Traum«, sagte er und presste Raphael einen kurzen, intensiven Kuss auf die Lippen.

Dann drückte er Raphaels Knie gegen die Badewanne, sodass dessen Beine einknickten und er ins Wasser fiel.

»Weißt du, ich habe schon Menschen ins Paradies geschickt, da warst du noch ein Funkeln im Auge deines Vaters«, sagte Tassilo.

Er griff das Radio, aus dem noch immer Chopin klang, und hielt es direkt über die Badewanne. Martha trat einen Schritt näher.

»Warum hast du mir Sigrid genommen?«, fragte sie. »Wir drei hätten zusammen glücklich sein können.«

»Grüß mir die Engel, Penner!«, rief Tassilo, bevor das Radio mit einem gewaltigen Zischen ins Wasser fiel und nach einem kurzen Stromschlag die Sicherungen heraussprangen.

Raphael war noch nicht tot. Vom Strom gelähmt, sank er langsam immer tiefer ins Wasser, bis sein Gesicht schließlich vollständig untergetaucht war. Mit jedem Atemzug drang mehr Wasser in seine Lungen, aber Raphael spürte es nicht.

Jetzt, am Ende seines Weges, wusste er, dass Tassilo recht gehabt hatte. Er war das Funkeln im Auge seines Vaters gewesen. Und genau das würde er nun wieder werden. Und dann würden die Augen seines Vaters endlich wieder leuchten.

Bis in alle Ewigkeit.

63

Alles wirkte wie von einem Nebelschleier umhüllt. Das schwache Licht der aufgehenden Sonne schien durch die sauber polierten Fenster in den Raum. Vor Kerns Augen begann er sich zunächst verschwommen, dann immer klarer abzuzeichnen. Er konnte nicht aufstehen, und er wusste auch noch nicht, wo er sich überhaupt befand. Während die letzten Minuten vor seiner Betäubung vollkommen aus seinem Gedächtnis gelöscht waren, begannen die Ereignisse davor mit dem Strom der frisch und sauber duftenden Luft langsam zu ihm zurückzukehren. Die symmetrische Anordnung der Möbel fiel ihm nicht auf. So wenig wie die perfekte Sauberkeit, die den Raum so kalt und seelenlos machte wie ein Museum. Irgendwann schaffte Kern es schließlich aufzustehen. Unsicher bewegte er sich Schritt für

Schritt auf den großen Tisch im Zentrum des Raums zu. Langsam und bedächtig, nur darauf besonnen, nicht zu stürzen. Erst jetzt bemerkte er die Körper. Er musste sich auf der Tischkante abstützen, um sich auf den Beinen halten zu können. Teilnahmslos betrachtete er Raphael und Ron. Sie lagen aufgebahrt da, gewaschen und frisiert. Die Platzwunde auf Raphaels Stirn war gereinigt worden. Rons Schussverletzung war unter seinem frischen Hemd nicht zu erkennen.

Reinheit.

Die Polizeisirenen klangen erst aus weiter Ferne. Als Kern sie schließlich hörte, spürte er, dass es vorbei war. Endlich vorbei. Erleichtert schloss er die Augen, bevor seine Knie nachgaben und er zusammenbrach.

Drei Tage später.

»Wenn es dir zu viel ist, musst du es sagen.«

Quirin war extra nach Hamburg gefahren, um Kern im Krankenhaus zu besuchen. Marthas Schlag hatte ihn schwerer verletzt als zunächst angenommen.

»Schon okay. Ist ja nur 'ne Platzwunde«, spielte er es herunter. »Ist mit Dennis wirklich alles in Ordnung?«

Quirin lachte.

»Da mach dir mal keine Sorgen. Der ist sogar schon wieder am Flirten; diese Suzi weicht keine Sekunde von seinem Bett. Und er kommt sich mit seinem halben Ohr wie Bruce Willis vor.«

»Ich dachte echt, er sei …«

»Es ist alles gut, Julius. Jetzt erhol dich erst mal ein paar Tage, und dann kannst du ihn besuchen. Er fragt ja auch dauernd nach dir. Ihr seid mir schon zwei Helden – löst meinen Fall gleich mit.«

»Einer muss da draußen ja für Ordnung sorgen, oder?«

»Bittrich hat euch ein paar Schlagzeilen gewidmet. Du wirst dich totlachen. Er hat sogar auf der Titelseite eine Fotomontage bringen lassen. Du und Tassilo als *Batman und Robin*.«

Kern schmunzelte.

»Wer von uns war Batman?«

»Das willst du gar nicht wissen.«

»Ist es denn auch wirklich sicher, dass es von Bergen war?«

»Ja. Seine Mutter hat uns alles erzählt. Merkwürdige Frau. Sie muss die ganze Nacht geputzt haben. Danach ist sie dann direkt zu den Kollegen gefahren. Und dich hat sie einfach liegen lassen.«

»Was sagt sie denn?«

»Er hat die Morde geplant und begangen. Dann hat er sie dazugeholt, damit sie ihm beim Putzen hilft.«

»Kann sie es nicht auch selber gewesen sein?«

»Sie hätte die Leichen nicht heben können.«

»Warum hat sie ihm denn geholfen?«

»Du hast sie doch gesehen. Völlig am Ende, nicht nur körperlich. Die haben sie gleich eingewiesen.«

Kern wusste, dass die Aussage einer psychisch Kranken im Zweifel nicht ausreichen würde.

»Was habt ihr noch?«, fragte er deshalb weiter.

»Er hatte alle möglichen Putzmittel, aber na ja. Und Gemälde im Keller. Grünberg hat sie sich angesehen. Eindeutig der Erzengel Raphael, auf allen Bildern. Immer mit diesem Jungen.«

»Tobias?«

»Genau. Und immer noch mit einer dritten Person. Er scheint für jedes seiner Opfer ein Bild gemalt zu haben. Die sehen Danner, Mankwitz und Woelke zwar ähnlich, hätte allein aber nicht gereicht. Aber unter den Gemälden der Opfer standen Porzellanschalen mit Asche.«

»Er hat die Leber und das Herz eines Fisches verbrannt, um seine Opfer von einem Dämon zu befreien.«

»Sagt Grünberg auch.«

»Was ist mit Danner? Er kannte ihn, oder?«

»Von den Kreuzfahrten. Außerdem haben wir die Netzwerkkarte gefunden. Und Dennis' neue Freundin hat ihn auch identifiziert. Er war es, kein Zweifel.«

Kern war erleichtert.

»Die Jungs in Neukölln können wir ihm auch zuordnen. Die Waffe lag bei seiner Leiche.«

»Aber warum die Jungs?«

Meisner hatte sich selbst schon den Kopf über diese Frage zerbrochen.

»Er ist tot«, sagte er. »Kann sein, dass wir's nie erfahren.«

Kern lehnte sich zurück. Es ging ihm schon viel besser, aber richtig fit war er noch lange nicht wieder.

»Grünberg nimmt an, dass es was mit dem Vater zu tun hat. Reicher Mann, sehr angesehen. Wurde vor neunzehn Jahren in einem Waldstück gefunden. Übel zugerichtet, ist nie geklärt worden.«

»Und der Erzengel Raphael hilft dem Jungen Tobias, seinen Vater zu heilen.«

»Genauso stellt Grünberg sich das vor.«

»Was ist mit Tassilo?«, wollte Kern jetzt wissen.

Quirin atmete tief durch.

»Hat sich gestern gestellt. Mit seinem neuen Anwalt.«

»Und?«

»Na ja, die Mutter hat ihn sowieso schon entlastet. Ihr Sohn wollte euch schließlich umbringen.«

Kern erwiderte nichts. Er sah ein, dass jeder Richter auf Notwehr entscheiden würde.

»Tassilos Lebensgefährte hat auch bestätigt, dass es eine Entführung war. Und was mit seiner Anwältin passiert ist, weißt du ja wohl auch schon.«

»Kommt sie durch?«

»Sieht nicht gut aus.«

Irgendwie hatte Dr. Weissdorn es geschafft, mit dem Sessel, auf den sie gefesselt war, die Glastür zum Garten zu durchbrechen. Der Rauch in den Lungen, ihre Verbrennungen und die Schnittverletzungen gaben den Ärzten aber wenig Anlass zur Hoffnung.

»Wo ist Tassilo jetzt?«

»Der Staatsanwalt hat ihn gehen lassen. Es wird keine Anklage geben.«

Meisner bemerkte Kerns Blick.

»Julius, er hat dir das Leben gerettet.«

Kern nickte. Nur ganz leicht, aber Meisner konnte es erkennen.

»Castella würde dich gern wieder nach Berlin holen«, fuhr Meisner fort.

»Zu den Verrückten? Hör bloß auf«, erwiderte Kern.

»Denk einfach mal drüber nach. Ohne Verrückte kannst du doch sowieso nicht leben, oder?«

»Ich hab mich gerade so schön an die Falschparker in Potsdam gewöhnt. Na ja, ich denk mal drüber nach.«

In diesem Moment betrat die Krankenschwester das Zimmer und wandte sich an Meisner.

»Sie ist jetzt da«, sagte sie.

Er stand sofort auf.

»So, ich fahre zu den Kollegen rüber. Du hast jetzt wichtigeren Besuch als mich.«

»Castella?«, fragte Kern erstaunt.

»Noch wichtiger«, antwortete Meisner und verließ lächelnd den Raum.

Kern erkannte seine Besucherin bereits am Geräusch ihrer Schritte.

»Nathalie. Was machst du denn hier?«, begrüßte er sie ebenso erfreut wie überrascht.

»Man kann dich doch nicht allein lassen«, antwortete sie und setzte sich. »Ich bin so froh, dass es dir gut geht.«

»Ist Sophie auch da?«

»Nein, sie ist bei Oma. Aber sie wollte unbedingt mit. Sie hat gefragt, ob du mit dem Regierungshubschrauber nach Hause geflogen wirst, weil du doch jetzt ein Held bist.«

Die beiden lächelten einander so vertraut an, wie sie es früher immer getan hatten.

»Weißt du, ich war echt sauer wegen der Pressekonferenz«, sagte Nathalie dann.

»Du hattest mir davon abgeraten.«

»Aber du hast es trotzdem gemacht. Und es war richtig. Du hättest diesen Typen sonst nicht gekriegt.«

»Eigentlich ist doch alles schiefgegangen. Dennis wäre fast gestorben.«

»Ja, Quirin hat es mir erzählt. Aber er lebt. Und du auch.«

»Hat er dir denn auch erzählt, wem ich das verdanke?«

Nathalie zögerte mit ihrer Antwort.

»Ich habe in den letzten Tagen viel nachgedacht. Auch seinetwegen«, sagte sie schließlich. »Euer Auftritt. Ich habe deinen Blick gesehen.«

Sie nahm Kerns Hand.

»Weißt du, was ich so an dir bewundert habe? Damals, als wir uns kennengelernt haben? Du hast immer für das Richtige gekämpft. Egal, was die anderen gesagt haben. Ich hätte das auch tun sollen.«

»Kämpfen?«

»Ja«, antwortete sie. »Für das Richtige.«

64

Martha lag ganz ruhig da. Ihre Augen waren auf die Decke des Klinikzimmers gerichtet, aber das nahm sie nicht wahr. Sie war gar nicht dort, nur ihr aufgezehrter, nutzlos gewordener Körper war es. Ganz tief dort unten auf dem Meeresgrund war alles so, wie sie es sich wünschte.

»Ich habe dich vermisst«, sagte Sigrid, während sie liebevoll Marthas Brüste streichelte.

Es war ihre Idee gewesen, die Killer auf Richard anzusetzen. Und Martha hatte sie gefallen. Jeder würde glauben, dass es die Kolumbianer gewesen wären. Sogar Ron. Er war es auch gewesen, der die Leiche in den Wald gebracht hatte, um Raphael zu schützen. Später hatte er die Mörder seines besten Freundes ausfindig gemacht. Es hatte nicht lange gedauert, sie dazu zu bringen, ihre Auftraggeberin zu verraten.

Es hatte Ron das Herz gebrochen, aber er schwieg trotzdem. Sowohl seine Liebe zu Martha als auch die zu Raphael hatte ihn die schreckliche Wahrheit hüten lassen.

»Lass uns einen kleinen Garten anlegen und Blumenbeete pflanzen«, hauchte Martha ihrer großen Liebe ins Ohr.

»Für dich alle Blumen der Welt.«

Sie brachen in ein verliebtes Kichern aus.

»Ich möchte auch ein Beet für Raphael«, sagte Martha dann. »Er war so niedlich, als er noch klein war.«

»Wird er uns besuchen?«, wollte Sigrid wissen.

Martha sah ihn vor sich. Wie er weinte, als er sich beim Spielen das Knie aufgeschlagen hatte. Und wie er sich gefreut hatte, als sie ihm einen Schlafanzug mit seinem Lieblingshelden darauf gekauft hatte.

»Ja«, antwortete sie. »Und dann fangen wir noch einmal ganz von vorn an. Nur du, ich und unser kleiner Engel.«

Die Delfine verabschiedeten sich mit einem fröhlichen Tanz am Fenster der Kapsel. Sie wussten, dass sie Martha nicht wieder zurück an die Oberfläche bringen mussten.

Sie würde niemals wieder auftauchen.

65

Drei Monate später.

»Ehrlich gesagt, es ist gar nicht mal so schlecht«, sagte Kern, nachdem er eine Weile in Tassilos Buch gelesen hatte.

»Na ja, beim Kommissar hat er aber ziemlich dick aufgetragen. Meinst du, er steht auf dich?«, scherzte Nathalie, während sie den letzten Umzugskarton auseinanderfaltete.

Kern hatte sofort nach seiner Genesung sein neues Büro im LKA Berlin bezogen, und die neue Wohnung war jetzt auch endlich fertig geworden. Heute würden sie die erste gemeinsame Nacht darin verbringen.

»Wo ist denn Pitzel?«, rief Sophie, die ihren Lieblingsteddy nicht finden konnte.

»Er sitzt noch im Auto. Komm, wir holen ihn«, antwortete Nathalie.

Kern sah den beiden nach. Dann griff er nach seiner Kaffeetasse. Er hatte seit Monaten keinen Alkohol mehr getrunken. Stattdessen hatte er den gleichen Kaffeeautomaten gekauft, den Grünberg besaß.

Es war kein einfacher Weg, den er und Nathalie vor sich hatten. Aber sie waren fest entschlossen, ihn zu gehen. Selbst wenn er durch noch so viele Täler führen würde.

Als die beiden aus der Wohnung waren, öffnete Kern seinen Laptop. Die Kollegen vom LKA hatten ihm eine E-Mail weitergeleitet. Und obwohl er es bestimmt schon zwanzigmal getan hatte, las er sie noch einmal.

Mein lieber Julius,
bitte verzeihen Sie, dass ich mich erst jetzt bei Ihnen melde. Sie werden verstehen, dass die Unpässlichkeiten meiner ehemaligen Rechtsanwältin mich in einige Bedrängnis hinsichtlich meiner Buchveröffentlichung gebracht haben. Aber jetzt, da alles gut gegangen ist, möchte ich es mir nicht länger nehmen lassen, Ihnen diese Zeilen zu übermitteln. Nicht zuletzt, weil wir uns wohl bedauerlicherweise eine Weile nicht sehen werden.

Unser gemeinsamer Freund Jan Bittrich hat uns ja regelrecht zu einem »Traumpaar« gemacht. Ich möchte, dass Sie wissen, dass ich damit nicht einverstanden bin. Es lag mir jederzeit fern, Ihre Gefühle zu verletzen, und ich bitte ausdrücklich um Verzeihung für jedes Mal, bei dem ich mit diesem Bestreben gescheitert bin.

Falls Sie sich fragen sollten, ob ich es genossen habe, diesen bildhübschen Jungen ins Jenseits zu befördern, darf ich Ihnen versichern, dass es nicht an dem war. Ich hasse die Menschen nicht per se. Aber manche lassen einem einfach keine Wahl.

Ich weiß, dass Sie Bittrich nicht in der Auffassung folgen, ich hätte Ihr Leben gerettet. Sie nehmen zweifellos an, dass es vornehmlich mein eigenes war, um das es mir ging. Wie auch immer dem sei – ich erwarte keine Dankbarkeit von Ihnen.

Im Gegenteil, ich bin es, der Ihnen zu Dank verpflichtet ist. Allein Ihretwegen habe ich der Dienstleistungsbranche – wenn auch nicht ganz freiwillig – den Rücken gekehrt. Erst seitdem weiß ich, was es bedeutet, frei zu sein.

Dies scheint mir eine geeignete Überleitung, um auf Ihre Worte anlässlich unseres gemeinsamen Presseauftritts zurückzukommen.

Sie haben mir zugesagt, mich früher oder später in staatliche Verwahrung zu überführen. Ich gehe davon aus, dass auch die jüngsten Ereignisse Sie von diesem Vorhaben nicht abgebracht haben.

Nun, wer weiß, vielleicht ergibt sich ja bei Gelegenheit eine Möglichkeit, Ihren Wunsch zu erfüllen. Auch wenn ich aus verständlichen Gründen in diesem Punkt nicht mit Ihnen werde kooperieren können. Lassen Sie es uns hier einstweilen mit Albert Einstein halten: »Ich denke niemals an die Zukunft. Sie kommt früh genug.«

Ich bin nicht Ihr Feind.

Herzlichst

T.

»Und, was Interessantes?«, fragte Nathalie, nachdem sie mit Sophie und ihrem Teddy zurück in die Wohnung gekommen war.

»Nur der übliche Mist«, antwortete Kern.

Dann klappte er seinen Laptop zu und ging hinüber zur Fensterbank. Er nahm die Yuccapalme, die Meisner ihm geschenkt hatte.

»Willst du sie woanders hinstellen?«, fragte Nathalie.

»Ich bringe sie Quirin mit. Es gibt jetzt jemanden, der sie nötiger braucht als ich.«

Bevor Nathalie noch Fragen stellen konnte, zerrte Sophie sie in ihr neues Kinderzimmer. Kern folgte den beiden.

Später, nachdem Nathalie neben ihm eingeschlafen war, lag Kern noch eine Weile wach. Es war noch immer kein einziger Tag vergangen, an dem er nicht an Tassilo hatte denken müssen, und vielleicht würde sich das auch niemals ändern. Kern wusste, dass er lernen musste, damit umzugehen. Ganz langsam, Schritt für Schritt. Die dunkle Seite war Bestandteil seines Lebens. Aber er wusste genau, weswegen er das auf sich nahm, als er seine Frau friedlich neben sich liegen sah. Jetzt spürte er ganz deutlich, dass es kein Tassilo der Welt jemals wieder schaffen würde, sie auseinanderzubringen.

Er sah Nathalie noch eine Weile zu, bevor er schließlich selber die Augen schloss. Und zum ersten Mal seit Langem freute er sich wieder auf seinen Schlaf, denn er wusste, dass er traumlos bleiben würde.

DANKSAGUNG

Wenn die letzte Seite eines Romans geschrieben ist, geht – wenn es auch pathetisch klingt – ein Lebensabschnitt zu Ende. Es ist unglaublich, wie viel ich in der Zeit, in der »Die Reinheit des Todes« entstanden ist, gelernt habe. Über mich, meine Figuren und über die Themen, die sie bewegen. Aber vor allem über meine Freunde.

An dieser Stelle möchte ich mich bei denen bedanken, ohne die dieses Buch niemals erschienen wäre.

Der erste und ganz besondere Dank geht an meine beste Freundin Suzana »Suzi« Migric. Und das nicht nur, weil sie mir ihren Vornamen für eine total tolle Figur ausgeliehen hat (wovon sie so was von begeistert war…). Als Testleserin, Ratgeberin und Brainstorming-Partnerin hat sie von der ersten Seite an jedes Wort zuerst gelesen. Und kritisiert. Oh ja. Vor allem in den ersten Kapitelversionen, als Raphael sich noch so lange eingeölt hat, dass ihr beim Lesen fast die Blätter aus der Hand geglitscht wären.

Wir haben mit unseren abendlichen Sitzungen der Weinindustrie ein echt gutes Geschäftsjahr beschert, und ich bin zuversichtlich, dass es beim nächsten Buch wieder so sein wird!

Außerdem geht ein ganz dickes Dankeschön an Martina Schuster, die als Freundin und Literaturwissenschaftlerin erheblich dazu beigetragen hat, dass mein Erstling auch handwerklich nicht aus dem Ruder gelaufen ist. Dass sie von Anfang an keinen Zweifel daran hatte, dass es das Buch zur Veröffentlichung schaffen wird, hat mir vor allem deswegen so viel bedeutet, weil ich wusste, dass sie es mir auch gesagt hätte, wenn sie anderer Meinung gewesen wäre.

Literaturagenten bekommen regelmäßig Massen von Büchern angeboten. Und viele davon sind wirklich gut und wert, dass man sich für sie einsetzt. Deswegen geht ein ganz herzlicher Dank an meine Agentur »Thomas Schlück«. Insbesondere an Julia Krischak, die meinen Text aus den vielen angebotenen Manuskripten ausgewählt und mit ihrem Glauben und Einsatz erfolgreich vermittelt hat. Danke!

Normalerweise braucht man als Autor sehr viel Geduld, wenn man einen Verlag für sein Manuskript sucht. Meine Lektorin bei Blanvalet, Nicola Bartels, hat mich genau ein Wochenende lang warten lassen. Am Freitag hatte sie das Buch auf dem Tisch – am folgenden Dienstag kam ihr Vertragsangebot. Jeder kann sich vorstellen, wie sehr ich mich über diesen Vertrauensvorschuss gefreut habe. Von Anfang an hat sich Frau Bartels in besonderem Maße für »Die Reinheit des Todes« eingesetzt und mir damit einen unvergesslichen Start ins Schriftstellerdasein ermöglicht. Ich hoffe auf noch viele tolle gemeinsame Bücher!

Die Autorenberatung der Berliner Polizei ist ein großartiger Service! In spannenden, aufschlussreichen Gesprächen mit den freundlichen Mitarbeiterinnen habe ich viel darüber erfahren, wie das LKA bei der Verbrechensbekämpfung arbeitet. Ich bedanke mich für die wertvollen Informationen. Und ich entschuldige mich dafür, dass ich mich im Zweifel für die Spannung und gegen die Realität der Polizeiarbeit entschieden habe.

Aber noch andere Menschen haben mich auf dem langen Weg von der Idee zum fertigen Buch unterstützt.

Andreas Axmann, der mit Geduld ausgehalten hat, dass ich wegen des Schreibens oft keine Zeit für ihn hatte. Und der mich an Abenden, an denen ich intensiv arbeiten wollte, nicht öfter als drei Mal in der Stunde angerufen hat. ☺

Jano Bittrich hat mir nicht nur den größten Teil seines Namens zur Verfügung gestellt, sondern mich auch noch umfangreich bei einem tollen Romancharakter beraten – den es dann am Ende gar nicht gegeben hat. Warte noch ein bisschen, dann taucht er vielleicht doch noch in einem der nächsten Thriller auf…

Viele frühere Kollegen aus der Gastronomie haben mir ihre skurrilsten Geschichten von anstrengenden Gästen erzählt, die teilweise Einzug in mein Buch gehalten haben. Oft musste ich nicht mal übertreiben.

Ich meine es nicht ironisch, wenn ich mich auch bei den Gästen bedanke, die mir in meinen Gastronomiejahren so richtig schön auf die Nerven gegangen sind. Ohne sie hätte ich dieses Buch niemals geschrieben.

Ganz wichtig ist mir in diesem Zusammenhang aber vor allem, mich bei den ungezählten netten Gästen zu bedanken, die der Grund dafür waren, dass meine Zeit als Restaurantfachmann bei Weitem nicht so schlimm war, wie man nach der Lektüre meines Thrillers denken könnte.

Dr. Rainer Schöttle (dessen Name ihn viel ernsthafter erscheinen lässt, als er ist) hat als Redakteur letzten Schliff in den Text gebracht und mit Hingabe die Kommas nachgeliefert, die ich massenhaft vergessen habe. Danke, und: Asche auf mein Haupt, Rainer!

Der Grafiker von »hilden_design«, der das tolle Cover entworfen hat, ist mir persönlich leider nicht bekannt. Vielen Dank an ihn, ich war begeistert und bin es immer noch!

Manuel Abraham hat in einer Hauruckaktion das Foto von mir für den Umschlag gemacht. Es ist übrigens in dem Restaurant entstanden, in dem ich die Idee zu diesem Buch hatte.

Die vielen Verlagsvertreter und Buchhändler, die sich überall im Land darum gekümmert haben, dass Sie dieses Buch überhaupt kaufen konnten, halten ihre Arbeit wahrscheinlich für selbstverständlich. Für mich ist sie das nicht. Vielen Dank!

Der letzte Dank geht jetzt aber an Sie, der Sie mein Buch gelesen haben.

Die Regale der Buchhandlungen sind voll von Romanen. Aber Sie haben sich für meinen entschieden. Dafür danke ich Ihnen sehr!

Ich hoffe, Ihr Vertrauen gerechtfertigt zu haben.

Vincent Kliesch

blanvalet

Er taucht in ihren schlimmsten Alpträumen auf – und manchmal ist es sicherer, nicht zu erwachen …

Thriller. 352 Seiten. Originalausgabe
ISBN 978-3-442-37354-3

Lesen Sie mehr unter: **www.blanvalet.de**